QUENTINS

Maeve Binchy

Quentins

roman

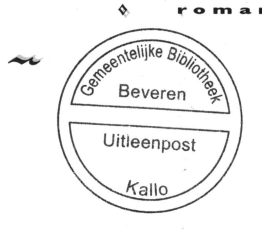

VAN REEMST
UITGEVERIJ

HOUTEN

Eerste druk, maart 2003
Tweede druk, april 2003

Oorspronkelijke titel: *Quentins*
Oorspronkelijke uitgave: Orion
© 2002 Maeve Binchy

© 2003 Nederlandstalige uitgave:
Van Reemst Uitgeverij, Unieboek bv
Postbus 97, 3990 DB Houten

www.unieboek.nl

Vertaling: Milly Clifford
Omslagontwerp: Andrea Scharroo
Omslagillustratie: Fred de Heij
Foto auteur: © Liam White Photography
Opmaak: ZetSpiegel, Best

ISBN 90 410 1488 8/ NUR 340

Voor mijn lieve beste Gordon
Dank je voor je ruimhartigheid, begrip en liefde in al die jaren

Deel een

1

Toen Ella Brady zes was, ging ze voor het eerst naar Quentins. Dat was tevens de eerste keer dat iemand 'mevrouw' tegen haar zei. Een vrouw in een zwarte jurk met een kanten kraagje had hen naar de tafel gebracht. Ze had eerst Ella's ouders plaats laten nemen en vervolgens een stoel naar achteren geschoven voor het zesjarige meisje.

'Als mevrouw hier wil zitten, dan kan mevrouw alles goed zien,' zei ze. Ella vond het prachtig, en ze wist goed om te gaan met de situatie.

'Dank u, heel graag,' zei ze beleefd. 'Ik ben hier voor het eerst, ziet u.' Dit zei ze voor het geval dat iemand haar anders zou aanzien voor een vaste klant.

Haar vader en moeder hadden waarschijnlijk zoals altijd vol adoratie naar haar gekeken. Op de foto's uit haar jeugd waren ze tenminste een en al adoratie. Ze herinnerde zich dat haar moeder tegen haar zei dat ze het liefste meisje van de wereld was, en dat haar vader zei dat hij het jammer vond dat hij elke dag naar kantoor moest, anders was hij thuisgebleven bij zijn liefste meisje.

Ella had een keer gevraagd waarom ze geen broers en zusjes had, zoals andere kinderen. Haar moeder had gezegd dat God maar één kind naar hun gezin had gestuurd, en dat ze blij waren dat het zo'n lief kind was. Jaren later hoorde Ella over de vele miskramen en de valse hoop. Maar destijds was ze dik tevreden met de uitleg. Ze hoefde haar speelgoed of haar ouders met niemand te delen, dus dat moest wel leuk zijn. Ze namen haar mee naar de dierentuin en vertelden over alle dieren. Ze gingen met haar naar het circus als het in de stad kwam, en ze gingen zelfs een weekend naar Londen en maakten een foto van haar voor Buckingham Palace. Maar niets had zoveel indruk op haar gemaakt als dat eerste bezoek aan een echt restaurant, waar ze mevrouw tegen haar zeiden en haar een plaats gaven waar ze alles goed kon zien.

De Brady's woonden op Tara Road, in een huis dat ze jaren geleden hadden gekocht, voor de prijzen omhoogvlogen. Het was een hoog huis met een grote achtertuin waarin Ella haar vriendinnetjes van school mocht uitnodigen. Het huis was onderverdeeld in appartementen toen de Brady's het kochten. Daardoor was er op elke verdieping een badkamer en een kitchenette. Ze hadden het grotendeels verbouwd om er een echt gezinshuis van te maken, maar Ella's vriendinnen benijdden haar omdat ze eigenlijk een eigen wereldje had. Het was een vredig, geordend leven. Haar vader Tim deed er elke ochtend twintig minuten over om naar kantoor te lopen, en negenentwintig minuten terug omdat hij dan altijd een biertje ging drinken, waarbij hij de avondkrant las.

Ella's moeder, Barbara, werkte alleen in de ochtenden. Zij was degene die het advocatenkantoor in de stad bij Merrion Square moest openen. Ze vertrouwden er blind op, zei ze altijd trots, dat ze alles in gereedheid had als de heren om halftien kwamen binnendruppelen. Dan lag al hun post gesorteerd op hun bureau. Ze beantwoordde de vroege telefoontjes en deed of de advocaten al aan het werk waren. Daarna nam ze de grote stapel door in wat Barbara's Bakje werd genoemd, waarin ze alles stopten wat met geld te maken had. Barbara beschouwde zichzelf als een heel efficiënte boekhouder, en ze hield de vier wanordelijke, vastgeroeste advocaten streng onder controle. Waar was de kwitantie voor het vervoer naar die-en-die zaak? Waar was de factuur voor het schrijfpapier dat iemand had besteld? Gehoorzaam, als kleine jongens, leverden ze hun rekeningen bij haar in en ze bewaarde die in dikke grootboeken. Barbara moest er niet aan denken dat ze ooit op de computer zouden overgaan, maar die dag lag nog ver in het verschiet. Deze vier waren niet erg vooruitstrevend. Ze zouden nog het liefst met een ganzenveer schrijven als ze de keus hadden!

Barbara Brady ging om twaalf uur weg van kantoor. In het begin was dat nodig omdat ze Ella van school moest halen, maar zelfs nu haar dochter groot genoeg was om alleen met een groepje lachende schoolmeisjes naar huis te gaan, bleef Barbara halve dagen werken. Ze wist dat ze in haar vierenhalf uur meer voor elkaar kreeg dan anderen in een hele dag. En ze wist dat haar werkgevers zich daar heel goed bewust van waren. Dus was ze er altijd als Ella thuiskwam. Het liep allemaal op rolletjes. Als Ella thuiskwam was er iemand om haar een glas melk en een koekje te geven en te luisteren naar haar kleurrijke verslag van de gebeurtenissen van de dag, wat er allemaal voor ergs of spannends was gebeurd. En ook om haar te helpen met het huiswerk.

Door dit systeem keerde Tim Brady elke dag terug naar een keurig huis en een lekkere warme maaltijd, na zijn werk bij de beleggingsmaatschappij waar hij zich door de jaren heen steeds minder op zijn gemak ging voelen. En wanneer hij elke avond op dezelfde tijd thuiskwam, had Ella een tweede gehoor voor al haar verhalen over allerlei mensen. De rimpels verdwenen geleidelijk uit zijn gezicht terwijl ze achter haar vader door de tuin liep, eerst als peuter en naderhand als schoolmeisje met lange, spichtige benen. Ze stelde vragen over zijn werk die haar moeder nooit had durven stellen. Waren ze op kantoor blij met papa? Zou hij daar de baas worden? En later, toen het Ella duidelijk werd hoe ongelukkig haar vader was, vroeg ze hem waarom hij niet ergens anders ging werken.

Tim Brady had weg kunnen gaan van het kantoor waar hij zich zo slecht op zijn gemak voelde en een andere baan kunnen nemen, maar de Brady's waren geen mensen die goed tegen veranderingen konden. Ze hadden er lang over gedaan voor ze een huwelijksverbintenis aangingen, en nog langer voor ze Ella voortbrachten. Ze waren bijna veertig toen ze werd geboren, en dus van een andere generatie dan de andere ouders van jonge kinderen. Maar dat versterkte juist hun liefde voor haar. En hun besluit dat ze alles moest krijgen wat maar mogelijk was. Ze verbouwden hun souterrain tot een appartement met alle voorzieningen en verhuurden het aan drie meisjes die bij een bank werkten. De opbrengst zetten ze opzij om Ella's opleiding te bekostigen. Ze deden nooit iets alleen voor henzelf. In het begin werden een paar hoofden geschud. Deden ze niet te veel voor het kind? vroegen sommige mensen zich af. Zouden ze haar niet veel te veel verwennen? Maar zelfs diegenen moesten toegeven dat al die liefde en aandacht Ella helemaal geen schade deed.

Vanaf het begin leek ze om zichzelf te kunnen lachen. En om iedereen. Ze groeide op tot een lang, zelfverzekerd meisje, open en vriendelijk, dat net zoveel van haar ouders leek te houden als zij van haar.

Ella hield een fotoalbum bij van alle fijne gebeurtenissen uit haar jeugd, en ze schreef er onderschriften bij: PAPA EN MAMA EN DE CHIMPANSEE IN DE DIERENTUIN. CHIMPANSEE LINKS OP DE FOTO. Daar moest ze elke keer weer om schaterlachen.

Zelfs op dertienjarige leeftijd, toen andere kinderen zich misschien begonnen te onttrekken aan het gezinsleven, bleef Ella haar blonde hoofd buigen over de foto's.

'Was dat de blauwe jurk die ik aanhad naar Quentins?' vroeg ze.

'Dat je dat nog weet!' Haar vader was verrukt.

'Bestaat het nog?' vroeg ze.

'O ja, wel chiquer en duurder, maar het bestaat nog steeds en het loopt goed.'

'O.' Ze leek teleurgesteld dat het duur was geworden. Haar ouders keken elkaar aan.

'Het is lang geleden dat ze er is geweest, Tim.'

'Meer dan de helft van haar leven,' gaf hij toe, en ze besloten zaterdagavond naar Quentins te gaan.

Ella sloeg alles gade met haar scherpe jonge ogen. Het zag er veel luxueuzer uit dan de vorige keer. Op de dikke linnen servetten was een Q geborduurd. De obers en serveersters droegen mooie, zwarte broeken en witte hemden. Ze wisten alles over elk gerecht en legden duidelijk uit hoe het was bereid.

Brenda Brennan had gezien hoe belangstellend het meisje om zich heen keek. Ze was precies de tienerdochter die Brenda graag had gehad: opmerkzaam, vriendelijk, lachend met haar ouders, dankbaar dat ze naar een duur restaurant was meegenomen. Zo zag je ze niet vaak. Tieners deden vaak verveeld en nukkig. Dan vertelde Brenda later op de avond aan Patrick dat ze misschien maar geboft hadden dat ze aan het ouderschap waren ontsnapt. Maar dit meisje was de droom van elke moeder. En haar ouders leken ook niet bepaald jong. De man, vermoeid en met een licht gebogen rug, kon wel zestig zijn, en de moeder in de vijftig. Wat boften de Brady's dat ze op zo'n late leeftijd nog zoiets kostbaars hadden gekregen.

'Wat eten de meeste mensen het liefst, zijn er lievelingsgerechten?' vroeg het meisje aan Brenda toen ze de menu's bracht.

'Een heleboel klanten vinden onze vis lekker. Die bereiden we heel eenvoudig, met een saus apart erbij. En veel mensen eten tegenwoordig natuurlijk vegetarisch, dus de chef-kok moet steeds nieuwe recepten bedenken.'

'Hij is vast heel knap,' zei Ella. 'En praat hij heel gewoon tegen iedereen als hij aan het werk is? Ik bedoel, is hij niet driftig?'

'O, praten doet hij wel, en niet altijd gewoon, maar hij is met mij getrouwd, dus moet hij wel tegen me praten, anders draai ik hem zijn nek om!' Ze moesten allemaal lachen, en Ella vond het enig dat ze volwassen werd behandeld. Toen liep Brenda verder naar een andere tafel.

Ella zag dat haar ouders heel aandachtig naar haar zaten te kijken.

'Wat is er? Heb ik te veel gepraat?' vroeg ze terwijl ze van de een naar de ander keek. Ze wist dat ze vaak maar door bleef ratelen.

'Er is niets, lieverd, ik zat juist te bedenken hoe fijn het is om ergens met jou naartoe te gaan,' zei haar moeder. 'Je geniet altijd zo van alles.'

'En ik dacht precies hetzelfde,' zei haar vader terwijl hij naar haar lachte.

Toen Ella naar de middelbare school ging, vroeg ze zich af of ze niet te veel om haar gaven. Alle andere meisjes op school zeiden dat hun ouders monsters waren. Ze huiverde even, bang dat alles opeens zijn glans zou verliezen. Misschien zouden haar ouders bezwaar krijgen tegen haar kleren, haar loopbaan, haar echtgenoot? Het verliep allemaal zo gevaarlijk voorspoedig. En het bleef goed gaan tijdens wat de helse jaren hoorden te zijn, toen Ella zestien en zeventien was. Elk ander meisje op school had openlijk strijd geleverd met een of met beide ouders. Er waren scènes geweest, tranen en drama's. Maar nooit bij de Brady's.

Barbara vond de feestjurkjes die Ella kocht misschien veel te kort en te strak. Tim vond de muziek die uit Ella's kamer klonk misschien veel te hard. Ella had misschien liever niet dat haar vader in zijn comfortabele, degelijke auto buiten bij de disco zat te wachten om haar na afloop thuis te brengen, alsof ze een kind van zes was. Maar als iemand die dingen al ooit dacht, werden ze nooit uitgesproken. Ella klaagde wel dat haar vader haar betuttelde en dat haar moeder zich veel te druk om haar maakte, maar ze zei het vol genegenheid. Toen Ella achttien was en naar de universiteit zou gaan, was hun gezin nog steeds het meest opgewekte en vredige van het westelijk halfrond.

Ella's vriendin Deirdre was vol afgunst. 'Het is gewoon niet eerlijk. Ze zijn niet eens kwaad geworden dat je natuurwetenschappen gaat studeren. De meeste ouders vertikken het gewoon hun kinderen te laten doen wat ze willen.'

'Ik weet het,' zei Ella verontrust. 'Het is wel een beetje abnormaal, hè?'

'En ze maken ook geen ruzie,' mopperde Deirdre. 'Die van mij zitten elkaar altijd in de haren over geld en drank... over alles eigenlijk.'

Ella haalde haar schouders op. 'Nee, ze drinken niet, en we verhuren het appartement natuurlijk, dus ze hebben geld genoeg. En ik ben niet aan drugs verslaafd of zo, dus ze maken zich volgens mij geen zorgen.'

'Maar waarom zijn ze bij mij thuis dan wel altijd in alle staten?' jammerde Deirdre.

Ella haalde weer haar schouders op. Ze kon het niet verklaren. Er leek gewoon geen probleem te zijn.

'Wacht maar tot we hele nachten uitgaan en met kerels in bed duiken, reken maar dat er dan wel een probleem is,' zei Deirdre op dreigende toon.

Maar toen dat gebeurde was het vreemd genoeg helemaal geen probleem.

Tijdens hun eerste jaar op de universiteit raakten Ella en Deirdre bevriend met Nuala, die van het platteland kwam en een eigen flat had in het centrum van de stad. Als het eens ergens te laat werd of te moeilijk om naar huis te gaan, zeiden ze dat ze bij Nuala bleven slapen. Ella vroeg zich af of haar ouders wel echt overtuigd waren, of dat ze vermoedden dat zij iets van plan was. Misschien wilden ze het niet weten en stelden ze daarom geen vragen waarop de antwoorden, al waren ze eerlijk, misschien onaanvaardbaar zouden zijn. Ze vertrouwden haar gewoon, zoals altijd. Af en toe voelde ze zich een beetje schuldig, maar dat gebeurde niet vaak.

Ella werd niet één keer verliefd tijdens haar vier jaar op de universiteit, en ze was een uitzondering. Ze had wel seks. Niet veel. Ella's eerste vrijer was Nick, een medestudent. Nick Hayes was eerst alleen een vriend, maar op een avond zei hij tegen Ella dat hij al op haar viel sinds hun eerste college. Ze was zo koel en kalm, terwijl hij altijd opdringerig en luidruchtig was en de verkeerde dingen zei.

'Zo heb ik je nooit gezien,' zei Ella naar waarheid.

'Het komt doordat ik sproeten en groene ogen heb en altijd om aandacht heb moeten schreeuwen omdat we thuis met zoveel mensen waren,' legde hij uit.

'Nou, ik vind het juist leuk,' zei ze.

'Betekent dat dan dat je ook een beetje op mij valt?' vroeg hij hoopvol.

'Dat weet ik niet,' antwoordde ze.

Hij was zo teleurgesteld, dat ze de uitdrukking op zijn gezicht niet kon aanzien. 'Kunnen we niet gewoon veel praten in plaats van met elkaar naar bed te gaan?' vroeg ze. 'Ik wil graag meer van je weten en waarom jij vindt dat wetenschappen een goede overstap is naar films maken, en... nou ja, een heleboel dingen,' eindigde ze niet erg overtuigend.

'Betekent dat dat je me niet moet, dat je van me walgt?' wilde hij weten.

Ella keek naar hem. Hij probeerde een grapje te maken, maar zijn gezicht stond heel kwetsbaar. 'Ik vind je heel aantrekkelijk, Nick,' zei ze.

En dus gingen ze met elkaar naar bed.

Het was allerminst een succes. Vreemd genoeg waren ze niet van streek of beschaamd, alleen verbaasd.

Na een paar pogingen waren ze het erover eens dat het niet was wat ze ervan hadden verwacht. Nick zei dat het voor hem ook de eerste keer was, en dat ze misschien allebei ervaring moesten opdoen bij mensen die er alles van wisten.

'Misschien is het net als met autorijden,' zei hij serieus. 'Je moet het leren van iemand die weet hoe het moet.'

Toen trok ze de aandacht van een sportheld, die verbijsterd was toen ze zei dat ze geen seks met hem wilde.

'Ben je soms frigide of zo?' had hij gevraagd, zoekend naar een verklaring.

'Dat denk ik niet, nee,' had Ella geantwoord.

'Nou, volgens mij wel,' merkte de sportheld gepikeerd op. Ella dacht dat het geen kwaad kon om het een keer met hem te proberen, omdat hij immers al een heleboel meisjes had versleten. Maar het was net zomin een succes als met Nick. Ze hadden niets om over te praten, dus was het eigenlijk erger. De sportheld zei wel als complimentje tegen haar dat ze absoluut niet frigide was.

Er volgden nog twee korte ervaringen; alles bij elkaar stelde het niets voor vergeleken bij de avontuurtjes van Deirdre en Nuala. Maar Ella zat niet bij de pakken neer. Ze was vierentwintig en afgestudeerd in natuurwetenschappen. Vroeg of laat kwam ze heus wel de ware tegen, net als iedereen.

Nuala was de eerste die haar grote liefde tegenkwam. Frank, donker en melancholiek. Nuala aanbad hem. Toen hij zei dat hij naar Londen wilde gaan om mee te werken in het bouwbedrijf van zijn twee broers, was ze overmand door verdriet.

Dit was dé gelegenheid voor een etentje bij Quentins. 'Ik dacht echt dat hij om me gaf. Hoe kon ik me zo laten inpalmen en me zo laten vernederen?' zei ze in tranen tegen Ella en Deirdre toen ze aan hun tafel zaten.

Het was eigenlijk een diner voor Vroege Vogels. Je kwam om halfzeven en moest uiterlijk om acht uur weer weg zijn. Het was bedoeld voor mensen die naar de bioscoop of het theater gingen, en het restaurant hoopte erna nieuwe gasten te krijgen. Maar Deirdre, Ella en Nuala maakten geen aanstalten om te vertrekken. Mon, de levendige, blonde serveerster, schraapte af en toe haar keel – zonder succes.

Ten slotte ging Ella naar mevrouw Brennan. 'Het spijt me ontzettend. Ik weet dat we eigenlijk Vroege Vogels zijn en voor het goedkope menu hebben gekozen, maar een van ons zit in een crisis en we proberen haar te kalmeren.'

Brenda moest lachen, ondanks dat er mensen aan de bar zaten te wachten tot er een tafel vrijkwam.

'Goed dan, proberen jullie haar maar te kalmeren,' zei ze toegeeflijk.

'Breng hun een fles rode huiswijn met een kaartje met daarop "Om de crisis te helpen bezweren",' zei ze tegen Mon.

'Ik dacht dat we de Vroege Vogels moesten wegwerken,' sputterde Mon tegen.

'Daar heb je gelijk in, Mon, maar we moeten wel flexibel zijn in dit beroep,' zei Brenda.

'Een hele fles, mevrouw Brennan?' Mon begreep er nog steeds niets van.

'Ja, een heel slechte wijn, een van Patricks weinige vergissingen. Hoe eerder die op is, hoe beter,' besliste Brenda.

De meisjes aan tafel waren er dolblij mee.

'Zodra we wat meer geld hebben, gaan we hier echt dineren,' beloofde Ella.

Toen hielden ze krijgsoverleg. Zouden ze Frank gewoon vermoorden, of naar zijn huis gaan en hem bedreigen? Moest Nuala in de volgende twee uur een andere minnaar zoeken en er Frank mee pesten? Moest ze hem een gekwetste, trieste brief schrijven die zijn hart zou breken en hem voor de rest van zijn leven een onvaste hand zou bezorgen?

Geen van die dingen bleek nodig te zijn, want Frank kwam naar het restaurant, op zoek naar Nuala. Hij werd met veel vijandigheid begroet door de meisjes en reageerde verbijsterd. Toch waren de meisjes eensgezind tegen hem: hij kreeg niet de kans om Nuala alleen te spreken.

'Goed dan,' zei hij met een rood gezicht, bijna in tranen. 'Goed, het gaat niet zoals ik van plan was, maar vooruit.' Hij knielde neer en haalde een diamanten ring tevoorschijn.

'Ik hou van je, Nuala, en ik wachtte tot je me een teken zou geven of je met me mee zou willen naar Engeland. Toen je niets zei, dacht ik dat je niet mee wilde. Trouw met me, alsjeblieft.'

Nuala staarde hem vol verrukking aan. 'Ik dacht dat je niet van me hield, dat je me in de steek liet,' begon ze.

'Wil je met me trouwen?' Zijn gezicht zag nu bijna paars.

'Zie je, Frank, ik dacht dat je een loopbaan belangrijker vond dan...'

Een ader begon vervaarlijk te kloppen op Franks voorhoofd.

'Ik was zo van streek dat ik zelf gekeken heb of er banen in Londen waren...'

Ella kon het niet langer verdragen. 'NUALA, WIL JE MET HEM TROUWEN, JA OF NEE?' schreeuwde ze. Het hele restaurant was getuige toen Nuala zei dat ze dat natuurlijk wilde, en iedereen juichte hen toe.

Drie maanden later zouden Deirdre en Ella bruidsmeisjes zijn.

'Misschien kom ik mijn grote liefde wel op Nuala's bruiloft tegen,' zei Ella tegen haar moeder. 'Ze kunnen me moeilijk over het hoofd zien in die vreselijke oranje jurk die we van haar moeten dragen.'

'Jij ziet er in alles goed uit,' zei Barbara.

'Toe nou, mam. We lijken net twee meiden die benzine moeten promoten bij een tankstation, of gratis snoep moeten weggeven voor een goed doel.'

'Onzin. Je bent weer veel te kritisch...'

'Dat zei Deirdre ook. Ze zegt dat jullie me alles geven wat ik wil en me nog ophemelen ook, en dat ik door en door verwend ben.'

'Dat is helemaal niet waar.'

'Maar mam, je klaagt niet eens dat ik niet naar de mis ga.'

'Dat wil ik wel doen als je dat prettig vindt, maar wat heeft het voor zin? Pastoor Kenny zegt trouwens dat we in onze eigen ziel moeten kijken en niet in die van anderen.'

'Daar zijn pastoor Kenny en de Kerk wel laat achter gekomen. Hoe zit het dan met de kruistochten en de missies?'

'Je wilt toch niet zeggen dat die arme pastoor Kenny persoonlijk betrokken was bij de kruistochten en de missies?' vroeg Barbara met een glimlach.

'Nee, natuurlijk niet, en ik zal tijdens de huwelijksceremonie heel braaf en vol respect zijn. Maar ik vind het wel gek dat Nuala een trouwerij met alle toeters en bellen in de kerk wil.'

'Dus als jij ooit zover bent, hoeven we pastoor Kenny er niet bij te halen?'

'Nee mam, maar tegen die tijd is het misschien wel helemaal in om op Mars te trouwen.'

Ella kwam haar grote liefde niet tegen op Nuala's bruiloft, maar Deirdre viel wel als een blok voor een van Franks getrouwde broers, die voor het huwelijk was overgekomen uit Londen.

'O Deirdre, doe het alsjeblieft niet. Toe, ik smeek het je, laat hem lopen,' had Ella gezegd.

'Waar heb je het in hemelsnaam over?' Deirdre zette onschuldige, grote ogen op.

'Ik ben het zat om smoesjes voor jou en die idioot te moeten bedenken, en foto's en dat soort dingen uit te moeten stellen tot het bruidsmeisje helemaal verfomfaaid komt opdagen met een van de bruidsjonkers. Hoe haal je het in je hoofd?'

'Ach, het is gewoon een geintje. Nuala zou er ook om lachen. Zál erom lachen.'

'Nee Deirdre, je vergist je. Hij is nu haar zwager. Iemand die ze twee keer per week in Londen zal zien, samen met zijn vrouw. Nuala zal er niet om lachen. Ze zal het trouwens niet eens willen weten.'

'O god, doe toch niet zo afkeurend! Dat doen mensen nu eenmaal bij bruiloften. Daar zíjn bruiloften voor!'

'Trek je jurk recht, Deirdre, er moeten weer foto's gemaakt worden.' Ella's stem had een stalen klank.

'Wat bedoel je met "trek je jurk recht"?'

'Aan de achterkant. Hij is in je onderbroek blijven hangen.' Ella zag voldaan hoe Deirdre verontrust aan de achterkant van haar jurk sjorde, die helemaal nergens achter was blijven hangen.

Op de bruiloft kwam Ella Nuala's nicht tegen, die ze in geen jaren had gezien. Die stond op het punt om ontslag te nemen als lerares exacte vakken. Kende Ella misschien iemand die op zoek was naar een baan?

Ella zei dat ze de baan zelf graag zou willen hebben.

'Ik wist niet dat je les wilde geven,' merkte de vrouw verbaasd op.

'Ik ook niet, tot jij het vroeg,' zei Ella.

Haar ouders keken ook op van het nieuws. 'Je weet dat je verder kunt studeren. Het geld is er,' zei haar vader met een knikje naar het appartement in het souterrain, waar drie bankemployees graag wilden betalen om in een goede buurt als Tara Road te kunnen wonen.

'Nee, pap. Ik ben al op de school geweest. Ze zijn heel aardig. Ze vinden het niet erg dat ik geen ervaring heb en ze gaan er blijkbaar van uit dat ik de kinderen wel aankan. Nou ja, ik ben lang, dat is een pluspunt als ik misschien moet gaan armpje drukken,' zei Ella lachend.

'Je hebt ook een goede opleiding,' bracht haar moeder in herinnering.

'Ja, dat was ook wel een pluspunt, denk ik. In elk geval moet ik een diploma onderwijsbevoegdheid halen, dus dat houdt in dat ik 's avonds lessen moet volgen. En omdat de school in de buurt van de universiteit is, dacht ik...' Ze vroeg zich af hoe ze het moest inkleden. Dat het tijd was om uit huis te gaan. Ze namen het heel kalm op.

'We vroegen ons af of je mettertijd in het souterrain zou willen wonen?' Haar vader klonk aarzelend.

'Je zou vrij zijn om te komen en te gaan, net als die meisjes van de bank,' zei haar moeder. 'Niemand zal je lastigvallen of zo.'

'Het gaat gewoon om de afstand, mam, niet om mensen die me lastig zouden vallen. Dat hebben jullie nooit gedaan.'

'Er kunnen dagen voorbijgaan zonder dat je ons hoeft te zien, hoor, net als de meisjes. En de muren zijn dik...'

Ze wist dat dit hun laatste poging was, dat ze zouden toegeven. 'Nee, ik ben niet bang dat je mijn wilde feesten zult horen, pap. Echt, het is zo allemaal veel dichterbij en gemakkelijker. En ik kom vaak naar huis. Dan blijf ik hele weekends als jullie het leuk vinden.'

Het was geregeld.

'Hoe is het mogelijk. Een eigen flat én nog een kamer thuis, het kan niet op! Waarom krijg jij altijd alles, Ella Brady?' wilde Deirdre weten.

'Omdat ik betrouwbaar ben,' zei Ella. 'Ik maak geen problemen. Heb ik nooit gedaan. Daarom heb ik het altijd zo makkelijk gehad.'

En het ging allemaal ook makkelijk. Ella vond het prettig op school. De andere jonge leerkrachten waarschuwden haar voor de valkuilen, de mensen die vervelend deden in de lerarenkamer, het risico dat je werd opgezadeld met het organiseren van activiteiten; ze gaven tips over hoe je gesprekken met ouders moest afhandelen, en hoe je het beste nieuwe spullen voor het lab kon aanvragen. Ze vond de kinderen en hun enthousiasme leuk. Het leek wel pas gisteren dat ze zelf nog in de klas zat. De lessen vielen ook mee, en ze vond een flat in een lommerrijke straat op nog geen vijf minuten van de school.

'Ik voel me daar op de een of andere manier vrij, onafhankelijk,' legde Ella uit aan Deirdre.

'Ik snap niet waarom je de moeite hebt genomen. Bij je ouders stond je eten klaar, en zo te zien heb je hier nog nooit een vent meegebracht.'

'Hoe weet je dat?' vroeg Ella lachend.

'Nou, is het dan wel zo?'

'Toevallig niet, maar dat kan gebeuren.'

'Zie je wel?' zei Deirdre triomfantelijk. 'Ik snap werkelijk niet waarom je je zo vrij en onafhankelijk voelt.'

En ergens wist Ella dat ook niet. Ze dacht dat het misschien iets te maken had met het feit dat ze niet aan het huwelijk van haar ouders hoefde te denken. Ze waren nu oud, in de zestig, en ze klampten zich vast aan hun werk in plaats van met pensioen te gaan, zoals andere mensen van hun leeftijd. Ze konden dat huis op Tara Road met een enorme winst verkopen en een veel kleiner huis of flat kopen. Dan hoefde mam niet zo vol angst naar dat advocatenkantoor te gaan waar ze, naar ze vermoedde, uit vriendelijkheid werd aangehouden. En pap hoefde niet meer naar wat hij als een veranderende beleggingswereld beschouwde.

Ze konden goed met elkaar overweg. Ja toch? Ze hadden nooit ruzie, zoals ze zo vaak tegen Deirdre had gezegd. Als ze het huis onderverdeelden in appartementen, dan bracht dat zoveel huur op dat ze hun baan konden opzeggen. Ze zou nog niets zeggen, maar het idee laten rijpen.

Ze ging minstens eens per week bij hen eten, en ook elke zondag, maar ze bleef nooit slapen. In de flat kon ze beter studeren, zei ze. Enkele maanden later stelde ze voor dat ze haar kamer zouden verhuren.

Nog nooit was een voorstel zo koel ontvangen. Ze waren verbijsterd dat ze zelfs maar op het idee had kunnen komen. Ze wilden niet met pensioen. Wat moesten ze met hun dagen doen?

Opeens verging Ella's legendarische lach haar. Ze zag een heel sombere toekomst. Wat een wanhopig leven moesten mensen leiden als deze twee, die gelukkig getrouwd heetten te zijn, niet eens de gedachte konden verdragen om samen thuis te zijn in plaats van naar hun werk te gaan dat ze vermoeiend en verontrustend vonden.

'Ik zou liever non zijn dan een dood huwelijk hebben,' zei Ella in alle ernst tegen Deirdre.

Deirdre werkte op een druk laboratorium waar ze veel mannen kende.

'Je kunt net zo goed non worden, zoals jij leeft,' antwoordde Deirdre. 'Volgens mij ben je er trouwens een, in burger.'

En naarmate de tijd verstreek bleef Nuala uit Londen contact hou-den. Ze had besloten toch maar geen baan te zoeken, maar recep-tioniste in het bedrijf te worden. Frank zei dat de familiegeheimen beter in de familie konden blijven, schreef ze.

'Wat voor familiegeheimen bedoelt ze?' vroeg Deirdre zich af.

'Waarschijnlijk dat haar zwagers vreemdgaan met alles wat maar beweegt,' opperde Ella.

'O, wat zijn we weer grappig.' Deirdre vroeg zich nog steeds af wat ze te verbergen hadden.

'O, toe nou toch, Dee. Weet je nog hoe ze op de bruiloft in hun mooie pakken rond liepen te loeren? Die kerels weten niet eens hoe je een fatsoenlijke boekhouding moet voeren of normaal be-lasting betaalt.'

'Jij denkt dat de hele bouwwereld onbetrouwbaar is. Je bent ge-woon bevooroordeeld,' zei Deirdre fel.

'Niet waar, kijk naar Tom Feather! Op zijn familie valt niets aan te merken, en dat geldt voor een heleboel anderen. Alleen die van Frank bezorgt me de kriebels.'

'Als je gelijk hebt, denk je dat ze onze vriendin Nuala erbij heb-ben betrokken?' vroeg Deirdre zich af.

'Arme Nuala. Ik zou het vreselijk vinden om bij dat stel te horen,' zei Ella.

'Goh, ik zou het helemaal geen probleem vinden om eventjes bij die oudste broer, Eric, te horen,' lachte Deirdre.

'Misschien krijg je je kans wel, want er komt een familiebijeen-komst hier in Dublin voor de ouders van Frank. Wij zijn ook uit-genodigd,' las Ella in het laatste gedeelte van de brief.

'Leuk. Dan ga ik zo'n jarretelgordel kopen.'

'Nee, dat doe je niet, Deirdre. De bruiloft was pas drie jaar ge-leden, ze zijn je echt niet vergeten. We blijven ver uit de buurt van Franks familie.'

Het was een feest vol pracht en praal. Er waren zelfs columnis-ten en fotografen. Frank en zijn drie broers poseerden eindeloos als het Ierse succesverhaal. Ze werden gefotografeerd met politici, beroemdheden, met hun ouders en hun echtgenotes.

'Nogal overdreven voor een veertigjarig huwelijksfeest, vind je niet? Met al die toeters en bellen. Die ouders zien er nogal verbijs-terd uit,' zei Deirdre.

Ella schoof haar zonnebril omhoog om beter rond te kunnen kijken.

'Nee, de ouders kunnen het best aan, voor hen is het een triomf. Zo van "Kijk eens wat een succes onze jongens hebben in hun leven".'

'Waarom mag je ze niet, Ella?'

'Ik weet het niet, eerlijk niet.'

'Denk je dat Nuala gelukkig is?'

'Ja hoor, maar een beetje gejaagd. In elk geval heeft ze gekregen wat ze wilde, dus ze zal wel gelukkig zijn.'

Ella zou zich die opmerking altijd herinneren, want juist toen ze die maakte, werd een man naast haar tegen haar aan geduwd door een persfotograaf. 'Meneer Richardson, wilt u alstublieft bij de groep komen?'

'Nee, bedankt, dit is een familiefeest. Ik hoor niet op hun foto's.'

'Dan krijgen we hem in elk geval in de krant?' De fotograaf was echter niet overredend genoeg.

'Nee, zoals ik al zei, bedankt. Ik praat veel liever met deze twee charmante dames.'

Ella draaide zich om bij het horen van die kalme, vastberaden stem. En ze zag Don Richardson, financieel adviseur, wiens foto inderdaad vaak in de kranten stond. Maar ze hadden hem nooit recht gedaan. Hij was beslist knap, met donker krullend haar en blauwe ogen, maar hij keek naar je op een manier die iedereen in het vertrek buitensloot. Ella wist dat ze het zich niet had verbeeld, want uit haar ooghoek zag ze dat Deirdre even haar schouders op-haalde en wegliep. En haar alleen liet met Don Richardson.

Ella had nooit geweten hoe ze moest flirten. Haar vriend Nick zei dat dit een gebrek was bij een vrouw. Mannen waren dol op die uitnodigende blik vanonder de wimpers. Ella was te open-hartig, zei hij. Dat verstoorde de magie. Ze wenste dat ze naar Nick had geluisterd. Voor het eerst in haar leven wilde ze weten hoe ze moest flirten.

Kon ze maar vijf minuutjes met Deirdre overleggen... maar haar vriendin had zich in de buurt van de gevarenzone van Franks broers begeven.

Het bleek niet nodig te zijn.

Hij stak met een brede glimlach zijn hand naar haar uit. 'Ella

Brady van Tara Road, hoe gaat het? Ik ben Don Richardson. Wat fijn je te ontmoeten.'

'Hoe ken je mijn naam?' bracht ze schor uit.

'Ik heb het aan een paar mensen gevraagd. Danny Lynch, de makelaar, heeft het me verteld. Hij woont blijkbaar bij je in de buurt.'

Ella hoorde zichzelf zeggen: 'Ja, eigenlijk bij mijn ouders in de buurt. Ik ben uit huis en ik heb een eigen flat.'

'Waarom ben ik zo blij dat te horen, Ella Brady?' vroeg hij. Hij glimlachte nog steeds en hij hield nog steeds haar hand vast.

2

Ella was er op de een of andere manier in geslaagd zelf van het hotel naar huis te komen. Naderhand dacht ze dat ze een taxi moest hebben genomen, maar ze kon het zich niet herinneren. Ze ging zitten en keek een poos om zich heen voordat ze de hele situatie kon overdenken. Dit bestond gewoon niet. Dit gebeurde in slechte films of in verhalen in tijdschriften met als thema 'liefde op het eerste gezicht'. Don Richardson was gewoon een echte charmeur, iemand die rijk werd door 'vertrouw mij maar' te zeggen tegen mensen, door hun handen net iets te lang vast te houden en te diep in hun ogen te kijken. Er was uiteraard een mevrouw Richardson, misschien waren er wel meerdere geweest. Thuis waren er kleine Richardsons, die allemaal recht hadden op iets van pappies kostbare tijd. Ella Brady piekerde er niet over om zich die ellende op de hals te halen. Ze had te vaak tranen gedroogd van vriendinnen die haar ingebeelde verhalen vertelden over mannen die bij hun vrouw weg zouden gaan. Daar liet ze zich niet mee in. Vrouwen hadden een verbazingwekkend vermogen om zichzelf voor de gek te houden, dat had Ella maar al te vaak meegemaakt. En daar wilde ze niet bij horen.

De volgende ochtend stond hij buiten de school te wachten. Hij zat in een nieuwe BMW en glimlachte toen ze naar hem toe kwam. Ella wenste dat ze meer aandacht aan haar kleding had besteed, maar hij leek het niet te merken.

'Ben je verbaasd?' vroeg hij.

'Heel verbaasd,' antwoordde ze.

'Kun je even komen zitten? Toe?'

'Ik moet naar mijn klas.'

Ze ging in zijn auto zitten. Ze wilde een grapje maken, een gevatte opmerking die zou verhullen hoe nerveus en opgewonden ze was.

Maar ze besloot niets te zeggen. Laat hem maar uitleggen wat er viel uit te leggen.

'Ik ben eenenveertig, Ella. Ik ben achttien jaar getrouwd met Margery Rice, de dochter van Ricky Rice, die theoretisch gezien mijn baas is, of in elk geval het geld in ons bedrijf vertegenwoordigt. Ik heb twee zoons, van zestien en vijftien. Het huwelijk van Margery en mij stelt niets meer voor. Het komt ons allebei goed uit om bij elkaar te blijven, nu nog, in elk geval. We hebben een huis in Killiney, aan zee. Ik heb ook een flat van de zaak in het Financieel Zakencentrum.

Margery brengt haar tijd grotendeels door met golfen en liefdadigheidswerk. We leiden elk ons eigen leven. Je zou niets kapotmaken, echt helemaal niets, als je vanavond om een uur of acht met me ging eten bij Quentins.' Hij hield zijn hoofd schuin alsof hij op haar tegenwerpingen zat te wachten.

'Dat lijkt me leuk. Tot straks,' zei Ella, en ze stapte uit de auto. Ze voelde haar benen trillen toen ze naar de lerarenkamer liep. Ella Brady, die nog nooit een les had verzaakt, ging regelrecht naar het schoolhoofd en zei dat ze rond lunchtijd weg moest. Het was een noodgeval. Ze maakte een afspraak bij de kapper, en tegelijkertijd voor een manicure; bovendien wilde ze haar benen laten harsen. Ze kocht verse bloemen voor de flat, verschoonde de lakens, ruimde op en keek kritisch rond. Het was waarschijnlijk vergeefse moeite, maar je kon beter op alles voorbereid zijn.

'Je bent naar de kapper geweest,' zei hij toen ze tegenover hem ging zitten aan een van de afgescheiden tafeltjes bij Quentins.

'Jij bent ook naar huis gegaan om je te verkleden. Een hele rit naar Killiney en terug,' zei Ella glimlachend.

'We leiden elk een eigen leven, Ella. Dat kun je geloven of niet.' Wat een fantastische glimlach had Don.

'Natuurlijk geloof ik je, Don. En nu dat is afgehandeld, hoeven we het er niet meer over te hebben.'

'En heb jij nog iets op te biechten? Jarenlange liefdes, jaloerse aanbidders, eventuele verloofdes?'

'Helemaal niets. Je kunt me geloven of niet.'

'Ik geloof je helemaal. Het zal een gezellig dineetje worden,' voorspelde hij.

De avond ging veel te snel voorbij. Ze hielp zichzelf steeds herinneren dat ze geen flauwe grapjes moest maken zoals dat het tijd werd om hem naar huis te sturen.

Dat soort dingen had hij al uit de wereld geholpen. Ze spraken als twee ongebonden mensen met elkaar af, of anders niet. Hij vertelde haar over een lunch vandaag op kantoor. Voor het eerst hadden ze cateraars van buiten de deur ingeschakeld. Het moest ontzettend moeilijk zijn om alles klaar te maken en af te ruimen voor zakenlui die allemaal zo veel mogelijk wodka-tonics wilden zonder dat hun bazen konden zien hoeveel ze achteroversloegen.

Ze hadden het fantastisch gedaan, zei hij. Alles was van een leien dakje gegaan, en hij zou hen bij anderen aanbevelen. Ze wilden niet eens contant betaald worden, want ze hadden een boekhouder die altijd zat te hameren op BTW en dat soort dingen. Ella zei dat ze dacht dat iedereen dat deed.

'Ja, natuurlijk. Ik wilde die twee van Scarlet Feather alleen een pleziertje doen.'

'O, Scarlet Feather, die ken ik! Tom en Cathy, echt aardige mensen,' zei Ella, blij dat ze gezamenlijke kennissen bleken te hebben.

'Ja, dat vond ik ook. Ik zou ze zo opnieuw inhuren. Ze zullen niet snel rijk worden, maar dat is hun zaak.'

Dat klonk nogal geringschattend. Het wierp opeens een schaduw op alles. Misschien waren Rice en Richardson alleen gesteld op mensen die veel geld verdienden.

'Waar ken je de aannemers van, Eric en zijn broers?' informeerde ze.

'O, van zaken,' zei hij vlug. 'Wij regelen wat investeringen voor Eric en de jongens. En jij?'

'Mijn vriendin Nuala is getrouwd met Frank, de jongste broer,' antwoordde ze.

'Wat is de wereld toch klein. En dat je die cateraars ook al kent! Goed, engel Ella, vertel me nu over jouw lunch.'

Ze vertelde hem over de oudere leerkracht die bang was dat ze allemaal stralingsziekte zouden krijgen van de magnetron, en over de sportleraar die zijn voortanden was kwijtgeraakt toen hij in een hard broodje hapte. Ze vertelde over de derdejaars die een petitie hadden gestuurd waarin stond dat het schooluniform een gevaar was voor opgroeiende meisjes omdat het hen tot een mikpunt van spot maakte. Al die dingen waren niet vandaag gebeurd, omdat Ella koortsachtig haar flat had schoongemaakt en haar lichaam had voorbereid op wat eventueel zou komen. Maar die incidenten waren wel andere keren voorgevallen in de lerarenkamer, en hij moest erom lachen. Het was belangrijk dat je Don Richardson kon laten lachen.

Als je zijn vriendin of wat dan ook wilde zijn, dan was er geen ruimte voor somberheid.

Helemaal geen ruimte.

Hij reed haar terug naar haar flat.

'Ik heb genoten vanavond,' zei Don Richardson.

'Ik ook.' Haar keel zat dicht en ze had een verkrampt gevoel in haar borst. Moest ze hem binnen vragen? Ze waren immers vrij om te doen wat ze wilden. Of was dat hoerig? En waarom was het voor een vrouw wel hoerig en niet voor een man? Ze zou het maar aan hem overlaten.

'En nu ik toch je telefoonnummer heb, zullen we dan nog een keer uitgaan, engel Ella?' zei hij.

'Ja, graag.' Ze gaf een kus op zijn wang en stapte uit de auto nu ze nog de kracht had.

Hij zwaaide en keerde de auto.

Ze was niet van plan zich ook maar een seconde af te vragen of hij zeventien kilometer naar Killiney en een huwelijk dat niets meer voorstelde zou rijden, of de anderhalve kilometer naar zijn vrijgezellenflat in de stad.

Ze ging haar flat binnen en keek beschuldigend naar de vaas dure verse bloemen die ze had neergezet voor ze wegging.

'Nou, aan jullie had ik ook niets om hem mee naar binnen te krijgen,' merkte ze op.

De bloemen zeiden niets.

Misschien moet ik een kat of een hond aanschaffen, dan word ik tenminste begroet door een levend wezen als ik helemaal alleen thuiskom, dacht Ella. Maar misschien zou ze niet altijd alleen thuiskomen.

De volgende dag was haar vader jarig. Ella had een hotelbon voor hem gekocht van een hotel in het graafschap Wicklow. Een ouderwets hotel met een grote, wild begroeide tuin. Toen ze nog klein was gingen ze er wel eens op een zondag heen voor de lunch. Dan wees hij haar op allerlei bloemen en zij leerde de

namen. Ella herinnerde zich dat haar moeder daar vaak glimlachte als ze 's middags in de tuin thee schonk.

Misschien vonden ze het wel leuk om daar weer eens naartoe te
gaan. De bon was geldig voor diner, logies en ontbijt. Ze konden
de hele volgende maand kiezen wanneer ze wilden gaan. Dat zouden ze toch wel leuk vinden?

Ze vonden het een prachtidee. Ella voelde tranen achter haar
ogen prikken toen ze zag hoe dankbaar ze waren.

'Wat een mooi cadeau. Moet je toch zien,' zei haar vader steeds
weer.

Ella vroeg zich af waarom hij er nooit zelf aan had gedacht als
het zo leuk was. Haar moeder was ook in de wolken.

'Wat enig om met z'n drieën naar Holly te gaan en ook nog te
blijven logeren!' zei ze.

Toen drong met een schok tot Ella door dat ze dachten dat zij
ook meeging.

'Wanneer zullen we gaan?' Haar vader was nu zo opgewonden
als een kind.

'Op een vrijdag of zaterdag?' stelde ze voor. Ze kon nu niet alles
bederven door te zeggen dat ze niet van plan was geweest om mee
te gaan.

'Kies jij maar,' zei vader.

Don zou haar vast niet uitnodigen voor een zaterdag, want dan
was hij vast bij zijn gezin.

Ze besloten aanstaande zaterdag te gaan. Net toen Ella het hotel
wilde bellen om te boeken, ging haar mobiele telefoon.

'Hallo,' zei Don Richardson.

Het viel haar op dat hij zijn naam niet zei. Eigenlijk arrogant om
aan te nemen dat ze wel wist met wie ze sprak. Maar ze was niet
goed in spelletjes spelen.

'O, hallo,' zei ze vriendelijk.

'Kunnen we even praten?' vroeg hij.

'O, dat kan altijd,' zei Ella, maar ze stond op en liep naar de
wenteltrap die naar de tuin beneden leidde. Ze haalde even verontschuldigend haar schouders op naar haar ouders, alsof dit een
zakelijk telefoontje was dat ze wel moest beantwoorden.

'Ik wilde vragen of je zin hebt om zaterdag ergens te gaan eten.'

Ze keek achterom naar de woonkamer. Haar ouders zaten de

brochure van Holly's Hotel te bestuderen alsof het een plattegrond was waarop een schat te vinden was. Ze kon het nu niet meer afzeggen.

Ella greep de smeedijzeren leuning beet. 'Het spijt me ontzettend, maar ik heb net een afspraak gemaakt, nog maar een paar minuten geleden, en het wordt een beetje moeilijk om...'

Hij viel haar in de rede.

'Het geeft niet. Ik dacht: ik probeer het even. Volgende keer beter.'

Hij stond op het punt om op te hangen. Ze wist dat ze niet doelloos tegen hem moest gaan kletsen, maar ze wilde zo graag dat hij nog even aan de lijn bleef.

'Had ik nu maar niet afgesproken...'

'Maar dat heb je wel,' zei hij kordaat voor ze het uitje met haar ouders kon afzeggen en bereid was met hem mee te gaan waar hij ook maar naartoe wilde. 'Ik spreek je nog wel.' En hij hing op.

Tijdens het avondeten voelde haar hart aan als een steen. Naderhand hielp ze haar moeder met de afwas en raakten ze in een heel vreemd gesprek.

'Ella, je had je vader geen groter plezier kunnen doen. Dit is precies wat hij nodig heeft. Hij heeft het heel zwaar op het werk.'

'Waarom heb jij hem dan niet meegenomen naar Holly, moeder?' Ella hoopte dat ze niet zo ongeduldig klonk als ze zich voelde. Haar moeder keek haar verbaasd aan.

'Wat hadden we daar met ons tweeën moeten doen, alleen elkaar aankijken? Dan kunnen we net zo goed hier blijven.'

Ella keek geschokt naar haar moeder. 'Dat meen je toch niet, mam?'

'Wat?' Haar moeder leek oprecht verbijsterd.

'Dat jij en pap niets hebben om over te praten.'

'Maar wat valt er nog te praten? We hebben toch alles al gezegd?' Haar moeder zei het op een toon alsof dit overduidelijk moest zijn.

'Maar als dat zo is, waarom ga je dan niet bij hem weg, waarom gaan jullie dan niet uit elkaar?' Ella was met een bord in haar hand blijven staan. Haar moeder pakte het af.

'O, doe niet zo raar, Ella, waarom zouden we? Ik heb nog nooit zulke onzin gehoord.'

'Het gebeurt wel vaker dat mensen uit elkaar gaan, mam.'

'Niet mensen zoals je vader en ik. Kom nu mee naar binnen en laten we het hebben over dat fantastische uitje naar Holly's Hotel.'

Ella kreeg het gevoel dat er een warme wollen deken over haar hoofd was gelegd die haar begon te verstikken.

Ze ging met Deirdre naar de bioscoop en daarna gingen ze nog wat drinken. Ze praatten met elkaar zoals altijd. Dat dacht Ella tenminste. Toen bestelde Deirdre nog een rondje en vroeg aan Ella: 'Ze hebben sandwiches. Wil jij er ook een?'

'Wat?' zei Ella. 'O, ja, maakt niet uit wat erop zit.'

'Dan bestel ik er een voor jou met muizenkeutels en vogelpoep,' kondigde Deirdre opgewekt aan.

'Wat?'

'Ha, mooi zo. Welkom terug. Je bent er weer.' Deirdre lachte.

'Ik weet niet wat je bedoelt.'

'Ella, je hebt niets gezien van de film, je hebt geen woord tegen me gezegd, je hebt je alleen maar zitten opvreten en de boel voor de gek gehouden. Ga je me nu eindelijk vertellen wat er aan de hand is, of niet?'

Sinds haar dertiende had ze Deirdre altijd alles verteld, maar nu kon ze het niet. Vreemd, er viel te veel te vertellen en te weinig. Te veel, omdat ze verliefd was op een totaal ongeschikte man, plus dat het al dertig jaar durende huwelijk van haar ouders niets voorstelde, terwijl zij altijd had gedacht dat ze gelukkig waren. Te weinig, omdat dit voor Deirdre allemaal heel eenvoudig zou zijn. Ze zou zeggen dat Ella die man moest nemen, of hij nu getrouwd was of niet. Ze moest pakken wat ze kon krijgen zonder zelf gekwetst te worden. En alle ouders hadden slechte huwelijken, zo was het nu eenmaal.

'Niets, Dee, ik zit alleen wat te piekeren en neurotisch te doen. Dat is echt alles.'

'Dat is het altijd, maar vroeger vertelde je het tenminste,' mopperde Deirdre.

'Jij staat altijd zo ongecompliceerd tegenover alles. Ik benijd je.'

'Dat is niet waar. Jij vindt dat ik er wat seks betreft maar op los leef, dat ik geen hart heb. Jij benijdt me echt niet.'

'Wel waar. Toe, vertel eens over je laatste drama, wat het ook was,' bedelde Ella.

'Nou, ik heb een fantastisch avontuurtje gehad met die Don

Richardson, je weet wel, die financieel adviseur die in alle kranten staat. Lekkere vent, kan er bijna geen genoeg van krijgen!'

Deirdre hield haar hoofd schuin en keek naar Ella's gezicht. Even later kreeg ze berouw. 'Ella, idioot, ik maakte maar een grapje.'

Ella zei niets. Ze hield beide handen tegen haar hoofd alsof ze helder probeerde te denken.

'Ella! Ik heb hem zelfs nog nooit ontmoet! Ik zat alleen te vissen of hij degene was op wie je verliefd bent.'

Ella haalde haar handen van haar gezicht.

'En ik heb blijkbaar gelijk,' stelde Deirdre vast.

'Hoe wist je dat?' fluisterde Ella.

'Omdat ik je beste vriendin ben, en ook omdat je je ogen niet van hem af kon houden toen hij op dat feest bij Nuala van de week naar je toe kwam.'

'Was dat nog maar van de week?' Ella was verbijsterd.

'Zal ik een halve fles wijn bestellen?' opperde Deirdre.

'Doe maar een hele,' antwoordde Ella, en er kwam weer wat kleur op haar gezicht.

Die zaterdag vertrokken de Brady's halverwege de middag van Tara Road om nog een uitstapje naar Wicklow Gap te maken voor ze naar Holly's Hotel gingen. Ella was vastbesloten om er het beste van te maken, nu ze toch ging. Ze zou haar ouders een dag en een nacht geven die ze niet snel zouden vergeten. Tot haar verbazing had Deirdre het uitstekend gevonden dat ze Dons uitnodiging voor zaterdagavond had afgeslagen. Anders had Ella zich veel te beschikbaar opgesteld. Hij zou binnenkort wel weer bellen, let maar op, zei Deirdre, want zij had nu eenmaal verstand van dat soort dingen. Ella had een thermosfles koffie en drie bekers meegebracht, en ze stonden in de middagzon van het uitzicht te genieten. Op de kale heuvels bloeide de felgele brem, afgewisseld met vlekken paarse heide. Hier en daar liep een verdwaasd uitziend schaap, alsof het zich verbaasde dat er geen groen gras meer was.

'Hoe is het mogelijk? Er is geen huis te zien en toch zijn we zo vlak bij Dublin,' zei Ella.

'Net als de Yorkshire Moors. Daar ben ik een keer geweest,' vertelde haar vader.

Dat hoorde Ella voor het eerst. 'Ben jij daar ook geweest, mam?'

'Nee, dat was voor mijn tijd.' Haar moeder klonk kortaf.

'Het lijkt ook een beetje op Arizona, die ruimte, alleen is het daar rode woestijngrond,' zei Ella. 'Weten jullie nog dat jullie me geld hadden gegeven om een rondreis te maken met de Greyhound-bus? Toen Deirdre en ik wat van de wereld wilden zien?'

'Je was eenentwintig,' herinnerde haar moeder zich.

'En je stuurde om de drie dagen een kaart,' zei haar vader.

'Wat was dat aardig van jullie. Ik heb zoveel gezien wat ik nooit meer zal vergeten, dankzij jullie. Deirdre moest ervoor werken en geld lenen. Volgens mij heeft ze nog steeds niet alles terugbetaald.'

'Waarom zou je een kind nemen als je het niet eens een vakantie kunt geven?' Barbara Brady trok een afkeurend mondje. Het idee dat mensen het ouderschap niet serieus namen!

'En wat betekent geld uiteindelijk?' zei Tim Brady, wiens werk sinds jaar en dag bestond uit mensen adviseren over geld.

Ella was verbijsterd. Toen dacht ze aan Deirdres advies: probeer hen niet te begrijpen, want er valt waarschijnlijk niets te begrijpen.

Het was druk in Holly's Hotel. De meeste mensen waren uit Dublin gekomen om te dineren. Maar het gezin Brady had eigen kamers, tijd om in de tuinen te wandelen, op hun gemak een bad te nemen en in de kleine bar een sherry te drinken terwijl ze het menu bekeken.

'Wat een verwennerij is dit,' zei haar vader steeds.

'Wat attent van je,' mompelde haar moeder dan instemmend.

Ella zei dat ze het leuk vond om naar mensen te kijken en verhalen over hen te verzinnen. Die twee bij het raam bijvoorbeeld, die dealden vast in drugs in Dublin, en ze waren hier alleen gekomen om te zien hoe de Andere Kant eruitzag.

'Meen je dat?' Haar moeder klonk geschrokken.

'Natuurlijk niet,' zei Ella. 'Het is maar fantasie. Zie je dat groepje daar? Wat denk jij?'

Haar ouders lieten zich uiteindelijk meeslepen in het spelletje. 'Dat oudere stel probeert de jongeren over te halen om een boot te kopen,' opperde haar vader.

'Het jonge stel zegt tegen het oudere dat ze bankroet zijn en een lening willen,' zei haar moeder.

'Volgens mij gaat het om groepsseks. Ze hebben allemaal gereageerd op een advertentie van mevrouw Holly voor een weekend partnerruil,' was Ella's inbreng.

Ze zaten allemaal te lachen om het idiote idee dat iets dergelijks uitgerekend hier zou gebeuren, toen Ella opkeek en zag dat Don Richardson en zijn gezin uit de bar kwamen en naar een tafel werden gebracht. Dat moment zou Ella altijd bijblijven. De Brady's die aan hun tafel zaten te lachen, en Don die de deur openhield voor zijn schoonvader, zijn zoons van zestien en vijftien en zijn vrouw Margery, die alleen naar liefdadigheidslunches ging en de rest van haar tijd besteedde aan golfen. Margery, die er niet groot, verweerd en afwezig uitzag, maar klein en tenger, in een chic roodzijden mantelpakje en met een handtas die een vermogen moest hebben gekost, keek glimlachend op naar haar man, op een manier die Ella nooit zou kunnen evenaren omdat ze net zo lang was als Don.

Ella's vader verdiepte zich in het menu. Zou een salade met gerookte forel te zwaar zijn als hij als hoofdgerecht een pastei van rundvlees, oesters en Guinness nam?

Ella vreesde dat ze ging flauwvallen. Was dit een teken dat Don, omdat ze had geweigerd met hem uit te gaan, had besloten weer eens de huisvader te spelen? Daalde ze in zijn achting omdat ze hier met haar ouders zat? Of was dat juist een pluspunt? Zou hij laten merken dat hij haar kende, hier in de eetzaal? Ella gaf afwezig de bestelling op en koos de wijn uit. Het was nu te laat om te vragen of ze boven op hun kamer konden eten. Ze moest zich erdoorheen zien te slaan.

De tafel van de Richardsons bevond zich gelukkig aan de andere kant van de zaal. De twee tienerzoons en hun grootvader zaten met hun gezicht naar de Brady's en het echtpaar met hun niets voorstellende huwelijk zat met de rug naar hen toe.

Ella's ouders waren nog steeds bezig met het spelletje. Die twee vrouwen daar waren een winkeldiefstal aan het voorbereiden, dacht haar moeder, of ze maakten plannen om hun vader in een bejaardenhuis te plaatsen. Volgens Ella's vader hadden ze een computer gekraakt, een vermogen in handen gekregen, en zaten ze nu te bedenken waar ze het allemaal aan konden uitgeven.

'Wat denk jij, Ella?'

Ze had zitten nadenken over de lichaamstaal van Don en Margery Richardson, zoals ze daar naast elkaar zaten. Ze raakten elkaar niet aan en ze hielden elkaars hand niet vast, maar ze zaten er ook niet zo stijf bij zoals je wel vaker zag bij echtparen die uit elkaar waren gegroeid. Zoals haar eigen ouders. Behalve dan vanavond, want nu leken ze heel ontspannen.

'Toe, Ella, wat vind jij?'

Ze wierp even een blik op de twee dames op leeftijd die zichzelf waarschijnlijk twee keer per jaar trakteerden op een avondje eten en roddelen.

'Een lesbisch stel dat zit te beraadslagen wie van hen deze keer aan de beurt is voor kunstmatige inseminatie,' zei ze, vergetend dat ze het tegen haar ouders had en niet tegen Deirdre. Tot haar verbazing vonden ze het erg grappig, en toen Don zich iets omdraaide om naar hen te kijken, zoals ze al had verwacht, zaten ze weer allemaal te lachen. Ella voelde iets van hysterie opkomen. Ze had zin om op te staan en te schreeuwen dat het leven op zijn best één grote, belachelijke, hypocriete façade was. Maar je moest wel heel dapper zijn om bij mevrouw Holly je zelfbeheersing te verliezen. Ella dacht dat hij wel even naar hun tafel zou komen om gedag te zeggen en een neutraal praatje te maken. Niet te vlot of te gevat.

Haar vader zette zijn bril af en leek blij te zijn dat hij in elk geval iemand van de overige gasten kende. 'Nee maar, dat is Ricky Rice, van Rice en Richardson Consultants,' zei hij.

'O, ken je die, pap?' vroeg ze. Ze kwam amper uit haar woorden.

'Nee, helemaal niet, maar we weten allemaal wie ze zijn. Mijn hemel, wat die aan cliënten hebben!' Hij schudde afgunstig zijn hoofd.

'Hoe zijn ze zo groot geworden, denk je?' Haar moeder tuurde naar de andere tafel.

'Zij kennen blijkbaar de juiste mensen,' zei haar vader schouderophalend. Zijn gezicht had een gelaten uitdrukking gekregen.

Ella was vastbesloten de stemming er weer in te krijgen. Ze informeerde naar de huizenprijzen op Tara Road. Onlangs was daar een huis verkocht voor een fortuin.

'Jullie hebben er maar wat goed aan gedaan om daar een huis te kopen, pap,' zei ze.

'We wilden dat je zou opgroeien in een huis met een leuke

tuin,' zei haar moeder. 'En was het niet heerlijk? Dat is het natuurlijk nog steeds.'

'Alleen woon je er niet meer,' merkte haar vader op.

'Nee, pap, niet de hele tijd, maar ik zal jullie altijd blijven opzoeken, daar of waar dan ook.'

'Wat bedoel je met "waar dan ook"?' Haar moeder klonk ongerust.

O, laat hem niet nu omkijken en zien dat ze allemaal verontrust zaten te fronsen. 'Ik bedoelde dat jullie op een dag Tara Road toch wel willen verkopen om kleiner te gaan wonen? Ja toch?' Ze keek van de een naar de ander.

'Het is nooit bij ons opgekomen om...' begon haar vader.

'Waarom zouden we ooit weggaan uit ons huis?' zei haar moeder.

'Kennen jullie die Danny Lynch nog, die vroeger op Tara Road woonde? Volgens hem is dit de aangewezen tijd om te verkopen.'

'Nou, hij is weg bij zijn vrouw en kinderen, dus aan hem hoeven we geen voorbeeld te nemen,' merkte haar moeder op.

'Nee, maar hij is wel makelaar.'

'Niet meer,' zei haar vader ernstig. 'Hij en zijn partner hebben zich blijkbaar ingelaten met vreemde zaken,' vervolgde hij op afkeurende toon.

'En naar iemand die zijn vrouw zo heeft bedrogen, kun je beter niet luisteren, waar het ook over gaat,' vulde Ella's moeder aan.

Er kwam beweging bij de andere tafel. Ella zag dat Don opstond. Ze wist dat hij naar hen toe zou komen. Zorg dat ze lachen, zei ze tegen zichzelf.

Dat was een moeilijke opdracht. Ze had nog maar dertig seconden.

'Let maar niet op mij. Deirdre zegt dat huizen een obsessie voor me zijn. Dat is ook zo'n spelletje dat ik altijd speel. Ik doe net of huizen niet zijn wat ze lijken. Behalve dat Holly's Hotel het partnerruilcentrum van Europa is, is mams kantoor volgens mij kampioen in het witwassen van geld. En als je eens wist wat paps kantoor allemaal uithaalt...' Ze zweeg toen hij bij hun tafel kwam. Het had gewerkt. Ze zaten haar lachend aan te kijken, benieuwd naar wat ze zou zeggen.

'Hallo, ik ben Don Richardson. We hebben elkaar van de week ontmoet op het feest van Frank en Nuala.'

'O ja, dat is zo. Don, dit zijn mijn ouders, Tim en Barbara Brady.'

Zijn handdruk was zo stevig en zijn stem klonk zo hartelijk, dat ze alleen maar dankbaarheid voelde. Hij deed oprecht aardig tegen twee vreemden. Hij praatte niet als een man die op het punt stond hun dochter te verleiden en zijn vrouw te bedriegen. Ze zag hem als iemand die het gesprek was komen redden. Ze legde uit dat haar vader jarig was. Hij vertelde dat ze vierden dat zijn zoon het winnende doelpunt in een wedstrijd had gemaakt. In de korte poos dat hij bij hun tafel stond, wist hij achter de naam te komen van de firma waar haar vader werkte en er lovend over te spreken, en hij kende zelfs het kantoor waar haar moeder werkte en zei dat het van heel gerespecteerde juristen was. En toen was hij weg.

Ze spraken vol bewondering over hem.

'Een harde werker. Daardoor heeft hij de top kunnen bereiken. Ze zeiden dat zijn schoonvader hem vooruit geholpen heeft, maar de firma stelde niets voor tot hij erin kwam,' zei haar vader.

'En hij kan heel goed met mensen omgaan,' vond haar moeder.

Ella wist dat het dwaas was om zo verheugd te zijn dat ze hem aardig vonden. Ze was heel blij om de manier waarop hij naar haar had geglimlacht toen hij de eetzaal verliet. Ze wist dat hij haar binnenkort zou bellen. Maar ze kon niet vermoeden dat hij haar om middernacht zou bellen.

'Ik heb je toch niet wakker gemaakt?' zei hij in haar mobiele telefoon.

'Nee, ik zat te lezen. Ze hebben hier een soort raambank, en ik zat eigenlijk meer naar de vormen van de struiken en bloemen te kijken dan te lezen.'

'Struiken? Bloemen? Waar ben je dan?' Hij klonk verbijsterd.

'Wat vergeten mannen toch snel. In Holly's Hotel. We hebben elkaar hier vier uur geleden nog gezien.'

'In Holly's Hotel?' Hij klonk heel teleurgesteld.

'Don, je weet waar ik ben. Is dit een spelletje?'

'Als het dat is, dan heb ik verloren,' zei hij.

'Waar ben jij dan?' vroeg ze.

'Ik sta bij jou in de straat geparkeerd. Ik hoopte dat je me binnen zou vragen voor een kop koffie.'

'Dus het feestje voor je zoon is voorbij?'

'En dat voor je vader is nog aan de gang?'

'Nou ja, zo gaat het nu eenmaal in het leven.' Ze glimlachte. Hij stond in Dublin voor haar deur; hij was niet teruggegaan naar zijn huis in Killiney en de echtgenote in rode zijde. Hij had geen hechte band met zijn gezin, zoals hij al had gezegd. Hij was op goed geluk helemaal naar Dublin gereden om haar te zien. Dan moest hij wel gek op haar zijn.

'Je kunt een andere avond op de koffie komen. Morgen, bijvoorbeeld,' opperde ze.

'Morgen kan ik niet. Een grote inzamelingsactie voor een politieke partij. Ik moet opzitten en pootjes geven.' Hij klonk spijtig.

'O, nou ja.' Ze dwong zich om het nonchalant te zeggen.

'Maandagavond?' opperde hij.

Deirdre had gezegd dat ze niet te happig moest zijn. 'Dan kan ík niet. Dinsdag of woensdag misschien?'

'Dinsdag dan, omdat het niet eerder kan. Als ik een fles lekkere wijn meebreng, wil je dan een biefstukje voor me bakken?'

'Afgesproken.' Ella vroeg zich af hoe iemand het aantal uren tussen nu en dinsdagavond acht uur kon doorkomen.

Ze genoten van een uitgebreid Iers ontbijt, en mevrouw Holly kwam even een praatje maken. 'Leuk dat we gisteravond Don Richardson hebben gesproken.' Ella's moeder wilde laten zien dat ze voor niemand onderdeden.

'Ach ja, een echte huisvader, die meneer Richardson,' zei mevrouw Holly met een goedkeurend knikje. 'In dit vak zie je maar al te vaak dat onze zogenaamde grote zakenmensen niet meer dezelfde normen hebben als vroeger.'

'Dus hij komt hier vaak met zijn gezin?' informeerde Ella, terwijl ze in het worstje op haar bord zat te prikken alsof ze het wilde vermoorden.

'Nee, dat niet, hij heeft het veel te druk. Meestal komen alleen zijn vrouw en haar vader en de kinderen, maar meneer Richardson belt altijd om een speciale fles wijn voor hen te bestellen, en hij komt mee wanneer hij kan.'

'Wat aardig,' zei Ella. Ze voelde zich opeens veel beter.

Ze nam met een kus afscheid van haar ouders op Tara Road en weigerde te denken aan het feit dat ze waarschijnlijk een eenzame middag zonder gesprek zouden doorbrengen nu zij niet langer het middelpunt van hun leven vormde. Ze had haar best gedaan om hen over te halen dit grote huis te verkopen. Om wat geld vrij te maken, opdat ze op een cruise konden gaan, een betere auto konden kopen of wat ze ook maar wilden. Ze wist dat het er niet toe deed waar ze woonden of hoeveel geld ze hadden, omdat ze niet van plan waren hun toekomst in eigen hand te nemen en er het beste van te maken. Wat zij, Ella, wél van plan was. Ze zou een relatie aangaan met deze gevaarlijk aantrekkelijke man, hoe moeilijk de weg voor haar ook zou worden. En als ze gekwetst zou worden, dan moest dat maar.

Haar mobiele telefoon ging over. Ze reed naar de kant en nam op. Het was echter niet degene op wie ze had gehoopt. Het was Nick, haar oude vriend van de universiteit.

'O, Nick,' zei ze.

'Nou, ik heb wel eens enthousiastere reacties gehoord,' zei hij.

'Sorry, ik moet op het verkeer letten,' loog ze.

'Niet waar, liegbeest, je bent aan de kant gaan staan. Ik zit in de auto achter je.'

'Het lijkt wel of we in een politiestaat wonen!' zei ze, en ze sprong uit de auto om hem te omhelzen.

'Ik zag je voor me rijden en ik vroeg me af of je zin had in een ietwat late lunch.'

'Of ik zin heb? Nou en of!'

Ze zaten gezellig aan tafel, terwijl hij haar over alle drama's in zijn leven vertelde en zij niets over de drama's in haar leven. Nick was zo fijn om mee te praten, een echte vriend. Je hoefde niets uit te leggen of je af te vragen wat hij dacht. Het was allemaal duidelijk te lezen op zijn knappe gezicht vol sproeten en in zijn grote, groene ogen. Hij droeg een zwartleren jack en een zonnebril, die hij over zijn voorhoofd naar achteren had geschoven. Wat zou het ongecompliceerd zijn geweest om van iemand als hij te houden, in plaats van wat ze zich nu op de hals had gehaald. Ze keek vol genegenheid naar Nick. Hij zou nooit weten wat zij dacht.

De laatste keer dat ze elkaar hadden gezien, had hij juist met twee anderen een klein, onafhankelijk filmproductiebedrijf opgericht, Firefly Films, en dat liep heel goed. Veel beter dan ze hadden durven hopen. Wel deden ze nog steeds veel routineklusjes, zoals trouwvideo's en opdrachten voor adverteerders, vaak via mondelinge aanbevelingen. Zo ging het tegenwoordig in Dublin. Nick had Tom en Cathy, die een cateringbedrijf runden dat Scarlet Feather heette, een opdracht bezorgd. Die was blijkbaar heel goed gegaan en nu hadden Tom en Cathy op hun beurt hem een opdracht bezorgd om die avond een grote inzamelingsactie te filmen. Verdiende heel goed. Die vent wilde per se contant betalen, maar Nick vond het best.

'Vanavond?' Ella's ogen begonnen te schitteren.

'Ja. Hij wil een kwartier film met zo veel mogelijk beroemdheden erop en alleen de beste speeches, geen lange, saaie toespraken. Een makkie. We zouden het zelfs in onze slaap kunnen.'

'Nick, mag ik mee? Om te helpen. Toe?'

'Maar Ella, met dat soort dingen wil jij toch niets te maken hebben!' Nick was verbaasd.

'Toe, alsjeblieft. Ik zal koffie voor je halen, je tassen dragen.'

'Maar waarom?'

'Ik wil het gewoon, we zijn toch vrienden. Jij wilde met me lunchen en ik heb ja gezegd. Dan kan ik toch zeggen dat ik vanavond met je mee wil naar dat feest en dan kun jij toch ook ja zeggen?'

'Je zou je alleen maar vervelen.'

'Toe, Nick.'

'Goed, maar dan moet je ook echt mijn tassen dragen, begrepen?'

'Ik ben dol op je, Nick.'

'Je bent in elk geval dol op iemand, zo uitgelaten doe je,' zei hij. 'Maar niet op mij.'

Ze hadden afgesproken voor het hotel. Ze herkende Nick bijna niet, zo zakelijk en efficiënt was hij.

'Dit is Ella. Ze heeft geen flauw benul van ons werk, maar ze komt helpen,' vertelde Nick nonchalant.

Ella lachte. 'Ik heb altijd al in een film willen werken,' zei ze als grapje.

'Nou, dan heb je het verkeerde team gekozen, want vanavond doen we alleen een video,' zei een klein, serieus kijkend meisje. Ze vond het duidelijk maar niets dat de lange, blonde Ella zou meedoen.

Ella richtte zich tot het meisje. 'Ik beloof dat ik jullie niet voor de voeten zal lopen.'

De twee mannen deden niet moeilijk; haar aanwezigheid liet hen volslagen koud. 'Zeg maar wat ik moet doen of wanneer ik uit de weg moet gaan.'

'Nou, goed dan. Bedankt.' Het meisje klonk kortaf.

'Hoe heet je?' vroeg Ella.

'Sandy.'

'Oké, Sandy. Ik meende het. Kan ik iets doen?'

'Waarom ben je hier?' Sandy wond er geen doekjes om. Ze was gek op Nick, waarschijnlijk vergeefs. Maar wat haar betrof vormde Ella een bedreiging.

'Omdat ik verliefd ben op iemand die hier straks komt en dit de enige manier was om binnen te komen.' Open kaart spelen was meestal het beste.

Sandy geloofde haar meteen.

'En is hij verliefd op jou?'

'Niet genoeg,' antwoordde Ella, en vanaf dat moment waren ze dikke vriendinnen.

Ze zette hun spullen in hoeken, haalde een pot koffie uit de keuken en vroeg op het kantoor om drie fotokopieën van de plaatsindeling. En ze bewees haar nut tot ze Don Richardson zag binnenkomen met Margery aan zijn arm.

Deze keer droeg ze donkergroene zijde en smaragden die heel echt leken. Ze kende iedereen en kreeg van allemaal een kus op de wang. Het was zondag, maar ze zag eruit alsof ze net van de kapper kwam; misschien had ze er wel een aan huis laten komen. Ze deed denken aan een porseleinen poppetje. Ella voelde zich lang, lomp, zweterig en niet op haar plaats. Vanachter een pilaar zag ze dat Don Nick vlug vertelde wat er moest gebeuren en waar hij moest gaan staan. Toen deed ze niets meer om iemand van Firefly Films te helpen, maar bleef staan en verfrommelde een servet tussen haar vingers terwijl ze Don Richardson in het oog hield. Hij had gezegd dat hij vanavond niet kon omdat hij pootjes moest geven.

Nu wist ze wat hij bedoelde. Hij moest handen geven en tegelijkertijd de arm van de betreffende persoon stevig boven de elleboog pakken, hem recht aankijken en bedanken voor zijn steun. En hem vervolgens omdraaien om hem aan andere mensen voor te stellen, steeds met een glimlach vol erkentelijkheid op zijn gezicht. Don Richardson deed het allemaal vlekkeloos.

Ella had geen idee hoe lang ze daar stond, terwijl de gasten in de grote eetzaal hun diner van vijf gangen aten. Maar Don ging ook niet zitten. Hij liep van de ene tafel naar de andere, maakte hier een praatje, daar een grapje, en knikte steeds onmerkbaar naar Nick als hij een groepje gefilmd wilde hebben. Margery zat aan een tafel geanimeerd te praten met politici en hun echtgenotes. Margery's blikken zwierven geen moment door de zaal, ongerust of hij te lang bij een tafel bleef staan of te hartelijk lachte met de twee welgevormde vrouwen die hem niet wilden laten gaan. Kwam dat omdat ze het spel wist te spelen? Liet ze hem zijn gang gaan omdat hij altijd weer terugkwam? Of had hij Ella de waarheid verteld, dat ze werkelijk elk hun eigen leven leidden?

De eerste paren begonnen te dansen, maar het werk voor Firefly Films zat erop. Don Richardson wilde niet dat er handtastelijkheden en rode gezichten op de dansvloer werden gefilmd. De gulle gevers voor de partij wilden een video zien waarop ze zich elegant gekleed mengden tussen de partijleider, ministers en beroemdheden. En Nick, Ed en Sandy gingen nu terug naar hun studio om de video te redigeren en een kopie te maken voor Don Richardson. Die moest de volgende dag tegen lunchtijd op zijn kantoor worden afgeleverd. Het hield in dat ze de hele nacht zouden moeten werken.

'Je gaat zeker niet mee om ons nog wat te helpen, Ella?' zei Nick zonder enige hoop.

'Ik zou het graag willen,' zei ze schuldig, 'maar ik moet morgen weer vroeg op school zijn.'

'Waarom wist ik al dat je dat zou zeggen?' Nick gaf haar broederlijk een klap op haar achterste.

Sandy was niet langer jaloers. Toen ze de spullen wegbrachten, fluisterde ze tegen Ella: 'Heb je hem gezien?'

'Ja.'

'Heeft hij jou gezien?' Nog steeds fluisterend.

'Nee. Nee, hij heeft me niet gezien.'

'Ben je blij of heb je er spijt van dat je bent gekomen?' Sandy moest het weten. En weer bleek er niets boven de waarheid te gaan.

'Allebei een beetje, eigenlijk,' zei Ella Brady, en ze glipte weg via de achteruitgang voor ze misschien zou zien dat Don Richardson zijn hand uitstak om zijn tengere, smaragden dragende, een eigen leven leidende echtgenote ten dans te vragen.

Ze nam een taxi naar huis en bleef tot vijf uur 's ochtends wakker. Daarna viel ze in slaap en twee uur later werd ze versuft en slechtgehumeurd wakker. Toen ze op school kwam, voelde ze zich nog steeds chagrijnig. 'Als jullie weten wat goed voor je is, houden jullie je kalm vandaag,' waarschuwde ze de vijfdeklassers, die vaak lastig waren.

'Zware nacht achter de rug, juf?' vroeg Jacinta O'Brien, een van de brutaalste leerlingen.

Ella liep zo doelbewust naar de lessenaar van het meisje, dat de klas de adem inhield.

Juffrouw Brady zou toch geen leerling slaan? Maar daar leek het wel op. Ella bleef staan met haar gezicht vlak voor dat van het meisje. 'In elke klas zit er altijd wel een, Jacinta, zo'n wijsneuzige opdonder die te ver gaat en het voor iedereen bederft. In deze klas ben jij dat. Ik had jullie op een volwassen manier willen behandelen en de waarheid willen zeggen, en die is dat ik bijna niet heb geslapen en me niet lekker voel. Ik had jullie medewerking willen vragen opdat ik jullie zo goed mogelijk les kan geven.

Maar nee, dan komt weer zo'n opdonder met een brutale mond, dus krijgen jullie een overhoring. Pak nu meteen jullie papieren.'

Ella gaf vier vragen op en ging zitten natrillen van haar uitbarsting. Ze had 'opdonder' gezegd. Twee keer.

Dit was niet het soort school waar je zulke dingen zei.

Ze had alleen 'brutale wijsneus' willen zeggen. O, god, waarom was het niet dinsdag? Dan had ze Don Richardson die avond kunnen zien.

Maar ze wist de dag door te komen en ze was blij toen ze naar huis kon.

'Ik heb gehoord dat je hem nu aan het stalken bent,' zei Deirdre die avond door de telefoon.

'Hoe weet je dat?' bracht Ella uit.

'Het stond in een van de roddelrubrieken. Ik weet niet meer welke,' zei Deirdre. Zoals altijd vloog Ella erin.

'Wat!'

'O, hou toch op, sukkel. Ik kwam Nick tegen. Hij vertelde dat je clandestien met hem naar dat feest van Don wilde.'

Ella kon weer ademen.

'Wat een stad is dit, je kunt hier ook niets doen,' mopperde ze.

'Nou, je hebt toch ook niets gedaan?' hielp Deirdre haar herinneren.

'Nee. Morgenavond. Het zou eigenlijk vanavond zijn, maar ik herinnerde me wat je zei over te happig doen.'

'Zullen we woensdag samen lunchen?' vroeg Deirdre.

'Nee, dan heb ik nauwelijks pauze. Ik kan pas na het werk.'

'Vroege Vogelmenu bij Quentins? Ik trakteer,' bood Deirdre aan.

'Dat begint om halfzeven. Ik zal er zijn,' beloofde Ella.

Op een kerktoren bij Ella's flat zat een oude klok. Die sloeg net acht uur toen hij op de deur klopte. 'Ik ben pietluttig punctueel,' zei hij. Hij had een diplomatenkoffertje, een orchidee en een fles wijn bij zich.

'Ik vind het zo fijn je te zien,' zei Ella alleen. Door iets in de manier waarop ze het zei, legde hij alles op de tafel en nam haar in zijn armen.

'Ella, engel Ella, ik zal je nooit kwetsen of kwaad doen.' Zijn stem haperde terwijl hij in haar haren zei: 'Er zal je nooit iets ergs overkomen, geloof me.'

En toen ze hem aankeek voor ze hem kuste, wist Ella dat het waar was.

Ze zetten de orchidee in een lange, smalle vaas en gingen het eten bereiden. Hij sneed de champignons en zij maakte de salade. Ze dronken een glas koele witte wijn uit haar koelkast. Toen opende hij de fles rode wijn die hij had meegebracht en ze gingen ongedwongen aan tafel, alsof ze altijd zo hadden gewoond. Ze vroeg hem niet of hij de hele nacht zou blijven, want ze wist dat hij dat zou doen. Het praten viel hun makkelijk. Hij zei dat hij het leuk had gevonden haar ouders te ontmoeten.

'Zij vonden het ook fijn om met jou kennis te maken, maar dat zal iedereen wel vinden,' zei Ella.

'Denk je dat ik maar doe alsof?' vroeg hij gekwetst.

'Nee, je bent graag onder de mensen en je geeft ze het gevoel

dat er verder niemand in de kamer is. Zo ben je gewoon, zelfs nu.'
Hij keek om zich heen. 'Er is ook niemand anders in de kamer!'
zei hij lachend.
'Nee, dat is gewoon een eigenschap van je. Je was vast heel goed
op dat inzamelingsfeest zondag.' Haar ogen glinsterden.
'Ik weet het niet,' zei Don Richardson peinzend. 'De mensen
waren heel royaal geweest. Ik heb hen alleen bedankt, het gevoel
gegeven dat het niet als vanzelfsprekend werd beschouwd, dat de
partij heel erkentelijk is. Het was niet de bedoeling om te slijmen,
gewoon om dankbaarheid te tonen.'
'Pootjes te geven,' herinnerde ze zich.
'Ja, ik overdreef toen ik dat zei, maar dat kwam omdat ik liever
bij jou had willen zijn.'
'Je was heel goed. Ik heb je gezien,' zei Ella opeens. Ze wist niet
waarom ze deze bekentenis had gedaan. Misschien omdat ze geen zin
had in leugens, in doen alsof. Tot haar verbazing knikte hij alleen.
'Ja, ik heb je ook gezien,' zei hij.
Ze voelde haar gezicht rood worden van schaamte. Hij had ge-
zien dat ze hem aan het stalken was, zoals Deirdre het uitdrukte.
'Nick, de jongen die de video opnam, is een vriend van me. Hij
kon wat hulp gebruiken.'
'Natuurlijk.'
'Eigenlijk wilde hij helemaal geen hulp, ik heb gevraagd of ik
mee mocht.'
'Ja, Ella? Waarom?' Hij legde licht zijn hand op de hare.
'Ik wilde je gewoon zien, Don. Ik vond het ook ellendig dat we
elkaar die avond niet konden zien, dus naar dat feest gaan was ten-
minste nog iets.'
Hij stond op, legde zijn handen om haar gezicht en kuste haar.
'Ik durfde niet te geloven dat het waar kon zijn, Ella. Ik heb er
steeds over nagedacht en gehoopt dat het zo was.'
'En zou je ooit hebben gezegd dat je me had gezien?'
'Nee, jij had je eigen reden om daar te zijn. Ik zou je nooit on-
dervragen, nooit.'
'Je was heel goed, Don, onvermoeibaar.'
'Nee, ik was heel moe. Op de terugweg naar mijn flat ben ik
hierlangs gereden. Ik zag je lichten branden dus ik wist dat je thuis
was, maar...'

'Maar wat?' vroeg ze.

'Maar we hadden voor vanavond afgesproken. Ik wilde niet stom en opdringerig lijken.'

Er stonden tranen in haar ogen toen ze hem meenam naar de slaapkamer. En het was allemaal zoals het nooit eerder was geweest, niet met Nick of met de sportheld of met de twee andere scharrels. Lang nadat Don in slaap was gevallen, lag Ella nog klaarwakker in zijn armen. Ze voelde zich de gelukkigste vrouw ter wereld.

De volgende ochtend bood ze hem alleen koffie en sinaasappelsap aan en deed geen moeite om een uitgebreid ontbijt te maken. Dat leek hij wel prettig te vinden. Misschien waren Margery en de jongens te druk en benauwde dat hem. Ella zou nooit zo zijn.

Ze pakte een stapel papieren op om mee naar school te nemen.

'Wat zijn dat?' informeerde hij belangstellend.

'O, ik heb de vijfdejaars gisteren een overhoring gegeven. Het voordeel daarvan is dat je veertig minuten rust hebt als ze ermee bezig zijn, en het nadeel dat je drieëndertig vellen met antwoorden moet nakijken.'

Hij gaf haar een kus op haar neus.

'Ik weet niets van jouw leven, Ella Brady,' zei hij.

'Dat kun je maar beter zo houden, anders val je nog in slaap van verveling,' antwoordde ze.

'Jij zou me nooit vervelen.' Hij klonk heel ernstig. 'Mag ik vanavond terugkomen, een beetje aan de late kant?'

'Dat zou ik heel leuk vinden,' zei Ella. Ze had zich gedwongen om niet te vragen wanneer ze elkaar weer konden zien.

'Ik leg toch geen beslag op je avond?' Hij was beleefd.

'Nee, ik zou met Deirdre vroeg gaan eten bij Quentins. Om negen uur ben ik terug. Komt dat uit?'

'Ik zal hier om een uur of tien zijn, na een heel saai en eenvoudig etentje. Een financiële commissie. Ik moet aantekeningen maken en goed opletten, dus kan ik daarna een paar glazen wijn met je drinken?'

Er liep even een rilling over haar rug. Don Richardson, die huizen had in Killiney en Spanje en een flat in het Financieel Zakencentrum, zou twee nachten achtereen doorbrengen in haar flatje. Vannacht in bed had hij tegen haar gezegd dat hij van haar hield. Het zag ernaar uit dat hij het meende.

Ella wist de dag door te komen, en toen ze bij Quentins kwam zat Deirdre al op haar te wachten.

'Zul je me alles vertellen?' wilde Deirdre weten voor Ella haar kon begroeten.

'Niet zoveel als je wilt, maar wel veel.'

'Vertel het belangrijkste. Komt hij terug?' vroeg Deirdre.

'Vanavond blijft hij ook de hele nacht, ja.'

'Hij is de hele nacht gebleven! Mijn god!' riep Deirdre zo hard dat iedereen in het restaurant naar hun tafel keek.

'Je wordt bedankt, Dee,' siste Ella. 'Waarom heb je geen microfoon gevraagd, dan hadden ze het aan de verste tafels ook kunnen horen.'

'Maak je geen zorgen.' Ze werden gerustgesteld door Mon, de jonge serveerster die ze allebei kenden en graag mochten. Ze had hun vroeger verteld over haar slechte smaak wat mannen betrof in Australië, en hoe ze haar hart en al haar spaargeld had verloren aan een man in Italië. Deirdre en Ella hadden meelevend gezegd dat het een wereldwijd probleem was. Mannen waren grotendeels de oorzaak van alle onrust en nare toestanden op de wereld.

Mon had onlangs een nieuwe liefde gevonden, had ze hun toevertrouwd. Hij was ouder en verstandiger, betrouwbaar. Hij heette meneer Harris.

Had hij ook een voornaam? vroegen ze zich af. Die bleek hij te hebben, maar Mon dacht voorlopig liever aan hem als meneer Harris.

'Ik hoop dat die meneer Harris van je er niet is, anders was hij zich doodgeschrokken van Dee met haar grote mond,' zei Ella zachtjes.

'Nee, hij is er niet, en hij zou zich ook niet doodschrikken, maar vertel eens, is die vent met die fantastische glimlach en donkerblauwe ogen echt de hele nacht gebleven?' fluisterde Mon.

'Dee, ik ga je heel hard met iets steken,' zei Ella.

'Nee, doe dat niet. Niemand heeft het gehoord, alleen ik. De anderen zijn trouwens allemaal toeristen, dus het maakt niet uit of ze iets gehoord hebben,' zei Mon opgewekt.

Don bleef die nacht en de volgende. Op vrijdagochtend zei hij dat hij een paar dagen naar Spanje ging.

47

'Ik wou dat het niet hoefde.'

'Veel plezier,' wist Ella uit te brengen. Ze vroeg niet of het voor zaken was of met zijn gezin. Ze wilde het niet weten. Maar hij vertelde het haar.

'Ik behartig daar veel onroerend goed van ons. Ik moet er minstens een keer per maand heen, en ik geef toe dat het geen vervelende opdracht is. Soms gaan de jongens mee als ze vakantie hebben of als ze een paar dagen vrij kunnen krijgen van school. Maar deze keer niet. Woensdag ben ik weer terug, misschien kunnen we dan ergens gaan eten. Ik wil niet dat je het beu wordt om voor me te koken.'

'Ik vind het leuk, Don, echt waar, en misschien is het verstandiger als we gezien de omstandigheden niet samen worden gezien.'

Hij keek verbaasd. 'Maar engel, ik heb toch gezegd dat het geen probleem is. We leiden allebei ons eigen leven.' Hij zei het zo vaak, dat het wel waar moest zijn.

Maar de volgende dag belde ze in een opwelling naar het huis van de Richardsons in Killiney en vroeg of ze mevrouw Margery Richardson kon spreken.

'Ze is er helaas niet,' zei de huishoudster. 'Ze is naar Spanje. Woensdag komt ze terug.'

'Nick? Met Deirdre.'

'O, ik weet het al, Deirdre. Je wilt bij Firefly Films komen werken,' zei hij.

'Nee. Ik maak me zorgen om Ella.'

'Welkom bij de club.'

'Nee, ik meen het. Ze is zichzelf niet, Nick.'

'Wanneer is iemand van ons zichzelf?'

'Doe niet zo leuk, het is helemaal niet grappig. Die Richardson, waar is die nu?'

'Naar Spanje. Hij heeft nog een dozijn video's besteld en die moeten klaar zijn als hij terugkomt. Hij was er heel tevreden over.'

'Daar gaat het niet om, Nick. Ella zit helemaal in de put. Heeft hij gezegd of hij voor zaken weg moest of met zijn gezin?'

'Hoe moet ik dat weten? En wat maakt het uit?'

'Waarom is Ella dan van plan om van de O'Connell Bridge te springen?'

'Nee!' riep Nick uit.

'Bij wijze van spreken. Ze is ontroostbaar.'

'Jezus, wat geeft liefde toch een ellende,' zei Nick meelevend.

'Vertel mij wat! Ik ben blij dat ik er nooit in ben getrapt,' zei Deirdre.

'Wat fijn dat Ella voor een lang weekend is gekomen,' zei Tim Brady. 'Stel je voor, ze blijft zelfs tot dinsdag!'

'Ja,' zei zijn vrouw.

'Ben je dan niet blij, Barbara?'

'Ik zou het prettiger hebben gevonden als ze niet had gevraagd om te zeggen dat ze hier niet is en dat we geen idee hebben waar ze is,' zei Ella's moeder.

'Ze zei toch dat ze even rust wilde hebben?' Haar vader geloofde dat verhaal.

'Ja, maar de een of andere man heeft al vier keer gebeld. Hij zegt dat haar mobiele telefoon uit staat, en hij begint ongerust en nijdig te klinken.'

'Laat het maar aan Ella over. Misschien is het iemand die ze niet wil aanmoedigen. Heeft hij gezegd wie hij is?'

'Nee, en ik vraag er niet naar,' zei Barbara Brady.

Op zondag zei de man aan de telefoon eindelijk wie hij was. 'Mevrouw Brady, met Don Richardson. Ik had het genoegen u vorige week te ontmoeten in Holly's Hotel. Ik moet Ella dringend spreken. Kunt u haar vragen mij te bellen? Ik zal u het nummer geven.'

'O ja, natuurlijk, meneer Richardson. Wat prettig om u weer te spreken.'

'Ja, dus als ze er is... Zou u...'

'Nee, ze is helaas niet thuis.' Barbara Brady had er een hekel aan om te liegen. Ze wist dat ze er ook niet erg goed in was.

'Maar ze zal toch wel een keer komen? Ik bedoel, u ziet haar toch wel?'

'O ja, natuurlijk,' zei Barbara Brady iets te vlug.

Hij gaf zijn telefoonnummer door en hing op.

'Ella?' Barbara Brady klopte op de deur van de slaapkamer van haar dochter. 'Mag ik binnenkomen?'

'Natuurlijk, mam.'

Ella zat met een kussen in haar armen heen en weer te wiegen. Haar ogen waren rood, maar ze huilde nu niet.

'Don Richardson heeft weer gebeld.' Haar moeder klonk kort-af. 'Deze keer heeft hij zijn naam en telefoonnummer verteld. Hij zei dat hij in Spanje was en ik zei dat ik je de boodschap en het nummer zou doorgeven.'

'Bedankt, mam.'

'En ben je van plan te komen eten?'

'Nee, mam.'

'Of je vader en mij te vertellen wat er aan de hand is?'

'Absoluut niet, mam.'

'Dan laat ik je maar alleen met je gedachten.'

'Ik hou van je, mam.'

'De vier makkelijkste woorden om te zeggen, "ik hou van je".'

'Maar ik meen het!' Ella was gekwetst.

'We zijn beneden, voor het geval je genoeg van ons houdt om naar ons toe te komen,' zei haar moeder, haar mond in een harde streep.

'Ze zal toch niet iets hebben met die Don Richardson?' zei Barbara op angstige toon tegen haar man.

Ella's vader was geschokt. 'Hij is getrouwd, Barbara, met de dochter van Ricky Rice.'

'Natuurlijk, zo dom zal ze niet zijn.'

Ella was boven aan de trap gaan staan en hoorde het. Ze ging terug naar haar kamer en staarde een hele poos voor zich uit. Het was vervelend dat ze haar mobiele telefoon uit moest laten, maar ze wilde geen boodschappen van hem krijgen, en ze had de telefoon in haar flat van de haak gelegd. Maar ze had niet aan de school gedacht. Maandagochtend lagen daar twee dozijn rode rozen op haar te wachten.

VERSTOP JE NIET ZO, IK HOU VAN JE, stond op het kaartje.

Iedereen in de lerarenkamer had het al gelezen. Hun blikken waren op haar gericht toen ze het kaartje bekeek.

'O, ik heb nooit geweten dat de vijfdejaars me zo aardig vonden,' zei ze met een lachje.

Toen ze het vertrek verliet, hoorde Ella hen over haar praten. 'Die hebben vast een kapitaal gekost, zeventig of tachtig euro,' zei iemand. 'Hij is vast getrouwd, anders had hij zijn naam wel op het kaartje geschreven,' zei een ander.

Ella klemde haar kaken op elkaar en ging aan het werk. Ze hoefde tot woensdagavond niet aan hem te denken. Als hij tenminste kwam opdagen.

Om acht uur woensdagavond klopte hij op haar deur. Hij had geen bloemen bij zich, geen wijn.

'Hallo, Don.'

'Wat moet dit allemaal voorstellen?'

'Ik begrijp het niet,' zei ze.

'Ik ook niet. Ik heb hier vrijdagochtend afscheid van je genomen, ik heb gezegd dat ik van je hield en jij zei dat je van mij hield. Toen ging ik voor zaken naar Spanje en opeens wil je mijn telefoontjes niet aannemen en laat je je moeder voor je liegen. Wat is er aan de hand, Ella?'

'Ik weet het niet. Wat ís er aan de hand?' zei ze.

'Vertel jij dat maar. Ik ben steeds eerlijk geweest, jij bent degene die spelletjes speelt.' Hij zag er heel kwaad uit.

Ze stonden nog steeds op de drempel.

'Je bent niet eerlijk geweest. Je hebt niet gezegd dat je je vrouw meenam naar Spanje.' Ella struikelde bijna over haar woorden.

'Ik heb "mijn vrouw", zoals je haar noemt, nergens mee naartoe genomen!' schreeuwde hij.

'Ze ís toch je vrouw!' riep Ella.

'Mij kan het niet schelen, ik wil rustig verdergaan op de drempel hier, maar bij nader inzien wil jij het misschien liever binnen doen,' zei hij.

Gelaten opende ze de deur.

Hij liep haar zitkamer in alsof die van hem was, en ging zitten. 'Goed, Ella, vertel het maar,' begon hij.

'Nee, vertel jij het mij maar. Je zei dat je voor zaken naar Spanje ging en dan hoor ik dat je je vrouw hebt meegenomen.'

'En waar heb je dat gehoord, Ella?'

'Dat doet er niet toe. Je hebt haar meegenomen.'

'Ik heb haar niet meegenomen, ze besloot mee te gaan. De helft van het huis is van haar.'

'Maar je hebt niet vertéld dat ze meeging.'

'Ik wist het verdomme niet tot ze het zei! En trouwens, het is niet belangrijk. Dat hoef ik je toch niet te vertellen, je weet dat we elk een eigen leven leiden. Je zei toch dat je het geloofde?' Hij zag er verbijsterd en ontdaan uit.

'Hm,' zei ze.

'Wat betekent dat?'

'Ik weet het niet,' zei Ella naar waarheid.

'Je hebt het gezegd, dus je moet het weten. Wat bedoel je? Wat vraag je van me?'

Er viel een stilte.

'Wat wil je weten?' vroeg hij weer.

Nog een stilte, en toen vroeg ze zacht: 'Ben je met haar naar bed geweest? Heb je nog steeds seks met haar?'

Don Richardson stond op. De spieren in zijn gezicht trokken. Ze had hem nooit eerder zo van streek gezien. 'Het spijt me, Ella. Het spijt me echt. Ik dacht dat ik alles duidelijk had gemaakt. Ik dacht echt dat ik je de hele situatie had uitgelegd op die dag voor je school.'

'Ja, maar...' begon ze.

'En ik dacht dat je zei dat je het begreep.'

'Ik dacht ook dat ik het begreep, maar...'

'Maar je begrijpt het helemaal niet, je denkt werkelijk dat ik van jou kan houden en seks kan hebben met Margery. Dat denk je echt, hè?'

'Ik denk dat het mogelijk is, ja.'

'Dan hebben jij en ik niet veel meer te bespreken, nietwaar, Ella mijn engel?' zei hij treurig.

'Is het zo?' vroeg ze.

'Wat?'

'Heb je seks met haar?'

'Dag Ella,' zei hij, en hij liep naar de deur.

'Het is dus zo,' zei ze terneergeslagen.

'Het is toevallig niet zo, maar dat doet er niet toe. Ik ben niet van plan om ergens te blijven waar zoveel argwaan heerst. Iemand moet je ooit vreselijk pijn hebben gedaan dat je je zo gekwetst en onzeker voelt.'

'Dat is geouwehoer, Don Richardson, niemand heeft me ooit pijn gedaan, ik heb nooit eerder van iemand gehouden. Er bestaat geen geheime schurk. Jij zegt dat het een zakenreis is en dan hoor ik dat je vrouw mee is. Is het dan zo gek dat ik van streek ben? Doe niet alsof ik de een of andere zonderling ben of zo.'

'En mag ik vragen hoe je dat te weten bent gekomen?' Zijn stem klonk ijskoud.

Het was afgelopen. Ella wist het. 'Niet dat het belangrijk is, maar ik heb naar je huis gebeld en ik kreeg te horen dat de vrouw des huizes naar Spanje was.' Weer een stilte.

'Dank je, Ella, voor alles. Dank je dat je bent komen spioneren op dat inzamelingsfeest, dank je dat je controleert wat mijn gezin doet, dank je dat je zomaar conclusies hebt getrokken. En dank je vooral dat je me niet gelooft als ik zeg dat ik van je hou. Het spijt me... maar waarvoor eigenlijk?'

Ze keek hem vol ontzetting aan terwijl hij afscheid stond te nemen.

'Waarom zou ik me verontschuldigen terwijl ik vanaf het begin volkomen eerlijk ben geweest, je heb verteld hoe de zaken staan, met je ouders heb kennisgemaakt en ze heb gebeld om te zeggen dat ik ongerust was omdat je de telefoon niet opnam? Zou ik dat doen als ik je belazerde? Nee, dat doet een man die van je houdt.

Maar jij weet het blijkbaar beter. Je hebt andere normen. Ik hoop echt dat je zult vinden wat je zoekt. Je bent een fantastisch meisje, Ella. Een engel zelfs, en ik wens je het allerbeste.'

Hij was bijna bij het hek toen ze hem inhaalde, hem bij de arm pakte en hem smeekte om terug te komen. Mensen die hun hond uitlieten in de lommerrijke straat zagen hoe het blonde meisje de lange, knappe man smeekte.

'Het spijt me. Vergeef me. Ik wil nog een kans. Ik ben zo stom geweest, Don, dat kwam alleen omdat ik zo wanhopig veel van je hou. Ik ben gewoon bang om te geloven dat je van me houdt. Kom terug, alsjeblieft.'

En als de mensen langer hadden gekeken, zouden ze hebben gezien dat de man haar met zijn arm om haar heen mee terug nam naar de verlichte gang.

'Betekent dit alles dat hij nu bij je intrekt?' vroeg Deirdre enkele dagen later.

'Natuurlijk niet, doe niet zo gek,' antwoordde Ella.

'Waarom is dat zo gek? Dat bespaart hem de huur van die flat in het Financieel Zakencentrum.'

'Maar hij moet toch een adres hebben. Hij kan moeilijk zeggen dat hij hier is,' zei Ella, alsof dat overduidelijk was.

'Nee, natuurlijk niet,' zei Deirdre beduusd.

'Waarom kan hij niet zeggen dat hij bij Ella hokt als zijn huwelijk toch niets meer voorstelt?' vroeg Deirdre naderhand aan Nick.

'Dat moet je mij niet vragen,' zei Nick. 'Ik heb het altijd veel makkelijker gevonden om dat soort vragen nooit te stellen.'

3

En zo ontwikkelde zich een patroon in hun leven van minstens drie en soms vijf nachten per week samen. Ella zag 's avonds niemand van haar vrienden meer, omdat ze nooit wist of Don zich opeens vrij kon maken.

Ze ging natuurlijk wel uit lunchen. Deirdre stelde de vragen die Ella nooit hardop durfde te stellen. 'Gaat hij bij haar weg? Hij woont zowat samen met je!'

'Hij kan niet weg vanwege zijn schoonvader. Dat heb ik je toch verteld.'

'Ricky Rice leeft in de moderne tijd. Hij heeft gehoord dat mensen scheiden, hij weet dat Don niet elke avond terugkeert naar het huiselijk nest.'

'Waarom zouden we de boel op stelten zetten? Het gaat toch goed zo?'

'En je ouders, wat vinden die ervan?'

'Die vinden het best.' Ella haalde haar schouders op.

'Nee Ella, dat is niet waar. Niemand vindt het best dat zijn dochter het scharreltje van een magnaat is.'

Ella schaterde het uit. 'Ik begrijp niet waarom ik bevriend ben met jou. Je probeert me van mijn stuk te brengen met je belachelijke uitdrukkingen. Scharreltje... Magnaat... Allemachtig! Wat ben jij ouderwets met dat afkeurende gedoe.'

Deirdre nam een slokje wijn en zei toen in een van haar zeldzame serieuze buien: 'Nee, dat ben ik eigenlijk niet. Ik ben jaloers, als je het wilt weten. Ik zou maar wat graag zo weg van iemand zijn als jij.'

Ella zweeg geschokt. Dit had ze niet verwacht van Deirdre! Nu moest zij van haar kant ook openhartig zijn. 'Nou ja, als je het toch wilt weten, mijn ouders vinden het helemaal niet best.'

'Dat kan toch ook niet?' Deirdre klonk meelevend.

'Dat zou wel kunnen als eens tot hen zou doordringen in welke eeuw ze leven, Dee, als ze eens op de kalender wilden kijken en zien dat we niet in het jaar 1920 leven.'

'Ze zijn niet erger dan anderen van hun generatie.'

'Wel waar, zelfs op school lopen ze niet zo te zeuren.'

'Tja, je kunt moeilijk tegen de nonnen zeggen dat je een minnaar hebt die de helft van de week bij je hokt.'

'Er zijn bijna geen nonnen meer, alleen een paar oude besjes die de boekhouding verzorgen, of de tuin.'

'Maar het is toch een kloosterschool?' protesteerde Deirdre.

'O, zo heten ze allemaal, maar daar gaat het niet om. Sommige leerkrachten zijn vreselijk ouderwets, maar die lopen niet te fronsen en moeilijk te doen.'

'Maar ze weten het toch?' hield Deirdre vol.

'Ze weten het níét. Ze vragen er niet naar en ze lopen niet argwanend te mopperen.'

'Zij zijn je ouders ook niet.'

'Maar ze zijn zich er wel van bewust in welke eeuw ze leven. Alles is veranderd. Weet je nog dat toen wij op school zaten altijd werd gezegd "Vraag dit aan je mama en papa" of "Zeg dat tegen jullie ouders"? Dat zeggen wij niet meer. Het is gewoon niet relevant. Je kunt er niet van uitgaan dat iedereen één papa en één mama thuis heeft.'

'Wat zeg jij dan?' Deirdre vond het interessant.

'We zeggen: "Vraag thuis of..." Of ze een woordenboek mogen, een atlas, ruitjespapier, wat dan ook. Zelfs de leraressen die vlak voor hun pensioen zitten, hebben zich erbij neergelegd dat niet iedereen tegenwoordig meer een gelukkig gezin heeft.'

'Maar toch kun je het mensen niet kwalijk nemen dat ze het beste willen voor hun dochter,' zei Deirdre. Ze maakte zich zorgen om haar vriendin.

'Als ik een dochter had, dan zou ik willen dat ze gelukkig was in plaats van degelijk. Dat is toch het beste wat iemand kan overkomen, gelukkig zijn?'

Toen er geen antwoord kwam, zei Ella weer: 'Deirdre! Dat zei je net nog! Dat je jaloers was omdat ik zo gelukkig ben.'

'Ik zei: omdat je zo weg bent van iemand,' verbeterde Deirdre.

'Dat is hetzelfde,' vond Ella.

Don bracht wat kleren mee en borg die netjes weg in Ella's kledingkast. Hij gebruikte Ella's wasmachine en streek zelf zijn overhemden. Soms streek hij ook dingen voor haar. Dat zou Ella's vader in geen honderd jaar gedaan hebben. 'Waarom niet? Ik sta toch al achter de strijkplank,' zei Don dan met een grijns die haar hart deed smelten.

Zo eens in de twee weken nodigde ze haar ouders uit voor een etentje in haar flat, altijd op een avond dat ze wist dat hij het elders te druk had. Ze hoefde hem niet eens te vragen zijn kleren uit haar kast te halen en zijn scheerapparaat van het planchet in de badkamer te verwijderen. Hij pakte gewoon alles netjes in een koffer en legde er een kleed over. Ze brachten het nooit ter sprake, zelfs niet als hij de koffer weer uitpakte nadat hij laat op de avond, als haar ouders weg waren, weer terugkwam.

Hij toonde altijd belangstelling voor hen en voor wat Ella over hen te vertellen had. Hij herinnerde zich altijd alles wat ze hem had verteld. Zelfs kleine, onbelangrijke details. Dat haar vader graag pitloze druiven at omdat hij bang was voor blindedarmontsteking. Don kocht die altijd als haar ouders zouden komen. Hij wist dat haar moeder een bepaalde parfum lekker vond en kocht die op het vliegveld tegen de tijd dat ze jarig was.

'Ik zou graag zomaar eens een gezellig avondje met ze doorbrengen,' had hij al een paar keer opgemerkt.

'Ik weet het, Don, en ze zouden je heel aardig vinden, maar het is makkelijker zo,' zei ze dan.

'Valt het je echt allemaal makkelijk, ben je wel gelukkig, engel?' vroeg hij.

Gelukkig, ja, maar makkelijk was het niet. Ze stelden te veel vragen.

'Ella, je vader en ik willen ons absoluut niet met je privé-leven bemoeien.'

'Dat weet ik. Nog wat Griekse salade?'

'Maar we vragen ons wel eens af: heb je genoeg vrienden? Ga je wel uit? Ik bedoel, als je hier toch in de flat een kluizenaarsleven leidt, waarom kom je dan niet thuis wonen? Dan bespaar je tenminste de huur.'

'Je moeder bedoelt, Ella, dat we je graag je eigen huis gunnen.'
'En dat heb ik, pap, en we zitten er nu lekker te eten,' zei ze. Ze keek iets te opgewekt.
'Je vader en ik hoopten alleen...'
'Ach, hopen doen we allemaal. Ik zal dit even afruimen. Voor dadelijk heb ik lekkere kaas en druiven. Zonder pit, pap.'
Het begon steeds moeilijker te worden. Konden ze Don maar ontmoeten. Gewoon voor een gezellig avondje. Zonder dat er een verklaring nodig was.

Het gebeurde niet lang daarna op een zondag. Don zou die dag naar Killiney gaan. Margery's vader was met zijn kleinzoons gaan jagen. Ze hadden wat fazanten geschoten en die zouden ze gaan braden.
'Wat gemeen om voor de lol op vogels te schieten,' had Ella verklaard.
'Dat vind ik ook. Ik ga nooit jagen, zoals je misschien hebt gemerkt.' Hij stak zijn handen in de lucht ter overgave.
Ze lachte. 'Omdat je er geen tijd voor hebt.'
'Ook al had ik tijd. Nou ja, ze zeggen dat de fazanten geschoten worden om ze op te eten, en dat gebeurt ook,' zei hij als excuus.
'Het is al goed. Ik denk dat de kip die als coq au vin eindigt voor de zondagse lunch, het er ook niet mee eens is. Ben je laat terug? Ik vraag het maar, want ik wilde met mijn ouders een Irish coffee gaan drinken in dat nieuwe hotel in de stad. Anders denk je misschien dat ik je in de steek heb gelaten.'
'Goed idee. Dat zullen ze leuk vinden,' zei hij. 'Nee, ik ben niet laat terug en ik ben te arrogant om te denken dat je me in de steek laat.'

In het nieuwe hotel wees ze haar ouders op de schilderijen van politici aan de wanden, het van heel duur tapijt voorziene gedeelte dat door een rood koord voor het publiek was afgesloten. Toen zag ze opeens Don. Hij was terug uit Killiney. Hij zocht haar, hij was van plan een ontmoeting met haar ouders te bewerkstelligen. Ze leunde achterover en liet het gebeuren.
'We hebben elkaar toch ontmoet in Holly's Hotel? Hoe gaat het

met u?' Hij keek aangenaam verrast van de een naar de ander. 'En Ella, wat fijn je weer te zien.'

Ze glimlachte en liet het gesprek aan hem over. Hadden ze al besteld? Nee? Mooi, mocht hij dat dan doen? Hadden ze misschien zin in een Irish coffee?

Haar ouders keken elkaar verbijsterd aan. Dat was precies wat ze van plan waren te bestellen. Dat hij dat geraden had!

Ella vroeg zich af wat er zou gebeuren als ze zei dat hij het had geraden omdat ze het hem die ochtend in bed had verteld. Daar zou niets goeds van komen, dus hield ze haar mond. Ze keek hoe hij handig overging op een ander onderwerp om haar ouders aan de praat te krijgen. Hij was vol aandacht voor wat ze zeiden.

Ella sloeg hem gade. Ze liet haar gedachten de vrije loop. Het was geen toneelspel, hij vond deze mensen net zo aardig als die bij het inzamelingsfeest, in Holly's Hotel, in Quentins, en waarschijnlijk overal. Het was een gave, en hij maakte er goed gebruik van.

Ze viel weer in het gesprek toen hij met haar vader aan de praat was.

'Ik ben het helemaal met u eens. Je kunt niet van mensen vragen om aandelen te kopen die je zelf niet zou kopen. Dan verlies je je integriteit.'

'Maar meneer Richardson, het is niet te geloven hoe inhalig en ongeduldig jonge mensen zijn tegenwoordig. De oude, veilige opties zijn niet goed genoeg meer. Ze willen snel iets hebben, nu meteen, en ze luisteren amper als ik waarschuw dat ze beter wat voorzichtiger kunnen zijn.' Hij keek triest en een beetje verongelijkt. Zo keek hij vaak de laatste tijd.

Ella hoorde Don op iets zachtere toon zeggen: 'Dat geldt voor ons allemaal, meneer Brady. Ze willen allemaal die nieuwe auto, een boot, een tweede huis...'

'Ja, maar voor u daar bij Rice en Richardson is het anders. Daar komen mensen die toch al geld hebben.'

'Dat is niet zo. We krijgen allerlei cliënten, omdat ze hebben gehoord dat we goed zijn. Het kost veel moeite om elke week goed te zijn. U hebt het tegen iemand die weet hoe het is.'

Don Richardson kon zich helemaal inleven in haar schuchtere vader.

'Zo denk ik dus elke maandagochtend,' zei Ella's vader treurig.

'Nou, over morgen gesproken, ik zal u zeggen wat ik morgen-
ochtend ga doen zodra ik op kantoor kom...'

Hun stemmen klonken nu heel zacht. Ella hoorde iets over een
bouwbedrijf dat waarschijnlijk een grote opdracht zou krijgen.
Meer zekerheid kon hij zelfs hun veeleisende cliënten niet bieden.
'Maar u zei toch "waarschijnlijk"?' hoorde Ella haar vader angst-
vallig zeggen.

'Ik zou u nooit een verkeerd advies geven.' Zijn warme stem
klonk krachtig en geruststellend. Don zou nooit iemand een verkeerd advies geven of tegen hem liegen. Dat lag niet in zijn aard.
O, als pap nu eens zijn advies zou durven aannemen. Als Don zei
dat dit bouwbedrijf het contract zou krijgen, dan was dat zo. Don
wist zulke dingen.

Natuurlijk kreeg het bouwbedrijf het contract. En – hoe was het
mogelijk – haar vader had de tip doorgegeven en had bij zijn bedrijf een goede beurt gemaakt. Haar vader zei verheugd tegen haar
dat het werkelijk heel aardig was geweest van die man om dat tegenover hem te laten vallen. En Ella deed haar best om niet te blij
te klinken.

Haar moeder zei dat de partners van het advocatenkantoor waar
zij werkte, niet konden geloven dat Rice en Richardson hen hadden aanbevolen om de zaak te behartigen. Niets bijzonders, de gewone officiële papieren, maar ze was enorm in achting gestegen.
Eerst vonden ze het eigenlijk tijd worden dat ze met pensioen
ging, maar nu niet meer. Ella zei dat haar moeder dat alleen aan
zichzelf te danken had.

Nick zei tegen Ella dat Don Richardson een wandelend archief
moest zijn. Ze kregen minstens twee keer per week een telefoontje van iemand die zei dat Don Richardson Firefly Films had aanbevolen. Het leek wel of ze nu officieel waren goedgekeurd.

Ten slotte viel het laatste bolwerk: Deirdre zei dat ze hem aardig
vond. 'Dat hoef je niet te zeggen, Dee. Ik red het ook wel zonder
je goedkeuring,' zei Ella met een lachje.

Maar nee, Deirdre wilde duidelijk maken hoe ze erover dacht.
Ze was een keer in een trendy nachtclub toen Don naar haar toe
kwam. 'Zo, dit is even wat anders dan je thuisfronten,' had Dee
tegen hem gezegd.

'Ik weet dat je niets van me moet hebben, Deirdre, en ik waardeer het dat je bezorgd bent om je vriendin. Ik kan alleen maar zeggen dat ik van haar hou, maar niemand heeft er iets aan als ik nu zou weggaan bij Margery en de jongens. Ella weet alles wat er te weten valt.'

Deirdre keek bijna verlegen. 'Ik geloofde hem, Ella. Ik geloofde hem! Ik geloofde hem zelfs toen hij zei dat hij mensen uit Spanje moest bezighouden en dat die per se naar de nachtclub wilden. Hij houdt echt van je. Je hebt echt alles wat je kunt wensen.'

'Niet alles, Dee. Geen thuis en baby's,' zei Ella.

'Maak je niet druk. Vrouwen kunnen tegenwoordig op hun zestigste nog baby's krijgen,' had Deirdre opgewekt gezegd. 'Je hebt dus nog dertig jaar voor je broedse neigingen hoeft te krijgen.'

Na verloop van maanden wist Ella al niet meer beter. Die jongens zouden over een poosje volwassen zijn en dan konden ze altijd nog eens serieus nadenken over de situatie. Maar nu? Alles ging goed, en waarom zouden ze iets verstoren wat zo goed ging?

Dons gedeelte van de werkkamer was net zo netjes als hijzelf. Hij had een mobiele telefoon. Op den duur ging hij de gang in als hij een telefoontje kreeg. De ontvangst was daar beter en dan hoefde hij niet het televisieprogramma of de muziek te verstoren. Hij zette een paar boeken op de boekenplanken en legde wat zakentijdschriften in de mand, maar voor de rest zat alles opgeslagen in een kleine laptop.

'En als je die eens kwijtraakt?' had ze een keer plagend gezegd. 'Stel dat er wordt ingebroken of dat ze hem op straat uit je handen rukken...'

'Een back-up,' was het simpele antwoord. 'Regels van het huis: elke avond zetten we alles over de transacties op diskette.'

'En wat doe je met die diskettes?' Het interesseerde haar. 'Je kunt toch ook een diskette verliezen?'

'Wat moet dit voorstellen, Ella? Een kruisverhoor? Een gerechtelijk onderzoek?' Hij lachte, maar er lag geen glimlach in zijn ogen.

Ella werd kwaad, en dat liet ze merken. 'Sorry, Don. Ik wist niet dat het vrouwtje geen belangstelling mocht tonen. Laat maar. Ik heb niets gevraagd.'

'Ella, engel, waarom doe je opeens zo moeilijk,' begon hij.

'Dat doe ik niet. Als jij me iets over school vroeg, zou ik denken dat je er meer over wilde weten en ik zou antwoord geven. Ik zou je er niet van beschuldigen dat je van de Schoolinspectiedienst was.'

'Het spijt me.'

'Hoeft niet. De boodschap is duidelijk. Vraag Don niet naar zijn werk. Goed, ik zal het onthouden.'

'Je voelt je wel erg gekwetst,' zei hij.

'Nee, alleen nijdig. Maar dat gaat wel over.'

'Kom eens hier. Toe?' Hij keek smekend.

'Wat is er dan?'

Hij opende zijn kleine laptop. 'Allereerst mijn wachtwoord. Ik wil dat je dat weet.' Zijn gezicht stond heel ernstig.

'Don, dit is belachelijk.'

'Mijn wachtwoord is Engel. Dat is het sinds ik jou heb ontmoet.' Hij tikte het in en het programma verscheen. 'Ella, kijk alsjeblieft naar de bestandsnamen. Mijn leven is jouw leven. Je mag deze altijd inzien.'

'Dat bedoelde ik helemaal niet. Je deed alleen zo kortaf tegen me, dat was alles.'

'Kijk, dit is Killiney, met alle gegevens over rekeningen en uitgaven. Hier is het schoolgeld van de jongens en fondsen op hun naam, James en Gerald... Dit zijn reisonkosten en hier is Ella.'

'Heb je over mij ook een bestand?' fluisterde ze.

'Natuurlijk, engel van me.' Hij wees op een bestand dat Brady heette.

Nu was ze in tranen, maar hij schonk er geen aandacht aan. Hij was vastbesloten om alles uit te leggen en haar te laten zien hoe openhartig hij tegen haar was.

'Dit zijn de dagelijkse transacties. Die zetten we op diskette, en je wilde toch weten wat we met die diskettes doen? Die sturen we per post naar het kantoor. We hebben enveloppen met postzegels klaarliggen. Zo, Ella, nu ken je het wachtwoord. Alles wat je wilt weten is hier, maar zeg nooit meer tegen me dat ik geheimzinnig doe. Want dat doe ik helemaal niet.'

'Ik kan je niet zeggen hoe erg het me spijt,' zei ze door haar tranen heen.'

Hij streelde haar haren. 'Ella, engel van me, het spijt míj dat ik zo kortaf tegen je deed. Ik word elke dag bestookt met vragen. Het is zo'n verademing om bij jou te zijn, want jij stelt nooit vragen.' Hij keek berouwvol.

Ze snoof. 'Wat ben ik toch een idioot.'

'Ik hou van je, Ella.'

'Ik weet het,' zei ze. 'Ik verdien jou niet.'

'Je vader peinst er niet over om het je te vragen, maar je kent me. Ik ben gewoon een bemoeial, Ella. We vroegen ons alleen af of je die Don Richardson vaak ziet.' Barbara Brady's stem stierf weg toen ze besefte wat een inbreuk ze met deze opmerking maakte op het privé-leven van haar dochter.

'O, ik kom hem vaak tegen. Is daar iets mis mee?'

'Nee, nee, natuurlijk niet. Alleen... hij is getrouwd en zo.'

'En wat?'

'Nou ja, getrouwd, en hij heeft kinderen. Twee zoons, heb ik gehoord.'

'O, nou, dat is dan leuk voor hem.'

'Ella, je weet dat we het beste met je voorhebben.'

'En ik met jou en pap.' Ella glimlachte stralend.

'Ga je in de vakantie mee naar Spanje?' vroeg Don aan haar.

'Dat zou ik heel graag willen, maar is dat niet... moeilijk?'

'Nee, totaal niet. Ik wil je graag de kust laten zien.'

'Ik zou niets liever willen. Maar dan betaal ik zelf mijn ticket.'

'Doe niet zo raar, schat. Ik heb al een ticket voor je.'

'Je moet me in mijn eigenwaarde laten. Ik logeer daar toch al in je huis? Is dat niet genoeg?'

'Eh, nee, ik wilde een hotel nemen. Dat is makkelijker.'

'Best.' Maar Ella werd stil.

'Daar heb ik voor gekozen omdat je het misschien niet prettig zou vinden om in een familiehuis te logeren.'

'Nee, ik vind het echt best. Heel attent van je, Don, maar ik heb zelf geld. Ik betaal liever zelf mijn ticket.'

'Goed, engel van me,' zei hij.

'Hoe lang?'

'Je zei toch dat je zes dagen vrij was? Dus heb ik zes dagen geboekt.' Hij glimlachte naar haar.

'God, wat hou ik toch van je, Don Richardson,' zei ze.

Op het vliegveld wemelde het van de gezinnen, echtparen, verliefde stelletjes en groepen rugzaktoeristen. Niemand van hen was ook maar half zo gelukkig als Ella. Ze zou hier zes dagen blijven. Het leek wel een huwelijksreis.

Ze was helemaal verrukt toen ze met de andere passagiers de zon in stapten, in de richting van alle hoteliers en reisagenten die met vlaggetjes zwaaiden en namen riepen.

Don had van tevoren een auto gereserveerd.

'Ga hier even zitten, schat, dan wikkel ik de saaie noodzakelijkheden af,' drong hij aan. Dus ging Ella zitten en paste op hun koffers en Dons diplomatenkoffertje. Ze keek hem bewonderend na toen hij zelfbewust, met zijn colbertje over zijn arm, naar de balie van het autoverhuurbedrijf liep.

Ze dacht dat ze hem met contant geld zag betalen. Hij leek wel een handvol bankbiljetten te hebben. Maar dat was onwaarschijnlijk. Misschien was hij gewoon geld aan het wisselen. Hij kwam glimlachend naar haar terug.

'Prettige vakantie, señor Brady,' riep de man achter de balie hem na.

'Ik heb de huurauto ook op jouw naam gezet. Hij heeft blijkbaar door wie hier de belangrijkste is,' zei Don terwijl hij een arm om Ella's schouder sloeg.

Ze was kinderlijk blij. 'Ik heb nog nooit aan de verkeerde kant van de weg gereden,' begon ze.

'Zo'n slimme meid als jij kan dat heus wel,' plaagde hij.

'Ik vind het heel aardig van je, Don.'

'Welnee. Het is toch leuk als je een auto hebt wanneer ik wat moet werken. Kom, dan gaan we hem ophalen en dan tossen we wie er mag rijden.'

'Ik denk dat we dat al gedaan hebben en dat jij hebt gewonnen,' lachte ze, en ze gaf hem een arm.

Het was een heel luxueus hotel. Ze hadden een enorm balkon. De roomservice bracht daar hun maaltijd, stak kaarsen voor hen aan en gaf Ella een grote, witte orchidee, die ze in haar haar stak. 'Ik vind het hier heerlijk,' zei ze.

'Morgen moet ik op pad om wat mensen te spreken en een en ander te regelen. Vermaak je je wel, in je eentje?'

'Natuurlijk. Ik ga lekker op het balkon liggen lezen en bruin-bakken. En misschien ga ik ook even naar het zwembad.'

'Mooi. Ik ben uiterlijk om zeven uur terug.' Hij glimlachte loom naar haar over de rand van zijn glas Spaanse cognac.

'Neem je de auto mee?' vroeg ze onschuldig.

Ze zag heel even zijn ogen vernauwen. 'Misschien wel, engel, en misschien ook niet. Ik zie wel, goed?'

'Natuurlijk. Ik wil alleen niet dat je te veel van jezelf vergt.'

Hij ontspande zich.

De volgende ochtend keek ze hem vanaf het balkon na toen hij naar zijn afspraken ging. Op het voorplein van het hotel werd hij afgehaald door een vrouw. Een vrouw die heel veel leek op zijn echtgenote Margery.

Er leek geen einde te komen aan de dag. Je kon niet heen en weer blijven zwemmen in het zwembad. De detectiveroman die ze op het vliegveld van Dublin had gekocht, boeide haar niet. Ze had geen trek in het uitgebreide hotelbuffet.

Ze nam een taxi naar de stad en ging op een terras aan de haven naar de dobberende boten en de toeristen kijken terwijl ze een glas wijn dronk en wat kaas en olijven at. Ze zou het hem niet vragen. Het kon iedereen zijn geweest. Ze zou niet naar Margery Richardson in Killiney bellen. Wat viel er te bewijzen als Margery er niet was? Je vertrouwde iemand of je vertrouwde hem niet. Zo simpel was het. En ze moest zich hebben vergist, hij zou het haar immers verteld hebben als Margery in Spanje was. Maar stel dat Margery er wél was; tenslotte hoorde ze nog steeds bij het bedrijf van haar vader. Ze had het recht om hier te zijn. Het huwelijk was voorbij. Hoe vaak had hij haar dat niet verteld? Hij had haar mee-genomen op deze fantastische vakantie omdat hij van haar hield en bij haar wilde zijn... Het zou toch heel dom zijn van Ella om daar een scène over te maken? Hoeveel moeite het haar ook kostte, ze zou niets zeggen.

Het was heel moeilijk om er met hem over te praten zonder dat het een ondervraging zou lijken. Dus toen hij op tijd terug was om nog even te zwemmen voor de zon onderging, vroeg Ella niets. Hij was heel lief voor haar. Wat belachelijk dat ze zich had ingebeeld dat hij een afspraak had met zijn vrouw of ex-vrouw, of wat ze ook mocht zijn. Iemand die haar zo hartstochtelijk liefhad kon de dag niet met een andere vrouw hebben doorgebracht. Toen zei hij dat hij nog wat moest werken, nakijken of hij alle aantekeningen van die dag wel in de computer had gezet, en alles op diskette zetten. Ze zat hem dromerig gade te slaan.

'Bestel eens wat te eten, engel. Ik ben over een halfuurtje klaar,' zei hij.

Ze bestelde asperges en als hoofdgerecht gegrilde garnalen.

'Heb je een vermoeiende dag gehad?' vroeg ze.

Ze had lang over die opmerking nagedacht. Hij zou er niets op aan kunnen merken.

Hij keek haar aan en pakte haar hand. 'Zeg dat wel, engel, heel vermoeiend. Je weet niet hoe inhalig mensen zijn. Veel cliënten willen alles hebben wat hun hartje begeert, en liefst nog meer. Ze denken dat ik hun eigendom ben.'

'Zo erg heb je hen toch niet nodig?'

'Toch wel, engel. Ricky zegt altijd dat die emigranten het ergste zijn, want die hebben de hele dag niets anders te doen dan golfen, zwemmen en hun effecten bekijken.'

'Waarom komen ze dan niet naar Dublin als ze je willen spreken?' informeerde ze onschuldig.

'Waarom denk je?' Zijn gezicht stond hard.

Ze besefte dat veel van die mensen belastingontduikers waren. Sommigen hadden misschien zelfs een nog dringender reden om weg te blijven.

'Sorry,' zei ze.

Hij stond op en knielde naast haar neer. 'Nee, ik ben degene die sorry moet zeggen. Een van die kerels staat erop dat ik een paar nachten op zijn haciënda, zoals hij het noemt, kom logeren. Hij wil niet dat ik in mijn eentje in een hotel zit.'

'Nee!' Ze was geschokt.

'Ja, ik ben bang dat ik er niet onderuit kan. Wat moet ik tegen Ricky zeggen? Dat ik niet naar zo'n kast van een huis wil met twee zwembaden, een biljartkamer en van alles erop en eraan?'

'Hij kan toch geen beslag leggen op je vrije tijd, Don...'

'Hij beschouwt het niet als vrije tijd. Maak alsjeblieft geen scène, Ella. Ik heb het er al moeilijk genoeg mee. Ik kan het niet verdragen als jij...'

'Nee, natuurlijk niet.'

'Dank je.' Hij gaf een kus op haar voorhoofd. Toen zag ze dat hij naar de grote, met houtsnijwerk versierde kledingkast liep.

'Toch niet vanavond al, Don?'

'Hij staat erop. Het spijt me vreselijk. Je weet dat ik dit helemaal niet wil. Deze tijd zou immers voor ons samen zijn.' Hij maakte een hulpeloos gebaar.

Ze moest voorzichtig zijn dat ze hem niet uit zijn doen bracht, maar ze was zo kwaad dat ze bijna niet kon praten. Het idee dat ze hier als een sukkel in een groot, luxe hotel zat terwijl Don ging biljarten en zwemmen met een belastingontduiker, of nog erger. Om zijn schoonvader een plezier te doen.

'Je gaat me toch niet doodzwijgen, engel?'

'Nee, natuurlijk niet. Ga maar inpakken. Hoe eerder je vertrekt, hoe eerder je terugbent.'

Hij keek heel opgelucht. Gelukkig geen ruzie.

Ze keek toe terwijl hij inpakte. Don Richardson, de kieskeurige man die drie dagen wegging, nam één overhemd mee en één schone onderbroek. En zijn laptop.

Ze zei dat ze zich wel zou vermaken. Ze zou bij het zwembad wel een nieuw vriendje opscharrelen. Ze zou zijn naam niet eens meer weten als hij terugkwam.

'Vergeet me niet, engel van me. Ik ben je grote liefde. En jij die van mij. Een van de redenen waarom ik al deze onzin doe is om samen met jou vele jaren door te brengen op plekken zoals hier, waar ik mijn laptop in zee kan gooien en we nooit meer aardig hoeven te doen tegen vervelende cliënten die halve oplichters zijn. Geloof je me?'

Ella geloofde hem. Waarom had hij haar anders meegenomen naar Spanje, als hij niet van haar hield?

Het waren lange dagen, maar ze wist zich bezig te houden. Ze ging op een busexcursie door de streek. Ze reden langs een ommuurde wijk met heel dure villa's.

'Die hebben allemaal twee zwembaden en biljartkamers en aan de ene kant uitzicht op de bergen en aan de andere kant op zee,' vertelde de gids trots. 'Vooral Engelsen en Ieren, die komen hier heel vaak.'

Misschien was Don wel daar ergens aan het biljarten om zijn schoonvader een plezier te doen, dacht Ella. Ze keek naar de naam: PLAYA DE LOS ANGELES. Strand van de engelen. Wat ironisch, als hij bij zijn eigen engel had moeten weggaan naar een plek die dezelfde naam droeg.

'Heb je een nieuwe liefde gevonden?' vroeg Don toen hij tweeënhalve dag later terugkwam.

'Nee, jij?' zei ze lachend.

'Nee, maar ik ben doodmoe. Kan onze vakantie nu beginnen, engel van me?'

Ze begreep dat er niet zou worden gepraat over de cliënt die per se beslag had willen leggen op zijn tijd en hun vakantie had verpest.

Don bracht uren door achter zijn laptop, meer dan haar lief was. Als ze 's morgens wakker werd, hoorde ze hem al tikken. Vaak glipte hij 's avonds, als ze gevreeën hadden, uit bed en leek weer tot leven te komen achter het kleine scherm. Dat is maar tijdelijk, hield ze zich voor. Hij doet het opdat we later jaren samen kunnen doorbrengen.

'Gaan we apart door de douane?' vroeg Ella op het vliegveld van Dublin.

'Waarom?' Don begreep er niets van.

'Nou, voor het geval dat iemand ons ziet,' zei Ella.

'Zoals?'

'Zoals Margery,' zei ze.

'Hoe zou die ons kunnen zien? Ze is toch nog in Spanje?' vroeg hij verbaasd.

Ze had dus gelijk gehad: Margery was toch in Spanje geweest.

'Ella, je moeder aan de telefoon!' riep Don.

Meestal nam hij in haar flat niet de telefoon op, maar hij verwachtte een belangrijk telefoontje en had haar nummer doorgegeven.

'Bedankt. Hallo, moeder.'

'O, Don is er, hoor ik.' Haar moeder klonk zowel aarzelend als afkeurend.

'Ja, we staan op het punt om naar een receptie te gaan. Hij kwam me afhalen. Waarom bel je?'

'Wanneer ben je alleen?'

'Wat?'

'Kan ik je spreken als je alleen bent?'

'Zeg het maar, moeder.'

'Bel me maar wanneer je vrij kunt praten.' Ze hing op.

'Shit,' zei Ella.

'Is er iets?' Don keek op van zijn computer.

'Nee, alleen een rare moeder. Jij hebt het nooit over jouw moeder.'

'Daar valt niets over te zeggen. Ze leidt haar eigen leven. En ze laat andere mensen in hun waarde.'

'Wat goed van haar!' Ella belde haar moeder terug. 'Don is zijn auto gaan halen. Wat wilde je zeggen?'

'Heb je de krant van vanavond gezien?' vroeg haar moeder op afgemeten toon.

Ella deed of ze melk en koffie moest inslaan. Ze ging naar de avondwinkel. In de avondkrant was een roddelrubriek van twee pagina's met veel foto's. 'Wie is de blondine aan de arm van Don Richardson met wie hij terugkwam uit Spanje? De magnaat van de met tegenslag kampende firma R & R ziet er niet bepaald uit of hij gebukt gaat onder de problemen die er volgens hun cliënten zijn. R & R hoeft dus niet Rice en Richardson te betekenen, maar Rust en Relaxen!' Er was een foto van Ella en Don, opgewekt lachend op het vliegveld van Dublin.

Ella voelde alle energie uit zich wegstromen terwijl ze tegen de deurpost van de winkel leunde. Ze las het artikel nog eens.

Ze werd voor heel Dublin uitgemaakt voor blondine op dezelfde toon alsof ze het hadden over een sloerie. Wat zou iedereen daar wel van denken of zeggen?

Maar wat nog erger was, wat bedoelden ze met de opmerking dat Rice en Richardson met tegenslag kampte? Er waren toch geen financiële problemen? Liep Don risico? De kranten overdreven dat soort dingen altijd, maar je kon toch niet zomaar schrijven dat een bedrijf in de problemen zat als het niet waar was? Dan konden ze die krant voor de rechter slepen.

Toen ze terugkwam in de flat, zat Don nog over zijn computer gebogen. Ze legde de krant op de tafel en ging naar de keuken. Ze moest iets drinken, thee of koffie, iets waardoor het beven zou ophouden.

'Wil jij iets, Don?' riep ze. Ze dwong zich om zo normaal mogelijk te klinken.

'O, wat gemoedsrust graag,' zei hij met een hol lachje.

'Goed, twee broodjes gemoedsrust!' Ze probeerde te lachen. Maar ze lachte helemaal niet.

Hij kwam achter de laptop vandaan en liep naar de tafel, waar ze een flink glas whisky neerzette en de dubbelgevouwen krant zo legde, dat hij de foto en de kop kon zien.

'Daarom was je moeder zeker zo ongerust,' merkte hij op.

'Heb je het dan al gezien?' vroeg ze verbijsterd.

'Ja, Ricky kreeg een vroege editie.'

'Waarom heb je me niets verteld?'

'Ik heb je al eerder gezegd, engel van me, dat je alles wat het werk betreft aan mij moet overlaten.'

'Maar dit gaat toch niet over het werk?' zei ze verbaasd.

'Waar gaat het anders over, Ella? Zodra cliënten lezen dat andere cliënten problemen hebben gemeld, komt er een stormloop op de zaak. Ricky en ik moeten zorgen voor de juiste strategie.'

Ze keek hem met stomheid geslagen aan.

'Wat is er, Ella?'

'Die foto, van jou en mij.'

'Die is niet belangrijk.'

'Wát!'

'Ik bedoel, vergeleken bij al het andere dat mis kan gaan.'

'Maar je vrouw, je schoonvader, mijn ouders, iedereen...' Haar stem beefde.

'Hoor eens, schat, dat is wel onze laatste zorg, geloof me.' Zijn gezicht zag wit en gespannen. Hij zag er echt ziek uit, en dat verontrustte haar. Het was dus waar. Er was iets aan de hand. Hoe kon dat? Don had toch altijd alles onder controle?

'Don, het lukt je toch wel om dit allemaal in orde te brengen?'

'O, ja. Er is altijd nog plan B.' Hij liet een vreugdeloos lachje horen.

'Wat is plan B?'

'Dat is een uitdrukking. Als dit plan niet slaagt, moeten we tot een ander plan overgaan. Een manier van zeggen.'

'Is er dan een plan B?' vroeg ze.

'Er zijn een heleboel plannen, maar die wilde ik niet gebruiken. Ik was tevreden met de situatie zoals die was.' Hij keek bijna weemoedig om zich heen.

Ella huiverde zonder te weten waarom.

Hij dronk zijn glas leeg en werd zakelijk. 'Ik moet naar Killiney.'

'Ik dacht dat je zei dat ze in Spanje was.'

'Ik ga daar om een heleboel andere redenen dan mijn ex-vrouw heen, zoals ik je al zo vaak heb gezegd, engel van me.'

'Kom je vanavond terug, Don?'

'Nee, maar weet je wat, morgen trakteer ik je op een lekkere lunch in Quentins.'

'Dat kan niet, niet na die foto van ons...' Ze wees op de avondkrant.

'Onzin. Dat is iedereen dan allang vergeten. Oud nieuws. Als ze eenmaal weten dat hun geld veilig is, kan het hun niet schelen hoeveel blondines met Ricky en mij over vliegvelden paraderen.' Hij zag haar gezicht. 'Grapje, engel.'

'O.' Ze zag dat hij zijn weinige spullen in een koffer pakte. 'Ga je het bewijsmateriaal lozen?' zei ze, en ze kreeg meteen spijt.

'Ik moet op alles bedacht zijn.' Hij glimlachte. 'Toe, engel, ik ben al gestresst genoeg. Morgen bij Quentins, om één uur. Dan zal ik je alles vertellen.'

Hij was gehaast en nerveus. De kalme, beheerste Don Richardson, die zich altijd zo rustig bewoog, legde twee keer zijn diplomatenkoffertje neer, zijn jas, zijn weekendtas, de avondkrant, en pakte twee keer alles weer op. Ze mocht hem niet laten vertrekken met de gedachte dat ze zat te mokken.

'Kom hier en kus me dan maar welterusten, als ik niet het grote genoegen kan hebben dat je vanavond terugkomt.' Ze liet haar handen langs zijn lichaam glijden en voelde hem reageren.

Maar hij trok zich terug. 'Nee Ella, engel van me, dat is niet eerlijk. Dat is wapens gebruiken die nog niet zijn uitgevonden... Laat me gaan voor we in bed eindigen.'

'Daar is toch niets mis mee?' zei ze in zijn oor. Maar hij glipte onder haar handen vandaan en haastte zich de deur uit.

Toen zag ze met een schok zijn diplomatenkoffertje. Hij was zijn laptop vergeten. Dan moest hij wel heel gestresst zijn, want hij en zijn laptop waren onafscheidelijk. Maar hij zou nu in elk geval terugkomen. Ze was zo zenuwachtig geworden toen ze hem zag inpakken en weemoedig om zich heen zag kijken.

Ella had geen trek. Ze legde het eten weg dat ze had willen koken. Ze belde haar moeder op en zei dat het belachelijk was om je zo op te winden over een stom krantartikel. Dat het gewoon een foto was van vrienden die elkaar op het vliegveld waren tegengekomen of zoiets.

'Of op vakantie in Spanje,' zei haar moeder.

'Of dat,' zei Ella.

'Je vader en ik vroegen ons dat af.'

'Het is niet goed om je te veel af te vragen,' zei Ella.

'Doe niet zo onaangenaam, Ella.'

'Het spijt me, moeder. Ik heb alleen wel iets anders aan mijn hoofd.'

'Is hij er nog? In je flat?' fluisterde haar moeder.

'Nee, moeder, ik ben helemaal alleen. Kom maar controleren.'

'Ik wil alleen het beste voor je. Wij allebei.'

'We willen allemaal het beste. Dat is het probleem,' zei Ella met een diepe zucht, en ze hing op.

Toen belde ze Deirdre. Ze kreeg het antwoordapparaat. 'Dee, met Ella. Wees maar blij dat je niet thuis bent. Ik was van plan om te klagen en te kreunen, maar nu kan ik dat niet. Je hebt de krant zeker wel gezien. Het is niet zo erg als het eruitziet. Don is vol zelfvertrouwen en na lunchtijd morgen zal ik veel meer weten, dus dan vertel ik je alles wel. Weet je nog dat we het leven kleurloos en saai vonden? Wat was het toen fijn, hè?'

Ze hing op en bleef een hele poos aan de tafel zitten. Ze wist dat ze niet kon slapen, maar ze kon beter toch maar naar bed gaan en het proberen.

Om drie uur stond ze uit pure wanhoop op en maakte een kop thee. Om vier uur opende ze de laptop. Ze tikte het woord 'Engel' in, dat volgens Don het wachtwoord was. De computer kwam niet tot leven, zoals toen hij het had ingetikt. Er stond alleen: WACHT-

WOORD ONGELDIG. Ze zette het apparaat uit en wachtte tot het licht werd. Toen kleedde ze zich met zorg aan en ging naar school. Ze moest haar leerlingen normaal hebben lesgegeven, op een soort automatische piloot. Maar ze kon zich geen woord herinneren van wat ze had gezegd. Toen was het lunchtijd, en ze reed naar Quentins.

4

Mevrouw Brennan bracht haar naar een tafel voor twee personen. 'Wilt u iets drinken terwijl u wacht?'

'Nee, dank u. Ik moet vanmiddag lesgeven. Dan kan ik beter geen alcoholwalmen over de leerlingen uitblazen. Ik hou het bij een glas wijn tijdens de lunch.'

Brenda Brennan lachte. 'Niet iedereen is zo verstandig als u. Onze gasten gaan vaak terug om hun grote bedrijven of zelfs het land te besturen na veel meer dan één glas wijn, dat verzeker ik u.'

'U zou uw memoires eens moeten schrijven,' zei Ella.

'Nee, ik wil nog heel lang maaltijden serveren. Het heeft geen zin om de tent te moeten sluiten.' Ze liep naar andere tafels en maakte overal een praatje, maar bleef nooit ergens lang staan. Wat is ze toch elegant, dacht Ella, en vriendelijk. Geen wonder dat het restaurant zo goed liep.

Brenda Brennan maakte algemene opmerkingen, maar ze zou nooit iets indiscreets zeggen. Brenda moest weten dat Ella op Don Richardson zat te wachten, de befaamde huisvader. Misschien had ze de foto in de krant van gisteren gezien. Maar ze zou niets laten merken. Ze had het natuurlijk makkelijk, dacht Ella afgunstig. Ze was getrouwd met de man van wie ze hield, de chef-kok Patrick Brennan. Brenda bofte maar. Haar stond geen zenuwslopende lunch te wachten.

Ella overwoog een cognac te bestellen, maar ze bedacht zich. Wat hij ook zou zeggen, Ella zou het accepteren. Ze zou niet zoals gisteravond zeuren over zichzelf en de foto in de krant. Hij had duidelijk zelf zijn problemen. Ze kon zichzelf wel een schop geven dat ze zich zo kinderachtig had gedragen toen hij haar juist nodig had.

Om kwart over een was hij er nog niet. Dat was niets voor hem.

Om halftwee begon ze ongerust te worden. In Quentins werd je geen bepaald tempo opgedrongen en ze zouden nooit zeggen dat de keuken ging sluiten. Maar om tien over halftwee ging Ella naar het toilet. Brenda Brennan had een hekel aan mobiele telefoons aan tafel, en ze moest hem proberen te bereiken.

Hij nam niet op, en er was geen servicedienst waar je een bericht kon inspreken. Dit was heel vreemd. Ze zou iets te eten bestellen. Of moest ze eerst naar school bellen? Of naar het huis in Killiney? Of naar het kantoor van Rice en Richardson? 'Maak je niet druk, Ella,' zei ze hardop tegen zichzelf. Ze besloot iets te bestellen, een koud gerecht voor hen beiden, dan was er als hij kwam tenminste iets te eten.

Toen ze terugkwam bij haar tafeltje zag ze dat Brenda haar spullen naar een afgezonderd tafeltje had verplaatst. Haar boek en glas bronwater wachtten op haar. En een klein glas cognac.

Ella keek verbaasd om zich heen. Mon, de serveerster, stond in de buurt.

'Alsjeblieft, Ella. Veel gezelliger voor een afspraakje met een man.' Er lag een brede glimlach op Mons gezicht en twee zwierige staartjes piekten op haar hoofd.

'Ja, maar...'

'Ella, vergeleken bij de meeste vrouwen die hier komen heb je niets te vrezen. Die kerel is gek op je. Dat zeggen we vaak achter je rug, dus waarom niet een keer in je gezicht?' Mon deed haar best om haar gerust te stellen.

'Heeft Don gebeld om een andere tafel?' vroeg Ella.

'Geen idee,' zei Mon opgewekt. 'Mevrouw Brennan zei dat je een ander tafeltje moest krijgen, dus daar heb ik voor gezorgd.'

Ella voelde iets van paniek. Het moest wel vreselijk zijn wat hij haar te vertellen had als dat aan een afgezonderde tafel moest gebeuren. Toen zag ze dat Brenda Brennan tegenover haar kwam zitten. Ze had een vroege editie van de avondkrant bij zich.

'Ella,' zei ze dringend.

Waar was dat 'u' van zo-even gebleven? 'Wat is er?' vroeg ze angstig.

'Een paar klanten hebben je herkend. Het leek me beter dat je hier kwam zitten.'

Ze sloeg de krant open en daar was hij weer, de foto van Ella die lachend opkeek naar Don, op het vliegveld. Waarom hadden ze die nog een keer geplaatst?

'Hij zal het wel uitleggen als hij komt.'

'Hij komt niet, Ella. Het was op het nieuws van halftwee. We hoorden het in de keuken. Hij is naar Spanje. Hij is vanmorgen op het eerste vliegtuig gestapt.'

'Nee!' riep Ella uit. 'Nee, hij kan niet weg zijn gegaan!'

'Dat heeft hij kennelijk wel gedaan. Hij heeft daar alles voorbereid. Hij heeft er zijn vrouw en kinderen blijkbaar al van tevoren naartoe gestuurd, en zijn schoonvader is gisteren vertrokken, via Londen.'

'Hoe weten ze dat...?'

Brenda fluisterde: 'Toen er vandaag cliënten naar het kantoor kwamen om te zien wat er met hun aandelen was gebeurd, konden ze er niet in. Het was afgesloten. Ze hebben de politie en de afdeling Fraudebestrijding gebeld, en toen bleek dat hij met het vliegtuig van acht uur was vertrokken.'

'Dit bestaat niet.'

'Ik ben zo vrij geweest een cognacje voor je in te schenken.'

'Dank u,' zei ze automatisch, maar ze pakte het niet.

'En ik wil de school voor je bellen als je me het nummer geeft en zegt naar wie ik moet vragen.'

'Dat is heel aardig van u, mevrouw Brennan, maar ik geloof hier eigenlijk geen woord van. Don komt. Hij houdt zich altijd aan zijn woord.'

'Het is nu van belang wat jíj doet, voor je eigen bestwil. Je moet zorgen dat je niet in de handen van journalisten en fotografen valt.'

'Die hebben toch geen belangstelling voor mij!'

'In deze idiote krant staat dat hij een liefdesnestje met je had in Spanje. Ze vermelden zelfs je naam en die van je werkgever.'

'Ziet u wel!' zei Ella triomfantelijk. 'Zij weten wat u niet weet, dat hij nooit zonder mij zou weggaan, nooit.' Er kwam een schrille, bijna hysterische klank in haar stem.

Brenda pakte haar pols beet. 'Het radionieuws weet wat de krant niet wist. Ze hebben buren in Killiney gesproken en gehoord dat het huis is afgesloten. Ze hebben Ieren gesproken die in Spanje wonen, en je kunt je wel voorstellen dat die niet het achterste van hun tong lieten zien.'

'Dat kan hij niet gedaan hebben, dat kan niet.' Ella schudde haar hoofd.

Brenda liet haar pols los. 'Er is vast een verklaring voor. Hij zal wel contact met je opnemen, maar het belangrijkste is nu dat je hier wegkomt voor iemand een journalist inlicht.'

'Dat zouden ze toch niet doen?'

'Ja zeker. Ga niet naar huis en ga niet naar je school.'

'Waar moet ik dan heen?' Ze zag er meelijwekkend uit.

'Ga naar onze kamers. We wonen boven het restaurant. Drink dat glas leeg, schrijf de naam en het telefoonnummer van je school op en ga dan direct naar die groene deur bij de toegang tot de keuken...'

'Hoe weet u wat u tegen de school moet zeggen?'

'Dat komt wel goed,' zei Brenda. Ze zei er niet bij dat ze amper iets zou hoeven zeggen. Ze hadden vast allemaal de krant gelezen en het nieuws gehoord. Ze zouden juffrouw Brady die middag niet verwachten voor de lessen.

Ella was verbaasd toen ze het grote, mooie koperen bed zag met de met ruches versierde kussens en de roze sprei. Het zag er eigenlijk te luxueus, te sensueel uit voor dit echtpaar. Ze deed haar schoenen uit en ging even liggen om helder na te denken. Maar de slapeloze nacht en het schokkende nieuws hadden meer invloed dan ze had verwacht. Ze viel in een diepe slaap en droomde dat zij en Don met een picknick een heuvel beklommen, maar alles zat in een tafellaken en raakte door de war. In de droom vroeg ze steeds waarom ze het op deze manier moesten doen, en Don antwoordde steeds 'Vertrouw op mij, engel van me, dit is de juiste manier', terwijl het gerinkel van kapot porselein te horen was.

Ze schrok wakker toen een kop en schotel naast haar werden neergezet door Brenda Brennan. Het was bijna zes uur. Er was geen picknick. Ze kon niet langer op Don Richardson vertrouwen. Zou hij heel misschien in haar flat op haar wachten? Ze wilde uit het bed stappen.

Brenda zei dat ze ging douchen. Misschien wilde Ella wel het nieuws van zes uur zien op televisie. 'Ik ben hiernaast in de badkamer als je me nodig hebt,' riep Brenda.

Ella deed de televisie aan en zocht de nieuwszender. Ze keek zonder veel belangstelling tot het verhaal kwam. Het was erger dan ze had gedacht. Don was weg, dat stond vast. En hij was de hele vorige week in Spanje geweest om alles voor te bereiden. Er waren interviews met mensen die al hun spaargeld hadden verloren. Zoals een man met een rood gezicht, die elke maand geld had gegeven aan Don Richardson, opdat hij na zijn pensioen een huisje kon kopen in Spanje. Zijn vrouw had last van haar luchtwegen en kon beter in een warm klimaat wonen. 'Nu zullen we Spanje nooit zien,' zei de man, terwijl hij zijn handen wrong om te tonen hoezeer hij van streek was.

Toen kwam een lange, bleke vrouw die bijna te broos leek om te kunnen staan. 'Ik kan het niet geloven. Hij was zo charmant, zo overtuigend. Ze zeggen dat ik helemaal geen eigenaar ben van een appartement in dat flatgebouw. Maar dat moet wel! Hij heeft me er foto's van laten zien.'

Vervolgens kwam Mike Martin, een man die ze kende, een vriend van Don en door de nieuwslezer aangekondigd als een financieel expert. Ella had meerdere malen iets met hem gedronken. Hij wist alles van haar. Don had gezegd dat hij nogal uitgekookt was en altijd ergens een slaatje uit probeerde te slaan, maar hij viel toch wel mee. Mike leek ontzet door alles, en hij zei dat het een grote schok voor hem was. Don en Ricky waren natuurlijk wel een stel eigenheimers, en iedereen die dicht bij het vuur zit brandt zijn vingers wel eens.

Maar toen vervolgde hij: 'Ze moeten het blijkbaar al een maand of zes hebben geweten. Maar ik kan het nog steeds niet geloven. Don Richardson is zo'n geschikte vent, hij zou iedereen helpen, mensen op straat, mensen die hij in een bar ontmoette. Hij stond altijd klaar met goede raad. Andere kerels in zijn beroep zouden zeggen: "Als je advies wilt, kom je maar naar mijn kantoor." Maar zo was Don niet. Ik kan me niet voorstellen dat hij al maanden zijn vlucht heeft voorbereid in de wetenschap dat hij mensen zou laten stikken. Hij gáf om mensen. Dat weet ik zeker.'

Ella keek met open mond toe.

De interviewer vroeg: 'En denkt u dat hij mensen, vrienden, vriendinnen, zijn leven in Dublin, zal missen?'

'Ach, alles bij elkaar genomen is hij natuurlijk een echte huisvader. Hij houdt van zijn vrouw en zoons, die gingen altijd overal mee naartoe.'

'Er gaat toch een gerucht dat hij een blonde vriendin had, een lerares, met wie hij samen is gefotografeerd?'

'Nee. Neem één ding van me aan,' zei Mike Martin. 'Ik weet misschien niet veel van Don, en al helemaal niet waar hij de laatste zes maanden mee bezig was wat zijn cliënten betreft, maar één ding staat vast: hij heeft nooit naar een andere vrouw gekeken. Toe nou. Zou u dat doen als u met een vrouw als Margery Rice was getrouwd?'

Toen kwam er een foto in beeld van Margery Rice die prijzen uitdeelde bij een liefdadigheidsbijeenkomst voor de jeugd. Ze zag er heel tenger en onberispelijk uit, trots gadegeslagen door haar echtgenoot.

Ella zette haar kopje neer.

Brenda kwam terug in haar onderjurk, trok een zwarte jurk aan en legde haar kanten kraagje recht.

'Hij weet van mij en Don,' zei Ella. 'Ik ben hem zo vaak tegengekomen.'

'Nou, dan is het toch goed dat hij zijn mond weet te houden?' zei Brenda.

'Nee. Ze moeten juist de waarheid horen. Don houdt van me. Dat zei hij gisteravond nog.'

'Nu moet je eens goed luisteren, Ella. Ik moet beneden een zaal vol mensen bedienen die over niets anders zullen praten. Ik zal het doen met een beleefd, ondoorgrondelijk glimlachje. Ik zal zeggen dat je nooit iets zeker kunt weten en dat het altijd gissen blijft, en nog veel meer van die dooddoeners, maar ik weet één ding. Jij moet hier doorheen, je moet je ouders bellen en zeggen dat er met jou niets aan de hand is. Je moet besluiten wat je met je werk gaat doen en dan wat vrienden opzoeken – je eigen vrienden, niet die van hem. Hij heeft alleen zakenvrienden.'

'U mag hem niet, hè?'

'Nee. Mijn naaste vrienden zijn hun spaargeld kwijt. Dankzij meneer de mooiprater.'

'Hij zal het teruggeven,' zei Ella.

'Nee, dat doet hij niet. Gelukkig is het niet zo veel. Zij en haar aanstaande man zijn niet rijk, maar ze waren hard aan het sparen voor hun bruiloft, en Richardson vertelde hoe ze hun geld konden verdubbelen. Ze geloofden hem.'

'Hij zei vaak dat mensen inhalig waren,' zei Ella.

'Die twee niet, als je ze zou kennen. Maar dat doet er niet toe. Sla je erdoorheen, Ella, en wees blij dat hij misschien van je gehouden heeft, nou ja, in elk geval zo veel dat hij jou of je familie geen spaargeld over de balk heeft laten gooien met zijn listen.'

'Nee.' Ze stond op. Haar benen voelden slap aan.

'Wat is er, Ella?'

'Mijn vader. Hij had het er altijd over dat Don hem op ideeën bracht, een tip hier, een hint daar... Hij zou toch niet zo dom zijn geweest om...'

'Wanneer heb je je ouders gesproken?'

'Gisteren, maar ze hebben niets gezegd. Ze maakten zich druk over die foto van me in de krant. Als er iets te zeggen viel zouden ze dat toch hebben gedaan?'

'Niemand kende toen de omvang van het schandaal. Pas vanmorgen kwam iedereen het te weten.'

Ze keken elkaar ontzet aan.

'Bel ze op, Ella.'

'Hij zou toch niet... Dat kan niet.'

'Je hebt gehoord wat ze op de televisie zeiden.'

Brenda Brennan wees naar de witte telefoon naast het bed.

Ella belde. Haar moeder nam op. Ze was in tranen. 'Waar zat je, Ella? Je vader dacht dat je met hem mee naar Spanje was gegaan. Waar ben je?'

'Is alles goed met pap?'

'Natuurlijk niet, Ella. Ik heb de dokter laten komen, die is hier nu bij hem. Hij is geruïneerd.'

'Zeg het, zeg het, hoeveel is hij kwijt?'

'O, Ella, alles. Maar het gaat er niet om wat wij hebben verloren, maar het bedrijf. Zijn cliënten. Misschien moet hij wel naar de gevangenis.'

Toen viel Ella flauw.

Mevrouw Brady had niet opgehangen. Dat was tenminste iets. Nu kon Brenda in elk geval haar adres vragen. Ze hield Ella's hoofd omlaag om het bloed naar haar hersens te laten stromen.

'Ik moet naar huis, naar hen toe,' zei Ella steeds weer.

'Je gaat ook, maak je geen zorgen.'

'Uw restaurant... Bent u niet beneden nodig?'

'Hoofd omlaag,' drong Brenda aan.

Toen riep ze Patricks jongere broer, Blouse. 'Weet je waar Tara Road is?'

'Ja. Ik lever vaak groenten bij Colms restaurant als hij te weinig heeft.'

'Wil je haar daar dan over een kwartiertje, als ze het aankan, naartoe brengen, Blouse?'

'Waar zijn de autosleutels?' vroeg hij.

Brenda keerde Ella's handtas om. De sleutels zaten allemaal aan één sleutelhanger.

Er hing ook een cherubijntje aan.

'Engel,' zei Ella zwakjes.

'Ja, we hebben de sleutels.' Brenda stopte alles terug in de handtas en wierp een vluchtige blik op een foto van Don Richardson, die glimlachte naar het meisje dat van hem had gehouden. Ella's ogen waren open en ze keek toe. Anders had Brenda de foto in stukken gescheurd.

Ella wees Blouse de weg naar het huis van haar ouders. Toen ze daar kwamen, holde Ella's moeder naar de auto. 'Jij bent zeker een van zijn vrienden,' zei ze toen Blouse Ella hielp uitstappen.

'Ik ben helemaal geen vriend, mevrouw. Ik ben Brenda's zwager. Ze heeft me gevraagd om deze dame naar huis te brengen.'

'Vanaf waar dan?'

'Van Quentins restaurant,' antwoordde hij trots.

'Laat hem met rust, mam. Hij heeft nergens iets mee te maken.'

'Hoe weten wij wat wel ergens mee te maken heeft?' Haar moeder keek of iemand haar had geslagen.

'Waar is pap?'

'In de woonkamer. Hij wil niet naar bed. Hij wil geen kalmerende tabletten. Hij zegt dat hij helder moet zijn als ze hem van kantoor bellen.'

'En hebben ze al gebeld?'

'Niet sinds lunchtijd. Niet sinds we hebben gehoord dat Don het land uit is. Het heeft nu geen zin om iemand te bellen, Ella. Het is weg. Allemaal weg.'

'Ik kan je niet zeggen hoe erg ik het vind,' zei Ella.

'Zo, dan ga ik maar,' zei Blouse Brennan.

'Hartelijk bedankt, en wil je je zus ook bedanken?'

'Schoonzus,' verbeterde hij.

'Ja, nou, zeg maar dat ik heel dankbaar ben.'

'Dat zit wel goed,' zei hij.

'Hoe ga je terug?' Het drong tot Ella's moeder door dat hij de autosleutels op de tafel had gelegd.

'Welke kant van Tara Road is het kortste naar de bushalte?' informeerde hij opgewekt. Hij was zo onbezorgd, hij leefde in een wereld waar je mensen naar huis bracht in hun eigen auto en met de bus terugging naar een keuken of een bijkeuken, of waar hij ook werkte. Een wereld waar mensen niet inhalig waren en geen grote geldbedragen wonnen of verloren bij zakendeals. Hij kende vast niemand die loog en loog en loog zoals Don Richardson had gelogen. Zelfs tegen mensen die van hem hielden. Vooral tegen mensen die van hem hielden. Maar Ella was te moe. Het kon haar niet meer schelen. Ze wilde alleen haar vader verzekeren dat dit niet het einde van de wereld was. Ze wilde hem recht in de ogen kijken en zeggen dat alles in orde zou komen. Alleen leek dat met de seconde onwaarschijnlijker te worden.

Hij leek wel een oude man, een broodmagere, oude man wiens botten waren bedekt met heel dun perkament. Toen hij glimlachte leek zijn gezicht een dodenmasker.

'Ik wist het niet, pap. Ik had geen idee,' zei ze.

'Het is jouw schuld niet, Ella.'

'Wel. Ik heb hem aan jullie voorgesteld. Ik liet jullie geloven dat hij mijn vriend was. Ik dacht dat hij van me hield, pap. Gisteravond zei hij nog dat hij van me hield. Ik was er zo zeker van.'

Ze ging op haar knieën naast hem zitten. Haar moeder keek in de deuropening toe met tranen op haar gezicht.

'Pap, ik ben jong en sterk, en al moet ik dag en nacht werken om te zorgen dat alles in orde komt voor mam en jou, ik neem geen dag meer vrij tot ik weet dat ik al het mogelijke heb gedaan.'

'Kind, maak je niet zo van streek.' Zijn stem klonk aarzelend, alsof het hem moeite kostte om te ademen.

'Ik ben geen kind, pap, en ik zal me tot mijn dood verwijten dat ik zo'n ontzettend stomme inschattingsfout heb gemaakt. Maar pap, zelfs in dit stadium nog kan er een verklaring zijn. Misschien kwam het allemaal door zijn schoonvader.'

'Toe, Ella. Iedereen vertrouwt mensen als ze van hen houden,' zei haar moeder.

Haar moeder? In plaats van haar uit te foeteren leek ze het zelfs te begrijpen.

'Nee, ik wilde zo nodig anders zijn dan gewone, normale mensen zoals jij en pap, die tenminste op een fatsoenlijk mens verliefd zijn geworden. Ik moest per se op een crimineel vallen, iemand die mensen ruïneert en hun spaargeld en middelen van bestaan steelt.'

'Ik vind het niet erg dat ik het spaargeld kwijt ben, Ella, dat was pure hebzucht van me. Ik wilde winst maken, opdat we een huisje voor je konden kopen.'

'Een wát? Maar ik wíl geen huisje!'

'We wisten dat je nooit meer hier zou komen wonen, dus wilden we dat je een huisje met karakter zou krijgen, en omdat de huizen zo duur zijn zou je dat nooit kunnen betalen van een lerarensalaris...'

'Vader, hoeveel ben je kwijt? Zeg het.'

'Maar het kan me niet schelen wat wij kwijt zijn. Het gaat om het kantoor. Hij was zo behulpzaam, zie je, hij leek het altijd allemaal zo goed te weten.'

'Ja, hij wist het inderdaad maar al te goed.'

'En de eerste adviezen die ik mensen gaf, waren echt goed. Ik heb risico's genomen, Ella. Daar kan ik alleen mezelf de schuld van geven. Alleen...'

'Alleen wat, pap?'

'Twee weken geleden zei hij dat het makkelijker en het snelste zou zijn als ik hem direct het geld gaf om voor een paar van mijn cliënten te investeren. Dat had ik nog nooit gedaan. Je kent de regels wat dat betreft. Maar Don wist het zo logisch te brengen. Hij zei dat hij naar Spanje ging. Hij kon het daar beleggen en tijd winnen door formaliteiten te omzeilen. Waarom niet? Dat zei hij, en toen dacht ik ook: waarom niet?'

'Ik weet het, pap. Ik weet er alles van.' Ze streek over zijn hand. Maar haar gedachten waren ver weg. In Spanje. De smeerlap. Hij had haar vader geld ontfutseld dat hij in dat hotel had uitgegeven. Don had geld dat hij zogenaamd zou beleggen voor haar vaders cliënten, besteed aan het veiligstellen van een onderkomen voor hemzelf, zijn vrouw en bloedjes van kinderen. Terwijl de dochter van het slachtoffer in het hotelzwembad op hem lag te wachten. Van alle verhalen over trouweloosheid was dit wel het walgelijkste.

'Pap, je hoeft toch niet naar de gevangenis?'

'Ik zal in elk geval voor de rechter moeten komen,' zei hij.

'Maar Don was toch een wettelijk erkend adviseur? Met een vergunning en alles... Dan kun jij toch niet verantwoordelijk worden gehouden?'

'Dat zou allemaal hebben geholpen als mijn cliënten zíjn cliënten waren, maar dat was niet zo. Ik heb zijn adviezen en tips aangenomen zonder ze te controleren.'

'Pap, de directie van je werk, weten ze...'

'Ze weten wat ik ben: een stomme, oude vent die zich heeft laten bedriegen,' zei hij. En toen begon Ella voor het eerst te huilen.

Ze zou erbovenop komen. Ze wist dat zij ooit in de toekomst over dit alles en over hem heen zou zijn. Maar haar vader niet. Daarom zou ze het Don nooit kunnen vergeven.

Aan alles komt een eind, zelfs aan schandaalverhalen over de verdwijning van Ricky Rice en Don Richardson, en algauw hadden de voorpagina's andere verhalen te melden. Er werd natuurlijk een officieel onderzoek aangekondigd, en mensen werden veel voorzichtiger met geld beleggen. Er was veel gespeculeerd over de verblijfplaats van de familie. Zaten ze echt in Spanje of waren ze naar een ver land gegaan? Tenslotte hadden Europese landen nu een uitleveringsverdrag. Je kon je niet in de ene lidstaat verstoppen als je in de andere de wet had overtreden. Misschien zaten ze wel ergens in Afrika of in Zuid-Amerika.

Ella was ondervraagd door rechercheurs. Had meneer Richardson iets gezegd over plannen om in Spanje te gaan wonen toen hij en Ella daar waren? Ella vertelde grimmig dat ze niets wist van dergelijke plannen. De pijn op haar gezicht leek hen te overtuigen. Ze was net zo goed een slachtoffer van hem als al die anderen.

Toen ebde de belangstelling weg. In de media, niet bij degenen wier harten waren gebroken. De man met het rode gezicht, die al zijn geld had gestoken in een villa voor zijn vrouw na zijn pensionering, vergat het niet. En ook de bleke vrouw niet, die dacht dat ze een prachtinvestering had gedaan en eigenaar was van een appartement in het zuiden van Spanje. De vrienden van Brenda Brennan, die geld hadden gespaard voor een huwelijksfeest, besloten er maar om te lachen en er het beste van te maken. Ze waren mensen van middelbare leeftijd. Misschien had het lot hun wel willen zeggen dat het dwaas was om een groot feest te vieren. Een schaal met broodjes was goed genoeg.

Tim Brady ging met vervroegd pensioen en bracht zijn dagen door met het invullen van formulieren en dossiers over hoe en waarom hij adviezen had gegeven die waren gebaseerd op flarden informatie die hij had gehoord van een man die hij amper kende. Barbara Brady bood op haar advocatenkantoor aan om vervroegd met pensioen te gaan, omdat ze hen niet in verlegenheid wilde brengen door te blijven. Ze wisten haar tactvol ervan te overtuigen dat niemand wist wie ze was en dat het er trouwens niet toe deed, en misschien kon haar gezin wel wat extra inkomsten gebruiken.

En Ella? Elke dag leek wel achtenveertig uur te uren. En alle dagen leken precies hetzelfde, evenals alle nachten.

Alleen waren de nachten erger.

De slaap verdween. Dan stond ze op en ijsbeerde door haar kamer, terwijl ze naar de plank keek waar ze zijn diplomaten-koffertje met de laptop had verstopt. Wel duizend keer had ze het naar de Fraudebestrijding willen brengen met de smoes dat ze het had gevonden. Misschien konden ze dan iets van het geld achter-halen en mensen zoals haar vader redden, en Brenda's vriendin Nora, wier spaargeld voor haar bruiloft verdwenen was, en de man met het rode gezicht die een villa dacht te kopen voor zijn vrouw die last had van haar luchtwegen, en de bleke vrouw die op tele-visie zei dat ze er zeker van was dat de flat van haar was omdat Don haar een foto ervan had laten zien.

Maar ze kon het niet.

Hij had haar vertrouwd. Hij liet dat koffertje nooit ergens ach-ter. Ze had hem zo vaak geplaagd dat hij en zijn koffertje onaf-scheidelijk waren. Ze had hem opgehouden door hem te kussen toen hij haastig uit haar flat wilde weggaan, maar hij was niet in paniek geraakt. Hij had haar niet gebeld of iemand anders laten bellen. Hij wist dat ze het veilig voor hem zou bewaren.

En ondanks alle bewijzen van zijn schuld wist ze dat hij terug zou komen naar haar.

Het kwam trouwens allemaal door Ricky Rice, die was het brein achter alles. Dat wist iedereen. De mensen deden gewoon wat hij opdroeg. Het feit dat Don de computer bij haar had achtergelaten, was zelfs een soort boodschap. Waarom was ze daar niet eerder op gekomen?

Natuurlijk zou hij weer in haar leven komen en haar zeggen dat alles geregeld was. Hun liefde was niet zomaar een verhouding, zoals de mensen dachten.

Hij was gewoon alles in orde aan het maken.

's Nachts leek dat zo duidelijk als wat.

Ze hoefde alleen maar te wachten tot het gebeurde.

Maar overdag leek het onwaarschijnlijk. Er kwam geen bericht uit Spanje, geen telefoontje, geen tekstbericht op haar mobieltje. En toen, op een dag, werd ze opgeroepen voor een gesprek met Fraudebestrijding. Had Ella voorwerpen in haar bezit die betrekking hadden op hun vragen? Een dossierlijst bijvoorbeeld?

Ella keek de twee mannen recht in de ogen en zei: nee, ze had geen dossiers en ze wist niets waarmee ze hen zou kunnen helpen.

'Heeft hij u misschien iets in bewaring gegeven, mevrouw? Documenten of iets dergelijks?'

Ze wist niet precies waarom ze nee zei. Strikt gesproken klopte het. Hij had haar niet gevraagd om iets voor hem te bewaren. Maar natuurlijk loog ze tegen hen, en ze wist het. Waarom? vroeg ze zich af. Waarom had ze Dons laptop dik ingepakt tussen haar kleren verstopt, in een van de koffers die terug zouden gaan naar Tara Road? Als ze een huiszoekingsbevel hadden gehad, zouden ze het apparaat gevonden hebben en dan had ze pas echt in de problemen gezeten. Maar hoe idioot het ook was, ze vond dat ze het hem verschuldigd was niet iets uit handen te geven dat hij aan haar zorgen had toevertrouwd. En natuurlijk wist hij dat ze de laptop had, dus hij zou er vast nog wel contact over opnemen met haar.

Het was een heel onwerkelijke tijd. Ze had niet geweten wat ze moest doen als haar vrienden er niet waren geweest. Deirdre was er dag en nacht als het nodig was. Soms zeiden ze niets, maar luisterden ze alleen naar muziek. Soms speelden ze gin rummy. Deirdre hielp haar alle spullen uit haar flat in te pakken en terug te verhuizen naar Tara Road. Ella wilde de beddenlakens verbranden. Deirdre zei dat dit niet het moment was voor theatrale gebaren. Ze zou ze naar de wasserij brengen en daarna aan een liefdadigheidsinstelling geven.

Deirdre was degene die de huisbaas vertelde dat Ella niet in een positie was om nog huur te kunnen betalen, en erop aandrong de huurovereenkomst direct te beëindigen. Deirdre zorgde er vaak voor dat ze er 's avonds was, rond etenstijd, zodat het gezin wel de schijn moest ophouden en aan tafel ging zitten om iets te eten.

Soms vroeg Deirdre aan haar: 'Hou je nog van hem?'

Dan antwoordde Ella steeds: 'Ik weet het niet.'

Deirdre vroeg of ze hem terug zou nemen als hij het haar vroeg. Ella dacht ernstig na over de vraag. 'Ik denk het niet, en als ik het gezicht van mijn vader zie, denk ik dat ik nooit meer naar Don zal kunnen kijken. Maar ik hoop ook steeds dat er een andere verklaring voor alles is, en die is er natuurlijk niet. Dus, hoe gek het ook klinkt, ik moet nog wel iets voor hem voelen.'

Dan knikte Deirdre en dacht er ook over na. Deirdre had alleen op één ding gestaan: dat ze naar de school ging om direct de confrontatie aan te gaan. Dus ging Ella naar de directrice van de school.

'Ik zal weggaan wanneer u wilt,' zei ze.

'We willen niet dat je weggaat.'

'Maar we moeten toch een goed voorbeeld geven aan de leerlingen?'

'Die leerlingen hebben uiteindelijk maling aan ons, Ella. Dat weet jij en dat weet ik.'

'Ik kan niet blijven, mevrouw Ennis, niet na dit schandaal.'

'Wat heb je eigenlijk gedaan? Je hebt je laten bedriegen door een man. Je bent niet de eerste of de laatste die dat overkomt, neem dat maar van mij aan. Je bent een goede leerkracht. Ga alsjeblieft niet weg.'

'En de ouders dan?'

'De ouders zullen een paar weken roddelen en de kinderen zullen er grappen over maken, en daarna vergeet iedereen het.'

'Ik weet niet of ik het wel aankan.'

'Wat valt er aan te kunnen? In elke baan heb je met andere mensen te maken. En je zult toch moeten werken voor de kost, neem ik aan.'

'O, dat moet ik zeker, mevrouw Ennis.'

'Doe dat dan hier. Zet in elk geval door tot het einde van het schooljaar. En kijk tegen die tijd hoe je er dan over denkt.'

'Misschien wil ik wel helemaal ophouden met lesgeven en iets heel anders proberen.'

'Als dat zo is moet je het doen, maar niet halverwege het schooljaar. Dat ben je ons verplicht, en je bent het aan jezelf verplicht om niet te vluchten, zoals hij.'

'Wat toont u veel begrip. Stel je voor, een Ierse kloosterschool die een vrouw van lichte zeden in dienst houdt.'

'Je bent geen vrouw van lichte zeden, Ella, je liep alleen een poos met je hoofd in de wolken. Ga terug naar die klassen. We zijn het er allemaal over eens dat lesgeven zo veeleisend is, dat je amper tijd zult hebben om aan andere dingen te denken.'

'Dank u, mevrouw Ennis.'

'Ella, hij zal niet helemaal vrijuit gaan. Ook al gaat hij niet de gevangenis in, zijn straf krijgt hij toch wel.'

Ella haalde haar schouders op. 'Het zal wel.'

'Het is zo. Hij kan hier niet meer de flinke jongen uithangen, naar golfclubs en jachtclubs gaan of in restaurants herkend worden.'

'Al die dingen hebben ze in Spanje ook.'

'Maar dat is heel anders. Nou ja, het zijn mijn zaken niet. Hou het tot het einde van het schooljaar vol, dan praten we daarna verder.'

'Dank u dat u zoveel begrip hebt getoond.'

'Ach, we hebben het allemaal wel meegemaakt, Ella. En tussen ons gesproken, wijlen meneer Ennis, zoals hij beleefd wordt genoemd, is helemaal niet wijlen, hij is alleen niet meer in beeld. Hij was iets anders van plan met zijn toekomst, en dat hield al mijn spaargeld in en een meisje dat jong genoeg was om zijn dochter te kunnen zijn. Dus natuurlijk begrijp ik je.'

Ella vroeg zich naderhand nog vaak af of ze zich dat gesprek had verbeeld. Het leek net zo onwerkelijk als alles tegenwoordig. Het was alsof ze al die gesprekken van een afstand gadesloeg in plaats van er deel aan te hebben.

Eerst belde Sandy. Ze werkte nog steeds met Nick voor Firefly Films.

'Ik wil alleen zeggen dat als je extra werk zoekt, er hier altijd wel wat te doen valt.'

'Dank je, Sandy, dat is heel aardig van je. Is Nick het daarmee eens?'

'Ja, maar je weet hoe hij is. Hij wilde het je niet vragen, omdat je dan misschien zou denken dat hij bevoogdend deed of zo.'
'Dat zou ik nooit denken.'
'Mannen zitten ingewikkeld in elkaar.'
'Vertel mij wat, Sandy.'
'Wat zal ik tegen Nick zeggen?'
'Dat ik het graag wil, maakt niet uit wat.'

En Brenda Brennan bood Ella werk aan toen ze opbelde om haar te bedanken. 'Als je de weekends hier bij Quentins wilt werken, dan zeg je het maar. Ik weet dat het maar een paar euro oplevert terwijl je er duizenden nodig hebt, maar het is misschien een begin.'
'De halve stad wil bij Quentins werken. U kunt me toch niet voortrekken?'
'Vrouwen moeten solidair zijn, Ella. Je hebt een klap gehad en nu heb je een helpende hand nodig. Je zult wel merken dat een heleboel mensen die zullen aanbieden.'

'Ella Brady?'
'Ja?' Ze klonk tegenwoordig altijd nerveus en schrikachtig aan de telefoon. Dat was een slechte gewoonte die ze snel moest afleren.
'Met Ria Lynch, van verderop in de straat.'
'O, ja.'
Er was een tijd geweest dat deze vrouw het onderwerp van roddel was door heel Tara Road. Haar man was bij haar weggegaan en vlak daarna had Ria het aangelegd met Colm, die nu de eigenaar was van het succesvolle restaurant. Ze waren flink over de tong gegaan, maar inmiddels waren ze zo gesetteld en degelijk als een lang getrouwd stel. Waar zou zij over bellen?
'Ik heb gehoord dat jullie een flinke klap hebben gehad door toedoen van Don Richardson, en ik wilde je wat advies geven. Het leek me beter om met jou te praten dan met je ouders.'
'Ja?' Ella klonk koel. Ongevraagd advies was de laatste tijd niet erg welkom.
'Laat je vader het huis niet verkopen om geld te krijgen. Maak er vier appartementen van. Vroeger waren het er ook vier, dus je hoeft er weinig aan te veranderen. Jullie krijgen een kapitaal aan huur. Ga de tuinschuur uitbouwen en trek daar een paar jaar in.'

'In de tuinschuur?' Ella vroeg zich af of de vrouw wel goed bij haar hoofd was.

'Die is enorm. Je moet er alleen voor een paar duizend euro leidingen in aanbrengen en dan kunnen er twee slaapkamers en een woonkamer met kitchenette van gemaakt worden.'

'We hebben geen paar duizend euro.'

'Die heb je binnen een paar weken als je dat mooie huis verhuurt. Ik zal je Colms vroegere huis laten zien als je wilt. Het is een goudmijn. Iedereen wil hier tegenwoordig wonen, en de mensen hebben geld genoeg.'

'Waarom vertel je me dit, Ria?' Ella had de vrouw eigenlijk nooit eerder gesproken.

'Omdat we het allemaal hebben meegemaakt... bankroet, een kerel die niet bleek te zijn wat hij beweerde.'

Ella vroeg zich af of het waar was. Was het halve land dan bedrogen en beetgenomen?

Op een nacht droomde ze dat hij een tekstbericht naar haar mobiele telefoon had gestuurd. Twee woorden maar: SORRY, ENGEL. De droom leek zo echt, dat Ella midden in de nacht opstond om haar telefoon te checken. Er was alleen een berichtje van Nick.

'Ik heb je hulp nodig voor een wedstrijd. Zeg ja.'

De volgende ochtend belde ze hem op. Hij bracht een broodje mee naar de school en ze aten het in de auto op. Hij was nog net zo jongensachtig enthousiast als altijd. Er kwam een filmfestival rond een bepaald thema. Een aspect van het leven in Dublin waarin alle veranderingen aan de orde kwamen die door de jaren heen in de stad hadden plaatsgevonden.

'Wat voor veranderingen bedoel je? Architectuur of zo?'

'Nee, ik denk niet dat iedereen dat wil,' zei Nick.

'Wat dan? Het toenemend zelfvertrouwen van de Ieren?'

'Ja, maar we kunnen geen film maken met alleen het gegeven dat iedereen meer zelfvertrouwen krijgt. Kijk eens naar al die zelfverzekerde gezichten op straat... Er moet iets zijn wat hen bindt, een thema.'

'En als we dat vinden, wat doen we dan?'

'Naar New York gaan en het verkopen aan die kerel die een stichting heeft. De King Stichting, die jonge kunstenaars helpt. Als we deze film tot stand kunnen brengen, Ella, en een prijs winnen op dat festival, dan hebben we het gemaakt! Helemaal! Iets wat een beeld geeft van hoe Dublin aan het veranderen is... Kun jij iets bedenken?'

'Sorry dat ik het vraag, Nick, maar valt er geld mee te verdienen? Je weet dat we blut zijn.'

'Ik heb zoiets gehoord.' Hij wendde zijn blik af.

'Dus?'

'Ja, als we op het goede idee komen.'

'En wanneer moet het klaar zijn?'

'Over drie maanden.'

'Dat komt goed uit. Morgen over twee weken begint de schoolvakantie, dan kan ik overdag werken.'

'Heb je misschien ideeën?' vroeg hij nogmaals.

Ze zweeg even. 'Quentins,' zei ze ten slotte.

'Wat bedoel je?'

'Maak een documentaire over het restaurant, wat er in veertig jaar tijd geworden is van de aspiraties en dromen van mensen die er kwamen.'

'Zo lang bestaat het nog niet.'

'Het was heel anders in de jaren zestig en zeventig, een cafetaria, tot Brenda en Patrick het overnamen. Destijds kon je er alleen waterige soep en witte bonen in tomatensaus op geroosterd brood krijgen.'

'Dat wist ik niet.'

'Ja, dat is wat de mensen toen wilden. En moet je zien hoe het nu is. Je kunt de verhalen vertellen van de mensen die er komen. Hoe het is veranderd sinds de dagen dat mensen met koffers die met touwen waren dichtgebonden, er thee en gebakken eieren kwamen gebruiken voor ze aan boord van het emigrantenschip stapten.'

'Zo was het toch niet?'

'Zo was het wel, Nick. Hun slaapkamer hangt vol met foto's ervan, een hele geschiedenis, klaar om verteld te worden.'

Hij vroeg niet hoe ze in de slaapkamer van de Brennans terecht was gekomen. Nick kon af en toe heel ingetogen zijn. Maar het idee leek hem niets. 'Het zou alleen maar reclame voor ze zijn, voor het restaurant.'

'Dat hebben ze niet nodig. Ze zitten toch elke avond vol? Nee, het zou anders moeten... een reeks interviews met mensen die zich verschillende tijden herinneren, je weet wel. Allerlei dingen, hoe de eerste communie is veranderd, vrijgezellenfeestjes, bedrijfsfeesten. Ik zou niet weten hoe je een veranderende economie beter onder woorden kunt brengen.'

Nu kreeg hij belangstelling. 'De andere restaurants gaan natuurlijk zaniken waarom we hen niet hebben gekozen.'

'Dat zie je dan tegen die tijd wel, Nick.'

Hij keek haar bewonderend aan. 'Wat ben je toch slim, Ella.'

'En wat heb ik daaraan gehad?' vroeg ze bitter.

Hij veranderde van onderwerp. 'Je vroeg of er geld mee te verdienen valt. Als je me helpt om dit idee te ontwikkelen en te verkopen aan Derry King, betaal ik je vijf weken volledig salaris. Wat vind je van achthonderd euro per week?'

'Dat is vierduizend euro. Meer dan welkom,' zei ze blij.

'Waar heb je het zo dringend voor nodig?'

'Om het tuinhuis te verbouwen voor mijn ouders, want dankzij mijn minnaar moeten ze hun eigen huis uit.'

Hij begon eerst te lachen en hield toen op. 'Je meent het nog ook,' zei Nick geschokt.

'Ja.'

'Ik kan het je nu geven, morgen.'

'Nee, dat kun je niet, Nick.'

'Toch wel. Laten we zeggen dat ik het eerder in handen kan krijgen dan jij.'

'Je gaat je niet in de schulden steken.'

'Nee, maar we moeten zorgen dat de Brady's een kippenhok of zoiets krijgen om in te wonen.' Hij grinnikte naar haar.

Wat zou het allemaal veel makkelijker zijn geweest als ze verliefd was geworden op Nick, dacht Ella.

Ze maakten een afspraak met de Brennans voor de volgende dag. Nick, Sandy en Ella gingen om vijf uur in de keuken van Quentins zitten en vertelden over het project. Brenda en Patrick hadden eerst hun twijfels. Het was te veel rompslomp, het zou hen belemmeren in hun werk en dat bestond uit zorgen voor eten. Ze hadden de publiciteit niet nodig. Misschien hadden sommige klanten bezwaar tegen een interview.

Maar ze bonden langzamerhand in. En toen begonnen ze de positieve kant te zien. Het zou eigenlijk een soort blijvend bewijs zijn van wat ze hadden gedaan. Het was een opwindend idee om bij de geschiedenis van Ierland te horen. Klanten die geen interview wilden, zouden niet benaderd worden. Ze hadden stapels aandenkens. Ze waren allebei verzamelaars die nooit iets wilden weggooien. En de belangrijkste reden was dat Quentin het fantastisch zou vinden.

'Quentin?' zei Ella. 'Bestaat er echt iemand die Quentin heet?'

'O, ja,' zei Patrick, de chef-kok.

'Ja, hij zou het fantastisch vinden,' zei Brenda bedachtzaam. 'Het zou een soort monument voor hem zijn.'

'Kunt u ons wat verhalen vertellen?' vroeg Ella, en toen ze de cassetterecorder aanzette, drong tot haar door dat ze het afgelopen anderhalf uur niet één keer aan Don Richardson had gedacht. De pijn, die altijd in haar ribben leek te steken, was lang zo scherp niet meer. Hij was er natuurlijk nog wel, maar niet zo erg als voorheen.

Quentins verhaal

Quentin Barry had altijd gewild dat hij Sean of Brian was genoemd. Het viel niet mee om op een christelijke school van de broeders in de jaren zeventig Quentin te heten. Maar dat was de naam die ze hadden gekozen, die zijn mooie moeder Sara Barry had gewild, zij die altijd in een droomwereld leefde die veel eleganter was dan de wereld waarin ze werkelijk leefde.

En het was ook de naam die zijn hardwerkende vader Derek had gekozen. Derek, partner in Bob O'Neills accountantskantoor. Hij had altijd zeker geweten dat de naam van zijn zoon op een dag ook aan het briefhoofd zou worden toegevoegd. Dat vond hij heel belangrijk. Bob O'Neill had geen zoon die hem kon opvolgen. Als de mensen de naam Quentin Barry met die van Derek op het briefhoofd zagen, dan stond wel vast wie er belangrijk was.

Quentin had altijd al geweten dat hij bij de firma van zijn vader zou gaan werken. Daar bestond geen twijfel over. Hij wist zelfs welke kamer voor hem bestemd was. Aan de andere kant van de gang, tegenover de kamer van zijn vader. Die diende nu als opslagruimte en dat hield zijn vader zo tot Quentin hem in gebruik kon nemen.

De andere jongens op school hadden geen idee wat voor werk ze zouden gaan doen als ze van school kwamen. Een paar gingen misschien naar de universiteit. Anderen misschien naar Engeland of Amerika. En er waren er natuurlijk altijd wel een paar bij die priester werden of bij de broeders gingen.

Quentin deed altijd of hij ook een keus had. Hij zei dat hij misschien piloot of automonteur zou worden. Dat waren normale, mannelijke beroepen. Niet zoals zijn naam, niet geaffecteerd, zoals zijn leven als enig kind met een moeder die eruitzag als een filmster en heel bekakt praatte als ze haar zoon in haar crèmekleurige auto van school kwam halen.

Soms wist Quentin de moed op te brengen om tegen zijn moeder te zeggen dat hij twijfelde aan zijn toekomstige carrière. 'Moeder, ik denk dat ik niet zo'n goede accountant word als pap,' begon hij dan nerveus.

'Quentin, lieverd van me, je bent pas twaalf!' zei ze dan. 'Je moet je pas met die afschuwelijke zakenwereld bemoeien als het niet anders kan.'

Hij vond het leuk om in huis te helpen, bekleding te kiezen voor de woonkamer, en tafelversieringen te maken voor diners.

Zijn vader vond dat soort activiteiten maar niets. 'Je moet die jongen niet van die meisjesachtige dingen laten doen,' zei hij dan.

'Maar hij vindt het leuk om te helpen! En dat is een verademing, omdat jij alleen maar gaat zitten en met je ellebogen op tafel eet en drinkt wat er voor je neus wordt gezet.'

Quentin vroeg zich af of andere ouders ook zo vaak ruziemaakten. Waarschijnlijk wel. Over dat onderwerp werd weinig gepraat op school. Hij wist alleen wel dat de moeders van de andere jongens niet zo tegen hen praatten als zijn moeder tegen hem.

Sara Barry noemde hem altijd 'lieverd van me', en 'mijn schat'. Of ze gaf hem andere buitenissige benamingen. De moeders van de andere jongens noemden hen lomperiken of nietsnutten. Dat was heel anders. En hoewel zijn moeder dol op hem was, en dat zei ze steeds, nam ze hem nooit serieus als hij zei dat hij geen accountant wilde worden. 'Maar schat, je bent pas twaalf.'

Of dertien of veertien. Toen hij zestien was, wist hij dat hij iets moest zeggen.

'Ik denk dat ik niet geschikt ben om accountant te worden, pap.'

'Daar is niemand geschikt voor, jongen. Daar moet je voor werken.'

'Maar het is echt niets voor mij.'

'Natuurlijk wel, als je er eenmaal in zit. Zorg maar eerst dat je voor je eindexamen slaagt.'

'Ik lig ver achter met wiskunde, en ik weet nu al dat ik geen enkel goed cijfer krijg. Je kunt er toch beter op voorbereid zijn dan dat het als een onverwachte schok komt?'

'Je studeert toch wel, en je maakt toch je huiswerk?' informeerde zijn vader met een frons.

'Ja, dat wel, maar...'

'Zie je wel. Het zijn gewoon zenuwen. Je bent net je moeder, veel te overgevoelig, en dat is niet goed voor een echte man.'

Quentin zakte als een baksteen voor zijn eindexamen.

De sfeer thuis was heel vijandig. Het ergste was dat zijn ouders elkaar veel meer de schuld gaven dan hem.

'Je hebt hem onder druk gezet om net zo'n saaie accountant te worden als jij,' siste Sara Barry.

'Jij hebt hem alleen maar onzin bijgebracht; je hebt een slapjanus van hem gemaakt door hem als een hondje achter je aan te laten lopen als je ging winkelen,' wierp Derek Barry haar voor de voeten.

'Je geeft niets om Quentin, het gaat er jou alleen maar om om twee Barry's te hebben op dat gezapige kantoor, om Bob O'Neill te treiteren,' snauwde Sara.

'En waar gaat het volgens jou dan om, Sara? Jij wilt alleen maar dat dat gezapige kantoor, zoals je het noemt, genoeg oplevert om nog meer kleren te kopen bij Haywards.'

Quentin vond het vreselijk om het voorwerp van hun ruzies te zijn. Hij stemde ermee in om het jaar over te doen met bijlessen. Derek Barry was blij dat hij zich bij Bob O'Neill nooit op een specifieke datum had vastgelegd.

Een van de broeders op school was een zachtaardige man met een afwezige blik. Broeder Rooney was altijd in de schooltuin te vinden, waar hij liep te spitten of te planten. Heel lang geleden had hij ook lesgegeven, maar hij zei dat hij er niet goed in was. Hij dwaalde steeds af en dan vertelde hij alleen maar verhalen aan de jongens.

'Dat lijkt me leuk,' zei Quentin.

'Dat was het niet, Quentin, want ze hadden er niets aan. Ik moest hun feiten bijbrengen, hen overhoren. Dus ben ik langzamerhand naar de tuin afgedwaald, waar ik om te beginnen wilde zijn, en nu ben ik in mijn element.'

'U boft maar, broeder Rooney. Ik wil helemaal geen accountant worden.'

'Dan moet je dat ook niet doen, Quentin. Je moet worden wat je graag wilt.'

'Ik wou dat ik dat kon.'

'Wat vind je leuk? Waar ben je goed in?'

'Niet veel. Ik hou van eten. Ik hou van mooie dingen en ik wil anderen graag een leuke tijd bezorgen.'

'Dan kun je misschien in een restaurant werken.'

'Met mijn ouders, broeder Rooney? Kunt u zich dat voorstellen?'

'Nou, het is eerlijk en mooi werk, en mettertijd wennen ze er wel aan. Ze zullen wel moeten.'

'En hoe zit het dan met het gebod: eert uw vader en uw moeder?' vroeg Quentin met een glimlach aan de broeder.

'Volgens dat gebod moet je hen eren. Er staat niet dat je over je moet laten lopen en in allerlei idiote plannen van hen moet meegaan.' De oude man met de ruwe handen en de bleekblauwe ogen zag er heel zelfverzekerd uit.

'Hebt u dat dan ook geweigerd, broeder Rooney?'

'Twee keer, jongen. De eerste keer om in het klooster te treden. Mijn ouders wilden dat ik in de bouw ging werken in Londen, waar je veel kon verdienen, maar ik wilde alleen rust, niet al dat gedoe. Ze waren erg van slag, maar ik heb er nooit ruzie om gemaakt, en dat hielp. Mettertijd. En toen ik hier eenmaal was, moest ik er weer voor vechten om van de klas naar de tuin te kunnen gaan. Ik heb steeds weer moeten uitleggen dat ik de aandacht van de kinderen niet kon vasthouden, dat ik niet in staat was om hun dingen bij te brengen, maar dat ik het heerlijk zou vinden om de tuin op te laten bloeien, dat ik God op die manier het beste kon dienen. En ook dat hielp. Mettertijd.'

'Ik vraag me af wanneer het mettertijd is,' zei Quentin weemoedig.

'Nu, Quentin,' zei broeder Rooney. Hij pakte zijn schoffel en ging de strijd aan met het moeilijk bereikbare onkruid aan de achterkant van de bloembedden.

'Mettertijd is nu, vader, moeder,' zei Quentin die avond tijdens het eten.

'Waar heeft die jongen het over?' Zijn vader ritselde met de krant.

'Derek, heb in elk geval het fatsoen om naar je zoon te luisteren.'

'Niet als hij onzin uitkraamt. Wat moet dit voorstellen, Quentin? Heb je dit overgenomen van een van die onbeschofte vriendjes van je op die school die, naar wij dachten, een man van je zou maken en je enige ontwikkeling zou bijbrengen? Was me dat een afgang!' Zijn vader snoof minachtend.

'Nee, vader, ik heb weinig vrienden, zoals u wel hebt gemerkt. Ik geef niet om voetbal of drinken of naar de disco gaan, dus ben ik meestal in mijn eentje. Ik heb gepraat met broeder Rooney. Hij zorgt voor de tuin op school.'

'Misschien had je beter kunnen praten met een van de meer geleerde broeders, iemand die ons kon zeggen wat we in vredesnaam met je aan moeten, schat.' Deze keer wierp Quentins moeder hem een treurige, ongeduldige blik toe.

'Ik zal nooit accountant worden. Ik ben er niet geschikt voor en ik zal nooit de nodige diploma's krijgen. Dat zullen we allemaal mettertijd erkennen. Dus waarom niet nu?'

'En wat wil je dan met je leven gaan doen?' informeerde zijn vader.

'Ik zal een baan zoeken, vader, net als iedereen.'

'En die plaats op kantoor die ik voor jou heb vrijgehouden?' De lijnen van teleurstelling leken bijna in het gezicht van zijn vader gegrift.

'Het spijt me, vader, maar dat was een droom. Jouw droom. Dat zullen we uiteindelijk allemaal begrijpen. Dus waarom niet nu?'

'O, hou toch op met dat gezwets van die tuinman.'

'Hoe moet ik dit tegen Hannah Mitchell zeggen? Ze is zo trots dat haar zoon net als zijn vader in de advocatuur is gegaan.' Er kwam een pruilende uitdrukking op het knappe gezicht van Sara Barry. De dameslunches leken nu opeens minder aantrekkelijk.

'Wat voor baan?' wilde Derek Barry weten.

En toen wist Quentin dat broeder Rooney hem de juiste raad had gegeven. Mettertijd was nu.

Eerst werkte hij in een cafetaria aan de boulevard ten zuiden van Dublin, en daarna in een Italiaans restaurant in de stad. Vervolgens kreeg hij een baan in de keuken en achter de bar in een van de grote hotels. Dat hield in dat hij onregelmatige uren moest werken, dus ging hij op kamers wonen. Zijn vader leek het niet te merken of er iets om te geven. En zijn moeder deed er vaag en verward over.

Uiteindelijk ging hij op sollicitatiegesprek in het warenhuis

Haywards, waar ze iemand nodig hadden voor het restaurant. Het gesprek werd gevoerd door Harold Hayward, een van de vele neven die in het familiebedrijf werkten. Dit was veel chiquer dan de andere restaurants waar Quentin had gewerkt. Het leek zelfs meer op thuis, waar hij zijn moeder zo graag had geholpen met haar diners.

Dat was Quentin Barry's voorbeeld. Hij imiteerde de stijlvolle ontvangsten van zijn moeder. Al gauw werden linnen servetten, porseleinen servies en zilverbestek uitgestald.

Op zijn voorstel werd de middagthee geserveerd met warme scones, druipend van de boter, opgediend met kommetjes dikke room, en bessengelei om over het geheel te smeren.

Hij controleerde alles alsof hij het heerlijk vond, en alsof hij zijn eigen koninkrijkje had geschapen.

Zijn moeder vond het maar niets. Veel van de dames met wie zij lunchte, gingen naar Haywards. En hun zonen bedienden niet aan tafels.

'Je kunt toch zeggen dat ik dit doe tot ik mijn eigen restaurant open,' pleitte Quentin.

'Ja, dat zou ik wel kunnen doen,' zei zijn moeder aarzelend.

Hij was geschokt. Hij had een grapje gemaakt en zij dacht dat hij het meende. Wat was er mis met de baan die hij leuk vond? Het was eerlijk en goed werk. Na sluitingstijd werd er koffiegedronken en besproken hoe ze alles nog meer konden verbeteren. Zijn mooie moeder noemde hem niet langer 'lieverd van me' of 'mijn schat'. Dat had hij misschien opgegeven toen hij ervoor paste om accountant te worden.

Af en toe ging Quentin broeder Rooney opzoeken op zijn oude school. Dan nam hij een pakje sigaretten voor hem mee en gingen ze op een met houtsnijwerk versierd bankje zitten, of in de kweek-kas. De oude man met de waterige blauwe ogen wees dan trots op wat er was veranderd sinds Quentins laatste bezoek. Het dramatische verschil toen die heg gesnoeid was. Er hadden dingen onder gezeten die niemand ooit had gezien, en die bloeiden op nu ze licht hadden gekregen.

'Hebt u de meisjes niet gemist toen u hier kwam?' vroeg Quentin hem eens.

'Die zijn er nu toch?' In de afgelopen jaren was het een gemengde school geworden. Dat was een grote verandering geweest.

'Nee, ik bedoel vriendinnetjes. Hebt u dat soort dingen nooit gemist?'

'Nee, helemaal niet,' zei broeder Rooney. 'Het is misschien gek, maar ik heb er nooit last van gehad. Ik heb nooit een vriendin gehad. Dat trok me niet.'

'Had u misschien liever een vriend gehad?' Quentin wist dat de oude man zich niet beledigd zou voelen.

'Niks ervan, geen man of vrouw. Ik ben misschien een soort eunuch. Maar, Quentin, dat is niet zo erg als mensen misschien denken.'

'Het zal wel een pluspunt zijn als je priester bent en een gelofte van kuisheid hebt afgelegd,' zei Quentin glimlachend.

'Nee, dat bedoelde ik helemaal niet. Ik bedoelde dat je, als je niet in beslag wordt genomen door begeerte naar mensen, meer oog hebt voor de schoonheid om je heen. Ik zie allerlei kleuren en structuren in bloemen en bomen waarvan ik denk dat anderen die helemaal niet zien.' Hij leek blij te zijn met de manier waarop menselijke eigenschappen waren verdeeld. De een kreeg dit, de ander dat.

'U bent een van de gelukkigste mensen die ik ken, broeder Rooney.'

'En ik hoop dat je niet beledigd bent en het verkeerd opvat, maar ik vind dat je veel op me lijkt, Quentin. Jij ziet ook schoonheid in dingen, en je kunt zo enthousiast zijn. Het doet me goed je te horen praten over dat restaurant dat je runt.'

'O, maar dat run ik niet, broeder. Ik werk er alleen maar.'

'Nou, je klonk alsof het van jou was, en dat is heel goed.'

'Komt u me er een keer opzoeken?'

'Ik zou me niet thuis voelen in zo'n chic restaurant. Daar letten ze op mijn nagels en zo.'

'Dat doen ze niet. Kom me een keer opzoeken.'

Maar Quentin wist dat broeder Rooney het uitstapje niet zou maken, en waarschijnlijk zou doodgaan zonder hem ooit te hebben opgezocht. Hij vroeg zich af of de oude broeder gelijk had dat Quentin op hem leek. Een eunuch, zonder belangstelling voor mannen of vrouwen? Dat was heel goed mogelijk. Nou ja, er was geen tijd om daar vandaag over na te denken. Het restaurant zat vol.

De legendarische middagthee was een groot succes. Kleine, warme scones met room en frambozenjam verdwenen in een rap tempo van de serveerwagentjes. Er was bijna geen plaats voor alle klanten.

'Laat die oude zwerver eens weggaan, Quentin.' Harold Hayward, de manager, gebaarde naar een sjofel uitziende man in de hoek.

'Dat is geen zwerver. Hij ziet er alleen een beetje slordig uit,' protesteerde Quentin. Misschien had broeder Rooney gelijk en was dit geen gelegenheid voor een man met vuile handen.

'Laat hem toch maar weggaan. Hij zit daar al een uur met alleen een pot thee, en er staat al een rij bij de deur.'

Quentin ging naar de tafel. De man keek op van een stapel papieren. Op de tafel stond een bijna lege theepot. Harold de manager had gelijk. Dit was geen klant aan wie ze vanmiddag veel zouden verdienen. Maar dat was nog geen reden om hem weg te sturen.

Quentin glimlachte verontschuldigend naar de man, die in de zestig moest zijn. 'Het spijt me dat ik u stoor, meneer, maar zoals u ziet, staat er een lange rij mensen te wachten tot er een tafel vrijkomt.'

'Bedoel je dat ik weg moet?' De man had borstelige wenkbrauwen, een rood, verweerd gezicht en een licht Australisch accent.

'Absoluut niet! Ik vroeg me alleen af of ik u mag helpen uw papieren wat te verleggen, opdat andere mensen ook aan deze tafel kunnen zitten.'

'Hij zei dat je me moest wegsturen, hè?' De oude man maakte een hoofdbeweging naar Harold Hayward, die stond toe te kijken.

'Nu hebben we plaats voor die twee dames die allebei een wandelstok hebben. Dat zullen ze op prijs stellen. Mag ik ze naar deze tafel brengen?' Quentin was de voorkomendheid in eigen persoon. Hij zette een pot verse thee bij de man zonder die in rekening te brengen.

De oude man trotseerde nog drie paren die naar zijn tafel werden gebracht. Ten slotte vroeg hij aan Quentin of hij zelf tot de familie Hayward behoorde.

'Helaas niet,' glimlachte hij verontschuldigend. 'Ik ben gewoon een werknemer.'

'Waarom zeg je "helaas"? Zo gezellig zal die familie niet zijn, als je het gezicht van die vent ziet. Hij kijkt alsof hij vier citroenen heeft doorgeslikt.'

Harold Hayward keek inderdaad nogal zuur.

'O, ik bedoelde dat het een stuk makkelijker voor me zou zijn geweest als ik bij het familiebedrijf had kunnen komen. Mijn vader is accountant en hij had mijn naambordje al klaar in zijn bedrijf, maar ik kon het niet opbrengen. In elk geval is Harolds familie wél blij met hem.'

Nadien werd de oude man een vaste klant, en hij ging altijd aan een van Quentins tafels zitten. Hij heette Toby, afgekort tot Tobe. Hij had over de hele wereld gereisd, zei hij, en prachtige dingen gezien. 'Heb jij ook reizen gemaakt?' vroeg hij aan Quentin.

'Nee. Omdat ik niet bij mijn vader in het bedrijf wilde werken, was ik zo vastbesloten om zelf de kost te verdienen, dat ik geen tijd heb gehad om ergens heen te gaan. Ik zou graag de kleuren in de Provence of Toscane zien, en ik zou graag naar Noord-Afrika gaan. Misschien komt het er mettertijd wel eens van.' Hij glimlachte triest.

'Stel het niet te lang uit, Quentin.'

'Mettertijd hoort nu te zijn,' zei Quentin, denkend aan de oude broeder Rooney.

'Ik had het niet beter kunnen zeggen.' Tobe knikte heftig.

Hij zag er ongetwijfeld veel slordiger uit dan de overige cliëntèle. Soms zei Quentin dat hij een fantastisch vlekkenmiddel had ontdekt, en als Harold Hayward niet keek, nam hij een wel heel opvallende vlek op Tobes borst onder handen. Hij gaf hem een keer een kam en een andere keer elastieken banden om zijn gerafelde manchetten op te houden. Hij wist niet waarom hij het deed, waarschijnlijk om te bewijzen dat Harold Haywards opvatting verkeerd was. Daarbij wist hij dat hij Tobe niet beledigde, die zich er totaal niet van bewust was dat hij er nogal excentriek uitzag, en het prima vond dat hij ongemerkt een zetje in de goede richting kreeg.

En het werk begon Quentins leven te worden. Hij had nog steeds weinig vrienden buiten de oppervlakkige contacten met de mensen met wie hij werkte en de mensen die hij bediende.

Zijn vriendelijkheid bleef niet onopgemerkt. Zelfs zijn collega's hadden door hoe goed hij met klanten kon omgaan.

'Je bent echt hartelijk voor mensen,' zei Brenda Brennan een keer tegen hem.

Ze was een van de parttime medewerkers, maar een onovertroffen kracht, beheerst en elegant, kalm tijdens een crisis, en ze kon alles aan wat zich onverwacht voordeed.

Hij had het liefst dat ze hier een vaste baan zou aanvaarden, maar ze zei dat zij en haar man ervan droomden om ooit een eigen restaurant te beginnen.

'Wat aardig van je,' zei ze toen ze zag dat hij Tobe een keer een verse pot thee bracht zonder die in rekening te brengen.

'Ach, het is alleen maar heet water en een theezakje,' zei Quentin. 'Hij vindt het leuk om naar mensen te kijken. Ik mag hem wel. Je moet hem eens horen vertellen over de oranje en paarse zonsopgangen in Australië.'

'Ik vraag me af waarom hij al die jaren geleden is weggegaan,' merkte Brenda op.

'Waarschijnlijk door zijn familie,' zei Quentin peinzend. 'Hij heeft het er nooit over, en juist door je familie kun je het meest van slag raken.'

Zijn eigen ouders zeiden nog amper iets tegen elkaar. De paar keer dat hij er kwam en een lunch probeerde te bereiden, was de sfeer ondraaglijk. Misschien had Tobe jaren geleden ook iets dergelijks meegemaakt. Quentin vroeg zich af waar hij at, als hij al iets at. Hij kon zich de prijzen bij Haywards duidelijk niet veroorloven.

Op een avond kwam hij er toevallig achter. De sfeer thuis was slecht. Zijn moeder ging naar bed en zijn vader liep te zuchten dat hij maar beter naar zijn club kon gaan. Quentin was stilletjes weggegaan.

Hij had het vermoeden dat geen van beiden zelfs maar had gemerkt dat hij weg was. Hij ging naar een cafetaria op een hoek, Mick, waar hij vaak patat kocht als hij van de bioscoop naar huis ging, maar hij had er nooit iets gegeten.

Bonen in tomatensaus op geroosterd brood, gebakken ei met patat, twee worstjes met wat aardappelpuree en doperwtjes. Dat was het keuzemenu bij Mick. Het rook er naar frituurvet, niemand veegde de tafeltjes schoon, het linoleum op de vloer vertoonde scheuren, maar toch had het iets. Het lag gunstig op een hoek van een drukke straat, maar het was een kleine oase zodra je op de met

keitjes geplaveide binnenplaats kwam en de deur achter je dicht-
deed. Het leek of de wereld hier minder gehaast was.

Quentin zag Brenda de serveerster en haar man Patrick, een
ernstige kerel, in een diep gesprek verwikkeld terwijl ze hun
bonen en geroosterd brood aten. Toen zag hij Tobe met een bord
vol worstjes, eieren en patat voor zich.

Tobe wenkte hem. 'Of heb je misschien met iemand afgesproken?'

'Nee, ik kom graag bij je zitten.' Quentin nam plaats en ze
praatten over koetjes en kalfjes. Geen van beiden vroeg wat de
ander hier deed. 'Tot morgen bij Haywards,' zei Tobe.

Quentin bleef even staan om Brenda en haar man te groeten,
lang genoeg om te laten blijken dat hij hen had gezien, maar zonder hen te storen in wat een gesprek onder vier ogen leek te zijn.

Zo gingen de weken voorbij. Af en toe gingen ze bij Mick gebakken eieren en bonen eten, en dan zei Quentin wat hij met dit
etablissement zou doen als het van hem was en hij een sponsor
had, en Tobe zei dat zijn bezoek ten einde liep en dat hij terugging naar Australië.

Quentin vertelde dat zijn ouders veel beter elk op zichzelf konden gaan wonen, maar dat ze het allebei vertikten om het huis uit
te gaan. Tobe vertelde dat hij veertig jaar lang in Australië benieuwd was geweest naar zijn Ierse familie. Nu hij hen had ontdekt, wilde hij er geen seconde meer aan verspillen, want dat
waren ze gewoonweg niet waard.

'Je bent vast niet veel bij hen geweest, Tobe, want je zit de hele
dag in Haywards en 's avonds bij Mick.'

'Ik heb ze gezien, en wat ik zag stond me niet aan. Heb je al
plannen gemaakt om op reis te gaan, Quentin?'

'Ja, ik heb geïnformeerd naar prijzen buiten het seizoen, maar
dan is het nog steeds heel duur. Maar Tobe, probeer je niet van onderwerp te veranderen? Ik zal je waarschijnlijk nooit meer zien na
volgende week, als je teruggaat. En ik ben zo benieuwd naar wat
je tegen je familie hebt gezegd en zij tegen jou. Wil je het niet vertellen?'

'Nog niet. Ik moet nog nadenken over iets. Maar ik zal het je
volgende week vertellen, bij Mick. Kun je donderdag?'

Die donderdag bij Mick zag Tobe er anders uit, op de een of andere manier zelfverzekerder. 'Kom, Quentin, ik trakteer. Laten we het ervan nemen en bonen én eieren én worstjes bestellen.'

Quentin kon het niet goed plaatsen, maar het leek of Tobe ergens op aanstuurde. 'Ik vind het heel leuk dat ik jou heb leren kennen. Daardoor is mijn bezoek aan Dublin de moeite waard geweest en heb ik helder kunnen nadenken. Kom je me over een paar jaar opzoeken in Australië?'

'Tobe, ik kan nauwelijks het geld bij elkaar krijgen om naar Italië of Marrakesh te gaan, dus hoe kan ik ooit in Australië komen? Ook al wil ik nog zo graag de paarse en oranje zonsopgang zien.'

'Dat lukt je wel,' zei Tobe kalm, alsof hij wist dat het zou gebeuren.

'Was het maar waar,' zei Quentin, en hij streek zijn haar uit zijn gezicht.

Toen vertelde Tobe hem het verhaal.

Om te beginnen heette hij Toby Hayward.

Hij was de neef die ze liever kwijt dan rijk waren, de emigrant die een toelage kreeg zolang hij maar ver weg bleef. Hij was teruggekomen om de Haywards op te zoeken, maar omdat ze hem toch niet kenden wilde hij hen eerst een poos gadeslaan. Hij had in het grote warenhuis niets gezien wat hem aanstond, helemaal niets, behalve Quentin. Tobe had goed geboerd in Australië, beter dan de Haywards ooit hadden geweten. Dat waren hun zaken niet, dus had hij niets laten blijken.

En nu hij die hooghartige Harold in het restaurant had gezien, de arrogante George op de meubelafdeling en de chagrijnige en nuffige Lucy bij de zilverwerken, had hij beseft dat hij niets met die mensen te maken wilde hebben.

Quentin daarentegen was een jongen met een droom, die een eigen restaurant wilde. Dat was heel andere koek. Via hem kon hij een schuld aflossen aan Ierland, het land waar hij was geboren. Quentin moest de volgende ochtend met hem mee naar een notaris en dan zou hij die middag Micks cafetaria kunnen kopen.

'Dit bestaat niet,' zei Quentin.

'Maar je gelooft me toch wel? Je gelooft toch dat ik het geld heb en dat ik het aan jou wil geven? Je denkt toch niet dat ik uit het gekkenhuis ben ontsnapt?'

'Ja, natuurlijk geloof ik dat je dit wilt doen, en ik weet dat ik het in jouw plaats ook zou doen, dus ik begrijp het. Maar dat kan toch niet, Tobe.'

'Waarom niet?'

'Je familie?'

'Die weten niet eens dat ik hier ben. Ik ben gewoon de sjofele oude man die ze steeds zo snel mogelijk uit hun afdeling willen hebben.'

'Misschien vinden ze dat zij meer rechten hebben, dat het geld van de familie is.'

'Nee, ik heb dit geld zelf verdiend. Ik heb gewerkt en geïnvesteerd, en dag en nacht gewerkt en nog meer geïnvesteerd.'

'Kun je het niet beter aan een goed doel geven?'

'Ik geef meer dan genoeg aan liefdadigheidsinstellingen. Ik geef jou alleen voldoende om deze zaak te kopen.'

'Misschien wil Mick helemaal niet verkopen.' Quentin durfde niet te geloven dat dit allemaal gebeurde.

'Wat lijkt jou een redelijke prijs, Quentin?'

Quentin noemde een bedrag.

'Als je hem anderhalf keer zoveel geeft, wil hij maar wat graag verkopen. Dan weet hij niet hoe snel hij hier weg moet zijn.'

'En dan?'

'Dan meld je je morgen ziek bij Haywards en dan regelen we het geld.'

'Dit bestaat niet,' zei Quentin weer.

'Mick, wil je even hier komen?' riep Tobe.

En Mick, die het allemaal beu was en niets liever wilde dan met zijn vrouw en gehandicapte dochter op het platteland wonen, werd naar de tafel geroepen om het nieuws te horen dat zijn hele leven zou veranderen.

Brenda's besluit

Brenda en haar vriendin Nora waren onafscheidelijk tijdens hun cateringopleiding. Ze maakten plannen voor de toekomst, die nogal konden variëren. Soms wilden ze samen naar Parijs en een opleiding volgen bij een Franse chef-kok. Dan weer waren ze van plan op het platteland een hotel met dertig kamers te beginnen, waar gasten minstens zes maanden van tevoren moesten boeken.

In werkelijkheid verliep het natuurlijk heel anders. Plannen werden verschoven en ze hadden vaak baantjes als serveerster. Te veel mensen waren uit op dezelfde banen, en er was een overschot aan jonge mannen en vrouwen met ervaring. Nora en Brenda kwamen maar moeilijk aan de slag.

Dus gingen ze naar Londen, waar twee belangrijke dingen gebeurden. Nora ontmoette een Italiaan, Mario, die zei dat hij meer van haar hield dan van zijn eigen leven (Nora hield minstens net zoveel van hem) en Brenda vatte een flinke kou die overging in longontsteking, met een tijdelijke doofheid als gevolg. Die doofheid was een flinke klap voor haar. Zij, die voor haar ziekte het gras bijna kon horen groeien.

'Ik heb niet genoeg meegeleefd met dove mensen,' zei ze huilend tegen de dokter, die het al druk genoeg had en haar brochures gaf over cursussen liplezen en zei dat ze moest ophouden met dat zelfmedelijden, omdat haar gehoor heus wel zou terugkomen.

Dus ging Brenda naar de cursus, waar de medeleerlingen hoofdzakelijk bestonden uit bejaarde mannen en vrouwen die moeite hadden met hun gehoorapparaten.

Ze leerde liplezen met behulp van een videorecorder. Je keek net zolang naar het nieuws zonder geluid tot je kon raden wat er werd gezegd, en dan zette je het geluid heel hard om te horen of je gelijk had.

Mevrouw Hill, de lerares, was dol op Brenda, omdat ze zo leergierig was. Ze leerde de gezichten van mensen te bestuderen terwijl ze spraken, en iets te maken van wat ze niet kon horen. Ze had algauw door dat de moeilijkste letters die in het midden van een woord waren. De meeste mensen konden bijvoorbeeld wel het woord 'pan' of 'boek' lezen, maar het was veel moeilijker om een verborgen medeklinker zoals een l of een r te onderscheiden in een woord; 'plan' of 'broek' gaven veel meer problemen. Je moest het uit de betekenis van de zin zien te halen.

Brenda had zich er zo in verdiept dat het nauwelijks tot haar doordrong toen ze haar gehoor terugkreeg. In dat stadium kon ze vanaf de andere kant van een kamer een gesprek volgen.

Nora en Mario waren diep onder de indruk. 'Als alles mislukt kunnen we je altijd nog in een circus doen!' riep Nora verrukt uit.

'Dan verkoop ik buiten de kaartjes,' beloofde Mario.

Maar ze wisten allemaal dat dit niet zou gebeuren. Mario zou over een poosje teruggaan naar Sicilië om te trouwen met zijn verloofde, zijn buurmeisje Gabriella.

Dat besefte Nora ook, maar ze wilde het niet accepteren. Ze bleef niet in Londen zonder Mario en ze was ook niet van plan om terug te gaan naar Ierland en daar om hem te treuren. Ze zou hem volgen naar Sicilië en alle consequenties aanvaarden.

Brenda voelde zich eenzaam in Londen toen haar vriendin weg was. Ze kon niet begrijpen dat iemand zo van een ander kon houden en alle vernederingen voor lief nam. Nora schreef dat ze op een kamer woonde met uitzicht op Mario's hotel. Dat ze zijn huwelijk had gezien, de doopfeesten van zijn kinderen, en dat ze langzamerhand deel ging uitmaken van het leven daar.

Een dergelijke liefde ging Brenda's verstand te boven. Soms vroeg ze zich af of ze ooit wel van iemand zou kunnen houden. Ze ging terug naar Dublin, maar daar bleef alles hetzelfde. Niemand vervulde haar met de hartstocht die Mario in Nora O'Donoghue had weten te wekken. Iedereen zei dat Brenda zo rustig wist te blijven als er een crisis was, dat je op haar kon vertrouwen als er jus was gemorst of als iemand een dienblad uit zijn handen had laten vallen. Brenda vroeg zich af of ze haar hele leven zo kalm en onverstoorbaar zou blijven. En nooit verliefd zou zijn, zoals de stelletjes die ze bediende, nooit van streek en verdrietig, zoals de collega's die ze in de keuken troostte als hun relatie op springen stond. Nooit trouwen, zoals twee van haar jongere zusjes, helemaal op van de zenuwen. Brenda had hen bijgestaan met koppen thee, aspirine en goede raad.

Ze wist niet waarom ze die avond naar het feest ging. Waarschijnlijk om er iets over naar Nora te kunnen schrijven. Het was een feest voor voormalige leerlingen van hun cateringopleiding. Misschien hoopte ze iets te horen over werkgelegenheid.

Ze droeg de nieuwe jurk die ze voor de trouwdag van haar zus had gekocht. Heel chic, van roomkleurige kant met een roze jasje. Het stond goed bij haar donkere haar. Ze meende te zien dat ze veel bewonderende blikken kreeg, maar dat was misschien maar verbeelding.

Opeens zag ze aan de andere kant van de zaal de Kussensloop. Ze kon zich niet herinneren waarom zij en Nora hem die bijnaam hadden gegeven. Hij was een veel te serieuze jongen die altijd met zijn neus in zijn boeken zat en zich nauwelijks tijd gunde voor sociale contacten. Ze had gehoord dat hij naar een of andere dure tent in Schotland was gegaan en bij een beroemde banketbakker in Frankrijk had gewerkt. Wat deed hij hier? En trouwens, hoe heette hij ook alweer? Paddy... Pat?

Ze keek weer naar hem. En net zo duidelijk alsof de woorden van een ondertiteling waren voorzien, kon ze zijn lippen lezen en hoorde ze hem tegen de man bij hem zeggen: 'Moet je nu eens kijken. Dat is Brenda O'Hara. Ik heb met haar college gelopen. Wat ziet ze er goed uit. Ik heb haar in geen jaren gezien. Klasse, hoor!' Hij leek vol bewondering te zijn.

De man bij hem, een vent met een grote bek die ze vaker in de stad had meegemaakt, zei: 'O, vergeet het maar. Dat is echt een kouwe kikker.'

'Nou, ik ga toch even gedag zeggen. Daar kan ze toch niets op tegen hebben?' En hij liep naar haar toe.

Soms voelde ze zich een beetje schuldig dat ze al wist wat er zou gebeuren omdat ze kon liplezen. Waarom had die andere sukkel zijn naam niet genoemd, dan had ze die tenminste geweten.

De Kussensloop kwam met een brede glimlach naar haar toe. Hij zag er een stuk beter uit dan vroeger. Hij leek langer, of misschien liep hij niet meer zo gebogen.

'Hallo, ik ben Patrick Brennan,' zei hij terwijl hij haar een hand gaf.

'Brenda O'Hara. Wat leuk om je weer te zien.' Ze moest die idiote bijnaam uit haar hoofd zetten.

'Ik kan me jou en Nora O'Donoghue nog goed herinneren. Is zij er ook?'

'Als je een keertje tijd hebt, zal ik je vertellen wat er allemaal met Nora is gebeurd,' zei Brenda lachend.

'Ik heb nu alle tijd, Brenda,' zei hij.

Kwam het door de bewondering op zijn gezicht of omdat ze had kunnen liplezen wat hij had gezegd, dat Brenda haar aandacht richtte op Patrick Brennan?

Hoe dan ook, de volgende twee weken zagen ze elkaar bijna elke avond. Hij vond het blijkbaar leuk dat ze nog bij haar ouders woonde. 'Ik dacht dat zo'n mooi meisje als jij er allang vandoor was gegaan met een rijke vent,' plaagde hij.

'Nee, ik ben een kouwe kikker, wist je dat nog niet?' plaagde ze terug.

'Dat heb ik wel eens horen zeggen,' weerde hij onhandig af.

Ze schreef over hem naar Nora.

Hij is nog steeds heel serieus over het werk. Hij doet liever niets dan ergens werken waar hij het de moeite niet waard vindt. Hij zegt dat ik mijn tijd verspil met overal de serveerster te spelen. Hij zou liever bouwvakker zijn of kratten wijn leveren dan in een keuken werken die een slechte naam heeft. Maar dat ben ik niet met hem eens. Het gaat tenslotte om werk. Je steekt overal wel iets van op, en daarbij heeft hij geen eigen onderkomen. Hij slaapt bij mensen op de bank of op de grond. Dat interesseert hem niets.

Hij vertelde haar over de kleine boerderij waar hij was opgegroeid. Over zijn jongere broer, die niet echt achterlijk was maar wel erg langzaam, en die er nog steeds woonde. Zij vertelde hem over de winkel op de hoek waar haar vader zo hard werkte voor zijn brood. Ze gingen naar de bioscoop en soms betaalde zij, als Patrick geen geld had. En omwille van vroeger gingen ze naar de cafetaria van Mick.

Toen ze een keer hun broodjes uitpakte aan het kanaal, deelde ze hem vastberaden mee wat haar plannen voor die avond waren.

'Ik woon thuis, Patrick. En ik heb nu al een maand elke avond met jou doorgebracht.'

'Ja?' Hij keek verontrust.

'Dus wil ik dat ze je zien, dat ze weten met wie ik steeds uitga.'

'Mij best.'

'Nee, je begrijpt het niet. Het is geen inspectie. Ze zullen je nergens toe dwingen. Het is gewoon een kwestie van beleefdheid.'

'Dat ben ik helemaal met je eens. Ik dacht alleen dat je zou zeggen dat je me beu was. Als wij ooit een dochter krijgen, dan zouden we toch ook willen weten wie haar vrienden zijn?'

'Wat?' zei Brenda.

'Als we een dochter krijgen. Dat is iets anders dan een zoon.'

'Maar wat wil je daar eigenlijk mee zeggen?'

Hij keek haar verbijsterd aan. 'Als we getrouwd zijn. Dan krijgen we toch kinderen?' Hij wist echt niet meer hoe hij het had.

'Patrick, mag ik even? Heb ik iets gemist? Heb je gevraagd of ik met je wil trouwen? Heb ik ja gezegd? Dat is niet niks. Dat kan me toch niet ontgaan zijn?'

Hij pakte haar hand. 'Maar je wilt het toch wel?' smeekte hij.

'Dat weet ik niet, Patrick. Dat weet ik echt nog niet.'

'Wat wil je dan?' vroeg hij geschrokken.

'Nou, ik kan kiezen. Misschien trouw ik met niemand. Of misschien trouw ik met iemand die ik nog niet ben tegengekomen. Of ik trouw met jou, als we eenmaal weten dat we echt van elkaar houden.'

'Maar dat weten we nu toch al?'

'Nee. We hebben het er nog niet eens over gehad.'

'We hebben toch steeds gepraat over wat we willen?'

'Maar dat ging over werk, Patrick, over eventuele banen.'

'Nee, over ons leven. Ik dacht dat het over ons leven samen ging.'

'Dat is onzin, Patrick.' Ze stond op. 'Je kunt toch niet als vanzelfsprekend aannemen dat wij gaan trouwen. We zijn zelfs nog nooit met elkaar naar bed geweest!' Ze was nu diep verontwaardigd.

'Dat heb ik wel geprobeerd!' protesteerde hij.

'Niet op de bank in de een of andere afschuwelijke flat waar half Dublin elk moment kan binnenstappen met blikjes Quinness onder de arm.'

'Wat wil je dan, Brenda? Een nacht in een hotel? Dat ik voor je op mijn knieën val? Wil je dat?'

'Nee.' Ze was boos en gekwetst. 'Helemaal niet. Dat is belachelijk. Ik ben echt gek op je, Patrick, idioot die je bent. Waarom zou ik je anders thuis hebben uitgenodigd? Maar ik wil ook liefde en hartstocht en dat soort dingen. Niet achteloos een broodje eten en over "onze dochter" praten alsof het allemaal geregeld is.'

'Nou, als ik iets verkeerd heb gedaan, sorry,' zei hij.

'Als ik had gedacht dat je van me hield en allerlei baantjes wilde aannemen, zoals ik, om te sparen voor een huis, en als je eens vaker je mond opendeed in plaats van je in zwijgzaamheid te hullen over je toekomst, en als je me het eens fatsoenlijk had gevraagd en... nou ja, als je me echt wilde... nou, dan zou ik er beslist wel over denken om met je te trouwen, en hoe eerder hoe beter. Maar dat heeft nu geen zin, want als je het nu zou doen, dan had ik je de woorden al in de mond gelegd.'

'Dus ik mag niet meer komen eten? Bedoel je dat?' wilde hij weten.

'Nee, idioot, natuurlijk kom je eten,' zei ze, en ze ging vlug weg voor hij de tranen in haar ogen kon zien.

Patrick Brennan nam bloemen mee voor haar moeder en ging aan tafel zitten om van een pastei met kip en ham te smullen. En vanaf het moment dat hij binnenkwam, hield hij niet op met praten. Hij prees het luchtige deeg en de smaak van de saus. Hij bewonderde de kussenhoezen die mevrouw O'Hara had geborduurd. Hij informeerde bij meneer O'Hara waar hij verse groenten haalde en gaf hem een goedkoper adres. En toen ze allemaal de pogingen om er een woord tussen te krijgen hadden opgegeven, zei hij tegen iedereen, de jongste zusjes inbegrepen, dat hij van Brenda hield maar dat hij op dit moment geen goede vooruitzichten had om haar een huis te bieden. Maar dat hij op de oever van het kanaal opeens had ingezien dat ze gewoon in de cateringbusiness moesten gaan tot ze een eigen huis hadden en vanaf daar hun droom konden waarmaken.

De O'Hara's waren verbijsterd. Brenda wist niet hoe ze het had. Toen hij weg was, zeiden ze dat hij een heel aardige kerel was, maar wel heel druk. Brenda had toch gezegd dat hij zo stil was?

'Daar heb ik me in vergist,' gaf Brenda nederig toe.

Binnen enkele weken had hij voor hen beiden een baan gevonden, met Patrick als chef-kok en Brenda als gastvrouw.

'Maar je walgt van dat soort gelegenheden,' zei ze verbijsterd.

'Wat maakt het uit, Brenda? Van één maandsalaris kunnen we al een kamer betalen,' zei hij.

'Dat kunnen we nu ook wel, van mijn spaargeld,' antwoordde ze.

Die dag vonden ze een kamer, en 's avonds probeerden ze hartstocht en verlangen uit en dat beviel hun goed.

Niet lang daarna trouwden ze. Het was een eenvoudige bruiloft met alleen taart en wijn. De prachtige taart was gebakken en geglazuurd door Patrick, en er werden veel foto's van genomen.

Allerlei baantjes volgden, maar in niet één vonden ze bevrediging of een kans om te doen wat ze graag zouden willen. Ze hadden dan ook geen geld en geen sponsors om een eigen restaurant te beginnen.

De jaren verstreken, maar er kwam geen dochter, en ook geen zoon. Maar ze waren nog jong; en misschien was het goed dat ze zich nog geen zorgen hoefden te maken over opgroeiende kinderen.

Ze werkten ergens waar het eten alleen gefrituurd werd opgediend. En vervolgens in een gelegenheid waar geen sluitingstijd gold voor drinken en waar men tot diep in de nacht omeletten bestelde. Ze probeerden een bedrijfskantine over te nemen, maar daar verdienden ze zo weinig, dat ze met geen mogelijkheid fatsoenlijk eten konden opdienen. Uiteindelijk belandden ze in een restaurant dat door belastingontduiking en duistere praktijken opgedoekt zou moeten worden. Toen begonnen ze de moed te verliezen. Vooral omdat het management zich zo arrogant en snobistisch opstelde dat de gasten zich niet op hun gemak voelden.

'We moeten hier weg,' zei Brenda. 'Heb je gezien hoe onbeschoft ze waren tegen de gasten?'

'Laten we eerst iets anders zien te vinden,' smeekte Patrick.

De volgende avond zag Brenda die aardige jongen, Quentin Barry, die ze vaak had ontmoet toen ze parttime als serveerster werkte bij Haywards. Hij zat met zijn moeder aan een tafel in een rustig hoekje.

Het was niet druk deze avond. De gasten aan haar tafels waren allemaal voorzien. Ze deed stiekem haar schoenen uit achter een serveertafel met lange tafelkleden. Ze droeg strakke schoenen met hoge hakken en ze was al sinds acht uur die ochtend in de weer geweest. Wat een verademing om even op kousenvoeten te kunnen staan.

Ze keek naar moeder en zoon, die allebei blond en knap waren. Ze leken op elkaar. Maar mevrouw Barry was altijd druk en zich steeds bewust van haar omgeving, terwijl Quentin bedaard was en goed kon luisteren. Deze avond echter niet. Hij was zijn moeder iets aan het vertellen wat haar van haar stuk leek te brengen.

Brenda stemde automatisch op hen af. Het kwam niet bij haar op dat ze aan het afluisteren was, want voor haar leek het of ze luidkeels aan het praten waren.

'Je krijgt maar een schijntje als ober,' zei Sara Barry.

'Ik heb genoeg verdiend om mezelf een paar jaar te kunnen bedruipen,' antwoordde Quentin zacht.

'Ja, maar je kunt zo'n gelegenheid toch niet kopen, Quentin. Wees toch reëel, schat. Jij bent niet iemand die iets kan kopen en er een restaurant van kan maken.'

'Het stelt nu niet veel voor. Micks cafetaria is een verwaarloosde tent, maar als ik de juiste mensen kan vinden...'

'Nee, jongen, luister. Je weet niets van zaken. Je zou binnen een maand bankroet zijn.'

'Ik zal mensen zoeken die wel op de hoogte zijn, die ervaring hebben, die er wat van kunnen maken.'

'Het zou niets voor jou zijn. Alleen de zorgen al...'

'Maar ik ben er niet bij. Ik ben op reis.'

'Ik voel me opeens niet goed, Quentin,' zei Sara.

'Nee, moeder. Niet doen. Ik wilde je alleen laten weten hoe gelukkig ik ben. Het is heel lang geleden dat ik me gelukkig heb gevoeld. Je zei vroeger altijd dat ik je schat was, je liever'd. Ik dacht dat je blij zou zijn om te horen dat ik gelukkig ben.'

Pas toen besefte Brenda dat ze een privé-gesprek afluisterde, en ze keek weg. Ze trok haar schoenen aan en liep onvast naar de keuken.

'Patrick,' zei ze. 'Wil je een cognacje voor me inschenken?'

'Het lijkt wel of je een geest hebt gezien.'

'Ik heb onze toekomst gezien,' zei ze.

En binnen enkele dagen was alles geregeld.

Hun toekomst bestond eruit om van Micks cafetaria het restaurant van hun dromen te maken.

'Hoe wil je het noemen?' vroegen ze aan Quentin.

'Als jullie het niet te arrogant vinden, naar mezelf,' zei hij bedeesd. 'En mag ik jullie nu iets vragen? Hoe wisten jullie dat ik Micks cafetaria had gekocht? Ik weet dat hij tegen niemand iets heeft gezegd, en ik ook niet. Dus ik ben heel benieuwd.'

Brenda zei na enig aarzelen: 'Ik loop er niet mee te koop omdat het geen goede eigenschap is, maar ik kan liplezen. Ik heb het je zien zeggen tegen je moeder.' Ze sloeg haar ogen neer.

'Dat lijkt me juist een heel goede eigenschap als je een restaurant runt,' zei Quentin. 'Daar zullen we door de jaren heen vast nog vaak plezier van hebben.'

Blouse Brennan

Niemand kon zich herinneren waarom hij Blouse Brennan was genoemd. Niemand, behalve zijn grote broer Patrick.

Blouse was een langzame leerling op school, maar hij deed zijn best en daarom waren de broeders op hem gesteld. Blouse wilde altijd wel een boodschap doen, in de stad pakjes sigaretten voor hen halen, bijvoorbeeld. De winkeliers waren steeds bereid die aan hem mee te geven, hoewel hij nog lang niet meerderjarig was, omdat ze wisten dat de sigaretten niet voor hem waren.

De andere jongens besloten dat Blouse niet gepest mocht worden vanwege zijn broer Patrick. Patrick leek wel een tank, zo sterk was hij, en je zou gek zijn om het tegen hem op te nemen. Dus leidde Blouse een vrij vredig leventje voor iemand die niet goed kon spelen, die over zijn eigen schoenen struikelde en niet meer dan twee zinnen van een gedicht kon onthouden, hoe lang hij er ook op studeerde.

Toen Patrick van school ging om in een hotel stage te lopen, maakte Blouse zich zorgen. 'Misschien gaan ze me slaan als je er na de vakantie niet meer bent,' zei hij angstig.

'Dat doen ze niet.' Patrick was een man van weinig woorden.

'Maar je bent er niet bij, Patrick.'

'Ik zal eens per week komen tot ze het snappen,' zei Patrick. En hij kwam zijn belofte na. Op de eerste schooldag drentelde hij over het schoolplein, en gaf hier een tik en daar een duw, om zijn bedoeling duidelijk te maken. Iedereen die zelfs maar had overwogen om Blouse te grazen te nemen, veranderde drastisch van gedachten.

Patrick Brennan zou terugkomen.

Patrick kwam elk weekend naar huis en ging altijd een eind hardlopen met zijn broer. De jongen kon tegen hem praten zoals hij dat thuis nooit kon. Hun ouders waren al op leeftijd, en af-

standelijk. Ze hadden het te druk met werken op de kleine boerderij met de paar stuks vee en de rotsachtige grond.

'Weet jij eigenlijk waarom ze me Blouse noemen, Patrick?'

'Ach, ze moeten je iets noemen. Op mijn werk noemen ze mij
de Kussensloop.' Patrick haalde zijn schouders op.

'Ik heb geen idee hoe ze aan die bijnaam komen,' zei Blouse
treurig.

Patrick wist dat het was begonnen toen de jongen jaren geleden
zijn hemd een blouse had genoemd, en een paar kinderen hadden
dat gehoord.

Om de een of andere reden was die bijnaam blijven hangen.
Zelfs de broeders noemden hem zo, en de halve bevolking in de
stad. Zijn moeder en vader noemden hem Sonny, dus bijna niemand wist dat hij eigenlijk Joseph Matthew Brennan was gedoopt.

Patrick werkte heel hard in de hotelbusiness. Hij klom op van af-
wasser tot keukenhulp, deed af en toe dienst als portier en recep-
tionist en volgde een cateringcursus, waar hij een meisje ontmoette dat Brenda heette. Hij nam een foto van haar mee naar huis.

'Ze heeft een mooie glimlach,' zei Blouse.

'Ze ziet er gezond uit,' gaf zijn vader met tegenzin toe.

'Geen meisje om op het land te werken, volgens mij,' klaagde
zijn moeder.

'Nou, dat is dan maar goed ook, want Brenda en ik zijn niet van
plan om de boel hier over te nemen. Blouse krijgt hier de leiding
als de tijd daar is.'

Patrick zei het heel vastberaden.

De ouders zeiden zoals gewoonlijk helemaal niets.

En dat was de dag waarop Blouse een periode van enorm zelfvertrouwen kreeg. Hij was veertien, maar op een dag zou hij land-
eigenaar zijn. Dat stelde hem boven bijna iedereen in zijn klas. Hij
beging de fout om het aan Horse Harris, een grote pestkop, te vertellen, en Horse maakte hem belachelijk en treiterde hem. Hij
noemde hem steeds 'landheer Blouse'.

Patrick liet zich een keer op het schoolplein zien en verbouwde
de neus van Horse Harris. Er werd niet meer over gesproken en
het woord 'landheer' werd nooit meer genoemd.

Op een dag trakteerde Patrick Blouse op een biertje en zei dat als hij en Brenda gingen trouwen, Blouse getuige voor hem moest zijn.

'Hoe is het mogelijk, jij een getrouwde man met een eigen huis,' zei Blouse.

'Je mag ons altijd komen opzoeken en een nacht blijven logeren, zelfs een weekend.'

'Dat weet ik, maar ik zal niet vaak naar Dublin gaan. Wat heeft iemand die Blouse heet in een grote stad te zoeken?' zei hij.

Patrick bracht Brenda een keer mee naar huis.

Wat knap, dacht Blouse, en zo zelfverzekerd. Niet zoals de mensen hier. Ze was heel beleefd tegen zijn moeder en vader, hielp mee met de afwas, en ze vond het niet erg dat de grote, harige hond met zijn poten tegen haar mooie rok sprong.

Ze vertelde aan Blouse en zijn moeder dat het huwelijk zou worden voltrokken door haar oom, die priester was, en ze verzekerde zijn vader dat ze het eenvoudig hielden, met hooguit twintig mensen. Ze zouden voor een mooie bruidstaart en flessen wijn zorgen.

Zouden de mensen het niet vreemd vinden als ze geen koude kip en ham kregen? wilde de moeder van Blouse weten.

Blijkbaar niet in Dublin. Rare mensen woonden daar.

Er werd een hoop gemopperd en geklaagd toen de grote dag kwam. Blouse reed zijn ouders naar het station en Patrick kwam hen in Dublin afhalen. Blouse vroeg zich af hoe iemand ooit in zo'n stad vol lawaai en vreemden kon wonen, maar hij zei niets. Hij glimlachte alleen tegen iedereen en gaf een hand als dat gepast leek.

Hij vond het inderdaad vreemd dat er geen eten werd opgediend, maar de taart was prachtig. Stel je voor, zijn eigen grote broer had hem geglazuurd en helemaal zelf al die krullen aangebracht en de namen en datum in roze.

Hij bracht zijn ouders met de trein van vijf uur naar huis. Er was geen sprake van een overnachting in Dublin, dat zouden ze niet hebben aangekund.

Brenda, zijn nieuwe schoonzus, was heel aardig geweest. 'Als we een iets groter huis hebben dan alleen een etage, moet je komen logeren, Blouse. Dat zouden we leuk vinden. Dan laten we je Dublin zien.'

'Dat zal ik een keer doen. Misschien rij ik dan wel de hele weg met de bestelbus,' zei hij trots.

118

Het was iets om over na te denken, zich op te verheugen. Iets om in het dorp te vertellen. 'Mijn schoonzus wil dat ik kom logeren.'

Zijn vader kreeg last van pijn in zijn borst en stierf drie maanden na Patricks huwelijk. Zijn moeder leek het te beschouwen als weer een tegenslag in het leven, zoals wanneer de kippen niet wilden leggen, of als er roest in de appelbomen zat. Blouse zorgde voor haar zo goed hij kon. En de tijd verstreek net als voorheen.

Vriendinnetjes waren er niet, omdat Blouse zei dat hij zich niet zo op zijn gemak voelde bij meisjes. Hij begreep niet waar ze om lachten, en zodra hij mee begon te lachen, hielden zij op. Maar hij was niet eenzaam. Hij ging zelfs op bezoek bij zijn broer en schoonzus in Dublin. En hij ging met de bestelbus.

Brenda en Patrick waren bezorgd of Blouse het wel zou redden in het drukke verkeer, maar dat was niet nodig: hij kwam zonder enige moeite bij hun huis.

'Ik had je moeten zeggen dat het eenrichtingverkeer is op de kaden,' zei Patrick.

'Dat was geen probleem,' zei Blouse. Hij zat gretig als een kind te wachten om bezig te worden gehouden.

Ze zaten gezellig te praten en ze vertelden dat ze een heel chic restaurant hoopten te gaan runnen voor een man die Quentin Barry heette.

'Allemaal dankzij Brenda,' zei Patrick trots. Ze had deze mogelijkheid precies op het juiste moment weten te vinden.

Quentin Barry had wat geld gekregen, Micks cafetaria gekocht, en hij wilde er een restaurant beginnen. Hij had een chef-kok en een manager nodig.

Als dat eens door zou gaan!

Als ze de zaak op gang kregen, hadden ze het helemaal gemaakt, want de man zou er bijna nooit zijn; dan konden ze hun eigen stempel op de zaak drukken.

Blouse was geen drinker, maar hij dronk een glas champagne met hen om het te vieren. Toen hij thuiskwam, zei zijn moeder dat Horse Harris was geweest om over de boerderij te praten.

'Wat wilde Horse weten?' Blouse was ongerust. Horse voorspelde altijd weinig goeds. Hij had blijkbaar over zaken gepraat met zijn moeder. Meer wilde ze niet zeggen. Blouse vroeg zich af of hij het aan Patrick moest vertellen, maar nee, ze waren zo bezig met de nieuwe zaak. Die Quentin had hen aangenomen, en ze konden het restaurant op hun eigen manier opstarten. Het was niet eerlijk om hen nu lastig te vallen met zaken als Horse Harris die naar de boerderij was gekomen, en mam die weigerde er iets over te zeggen.

Brenda schreef elke week een brief, met de regelmaat van de klok, en Patrick schreef altijd ook een paar regels onderaan.

'Ik begrijp niet waarom ze elke week al die onzin moet schrijven en er ook nog een postzegel op plakt,' merkte mevrouw Brennan op. 'Ze heeft gewoon niks om handen, dat is het probleem met haar.'

Maar Blouse vond het leuk. Hij vertelde een keer aan Horse dat hij elke week een brief uit Dublin kreeg.

'Je moet niet de moeite nemen om die twee te antwoorden. Ze zitten alleen maar achter de boerderij aan, dat is alles,' had Horse vernietigend gezegd.

Blouse ging zijn moeder haar beker thee brengen en vond haar dood in bed. Hij knielde naast haar en zei een gebed. Toen liet hij de dokter komen, de priester en Shay Harris, de begrafenisondernemer. Toen hij alles had geregeld belde hij naar Patrick en Brenda.

Er kwamen veel mensen naar de begrafenis.

'Je bent hier erg geliefd, Blouse,' zei Patrick tegen hem.

'Ach ja, ze waren allemaal gesteld op ma en pa,' zei Blouse.

Shay Harris vroeg of Patrick zijn spullen zou meenemen als hij terugging naar Dublin.

'Wat voor spullen?' vroeg Patrick.

Toen hoorden ze dat Shays broer Horse de kleine boerderij had gekocht. Zijn geld stond veilig op de bank, alles was wettelijk geregeld. Blouse zou er over een maand uit moeten.

Patrick was woedend, maar vreemd genoeg was Brenda het niet met hem eens. 'Hij zou hier veel te eenzaam zijn in zijn eentje, Patrick. Hij zou een kluizenaar worden. Zeg dat hij bij ons in Dublin moet komen wonen.'

'Blouse zou zich verloren voelen in Dublin,' vond Patrick.

Blouse kon het allemaal niet geloven. 'Ik ben zelfs te stom om érgens te kunnen wonen,' zei hij triest. 'Ik had je moeten vertellen dat Horse hier was geweest, maar ik was bang dat je zou denken dat je moest komen om hem nog een keer voor me in elkaar te timmeren.'

'De dagen dat ik anderen in elkaar sloeg zijn voorbij, Blouse,' antwoordde Patrick.

'Kom bij ons in de buurt wonen,' zei Brenda. 'Je hebt geld van de verkoop van de boerderij, dus je kunt een eigen onderkomen zoeken wanneer je maar wilt, en je zou ons goed kunnen helpen.'

'Hoe dan? Ik kan alleen akkers omspitten en schapen verzorgen en eieren rapen.'

'Kun je dat ook niet in Dublin voor ons doen?' stelde Brenda voor.

Patrick keek haar verbaasd aan.

'Nou ja, geen schapen verzorgen, maar we kunnen een volkstuin nemen.'

'Wat?'

'Een volkstuin. Je weet wel, Blouse, die hebben ze nu ook in provinciestadjes. Grote lappen grond waar iedereen een stuk van huurt om daar eigen groenten en zo te kweken.'

'En van wie is dat dan?' Blouse begreep het niet.

'Nou, van degene van wie het stuk grond is. Ik zal het je wel laten zien. Ze hebben schuurtjes waar je je schoppen en harken kunt zetten, en grote draadomheiningen waar je dingen tegen kunt laten groeien. En wat je kweekt houd je zelf.'

Zelfs zijn broer Patrick leek het een goed idee te vinden. 'Dat zouden we op het menu kunnen zetten: biologisch gekweekte groenten, verse scharreleieren,' zei hij.

'Maar waar moet ik dan wonen?' begon Blouse.

'Er zijn een heleboel kamers te huur bij ons in de buurt. Ik zal wel eens rondvragen,' zei Patrick.

'En later kun je natuurlijk bij ons komen wonen,' vulde Brenda aan. 'Achter en boven is een doolhof van kamers. Ze zijn nu in een erbarmelijk slechte staat, maar die worden nog opgeknapt. We hebben onze kamer boven klaar, dus als we tijd hebben om de rommel weg te halen, zullen we een van de kamers voor je schilderen. Dan kun jij de kleur verf en alles uitkiezen.'

Zijn moeder had hem nooit gevraagd wat voor kleur kamer hij mooi zou vinden. Blouse had altijd gele muren gewild en een wit plafond. Hij had een dergelijke kamer in een tijdschrift gezien en het leek hem heel vrolijk met een geruite sprei erbij. Nu zou hij zelf zo'n kamer krijgen.

'Ik zou er graag eens kijken om er een beeld van te krijgen,' zei hij.

Iets in de manier waarop hij dat zei, maakte dat Brenda en Patrick een brok in hun keel kregen.

Ze hadden talloze andere dingen te doen die veel belangrijker waren dan een onderkomen voor Blouse, maar zo leek het nu helemaal niet.

'Kom, dan laten we je zien waar je misschien komt te wonen,' zei Brenda.

Toen ze bij de bouwval kwamen die uiteindelijk hun restaurant zou worden, brachten ze Blouse naar de opslagruimten, bijgebouwen en kamers aan de achterkant, waar in geen jaren onderhoud was gepleegd.

Blouse vond een kamer die hem aanstond. Hij was niet iemand die er eerst over ging zitten praten. 'Zal ik er maar meteen aan beginnen, Brenda?' vroeg hij met zijn brede, argeloze glimlach.

Het leek wel of ze tranen in haar ogen had toen ze zei dat ze het een uitstekend idee vond, maar misschien had hij het zich maar verbeeld.

Hij zorgde voor een kruiwagen en haalde de rommel weg. Blouse wilde dat de kamer schoon en leeg zou zijn als alle meubels van thuis kwamen, van de kleine boerderij die Horse Harris had opgekocht. Ze zouden het bed brengen waarin hij zijn hele leven had geslapen, en de staande klok.

'Zal ik nog een paar kamers voor jullie uitruimen?' bood Blouse aan. 'Er komen heel wat meubels van thuis, en als jullie later je personeel woonruimte kunnen aanbieden, kun je ze misschien goedkoper inhuren.'

Ze keken hem met open mond aan. Alles begon nu overzichtelijk te worden, dankzij Blouse. En veel sneller dan iemand ooit had kunnen denken.

Patrick wist Horse Harris nog even apart te nemen voor ze met alle huisraad vertrokken in een grote, gehuurde vrachtwagen.

'Even goede vrienden, gelukkig?' zei Horse met de irritante grijns van iemand die wist dat hij de ietwat simpele Blouse en die pedante broer te slim af was geweest.

122

'Natuurlijk, Horse,' zei Patrick, en hij gaf hem zo'n stevige handdruk dat elke vinger aan Horse' hand had kunnen breken. Zijn pols werd er zo door verdraaid dat hij er een verrekte spier aan overhield.

Maar Horse had geen enkele reden tot klagen.

Blouse werkte hard in de volkstuin. Hij reed er elke dag heen in het oude bestelbusje dat van zijn ouders was geweest. Hij leerde nieuwe groenten kennen waar hij thuis nog nooit van had gehoord. Hij had twee dozijn kippen die grote eieren legden, en hij was van plan om er nog twee dozijn bij te nemen.

Soms hielp hij 's avonds achter de schermen mee in het restaurant. Blouse deed alles wat hem gevraagd werd. Hij zette de vuilniszakken buiten en ruimde de vaatwasmachines in. Hij ging uit Patricks huis en trok in een hutje naast de volkstuin om een oogje op de kippen te kunnen houden. Er hing 's nachts wel een slot op hun ren, maar hij was liever toch in de buurt.

Op een dag kwam een jonge vrouw bij hem langs. Ze stelde zich voor als Mary O'Brien en vertelde dat ze zijn adres had gekregen van mevrouw Brennan van Quentins. Ze wilde graag voor een tijdschrift een artikel schrijven over het houden van kippen en groenten kweken, en ze was benieuwd of hij haar meer informatie kon geven.

Ze gingen zitten en hij begon te praten. Hij streelde de veren van de kippen terwijl hij vertelde, en hij koos zaailingen uit om haar te laten zien hoe die geplant moesten worden.

Mary zei dat ze in geen tijden zo had genoten, en kon hij haar nu vertellen waar ze de bus terug naar kantoor kon nemen?

'Heb je geen auto?' Blouse vond haar echt iemand die een auto van de zaak had en die om de achttien maanden inleverde voor een nieuwe.

'Ik durf niet te rijden. Ik heb wel lessen genomen, maar ik raak altijd in paniek,' biechtte ze op.

'O, maar het is heel eenvoudig,' legde Blouse uit. 'Als je in paniek raakt, zet je gewoon je knipperlicht aan en dan ga je aan de kant staan. Dat heb ik jaren gedaan, en nu rij ik alsof ik vleugels heb.' Hij gaf haar een lift terug in zijn gehavende bestelbus, en deed af en toe of hij angstig werd.

'Die grote bus die daar aankomt, daar moet ik niets van hebben. Ik zie daar een lege plek, dus ik doe mijn knipperlicht aan en ga parkeren tot ik weer kalm ben.'

Mary O'Brien keek vol verbazing naar hem. 'Wil jij me alsjeblieft rijlessen geven?' vroeg ze.

'O nee, daar ben ik niet geschikt voor, ik ben maar een sukkel. Je moet naar een echte rijschool gaan. Die zouden het niet leuk vinden als zo'n halvegare als ik hun werk inpikt.'

Ze gaf hem een hand en zei dat ze een fotograaf langs zou sturen. 'Je bent geen sukkel, je moet jezelf niet zo omlaaghalen. Ik hoop echt je weer te zien,' zei ze.

Blouse voelde zich fantastisch. Hij wist dat ze het meende. 'Als je een aardige rij-instructeur hebt, kan ik misschien een keer mee op de achterbank, om je steun te geven,' zei hij.

'Dat lijkt me geen probleem,' zei Mary O'Brien.

Ze hadden geen zin om afscheid te nemen.

'Na dat artikel zul je beroemd zijn, Blouse Brennan. Ze zullen je een goeroe in zelfvoorziening noemen. Ik in elk geval, en dan volgt de rest ook.'

'Hoe is het mogelijk,' zei hij.

'O, wat je naam betreft, je broer zei dat je eigenlijk...'

'Ik vind Blouse prima,' zei hij vlug.

'Je hebt gelijk. Als ik zo'n naam had zou ik hem ook houden,' zei Mary O'Brien weemoedig.

'Ik bel je wel als de fotograaf is geweest,' zei Blouse Brennan, van wie nog nooit een professionele foto was gemaakt, en die nooit eerder een meisje had opgebeld.

Verlangens

Brenda was er zeker van geweest dat ze snel zwanger zou raken. Haar moeder had vijf dochters gebaard en er werd gesuggereerd dat het er wel meer zouden zijn geworden als ze niet aan langdurige onthouding had gedaan. Twee van haar zusters hadden zogenaamde bruidsnachtbaby's, en behalve haar vriendin Nora in Italië had iedereen die ze kende, kinderen. Soms was ze zelfs bang dat ze te vroeg zwanger zou raken en het allemaal niet aan zou kunnen. Dat had in die jaren af en toe door haar gedachten gespeeld. Maar nu ze achttien uur per dag werkten om Quentins op te zetten, in de uitputtende maanden dat ze de indeling van de keukens en het eetgedeelte moesten plannen en te maken hadden met aannemers en toekomstige leveranciers, kwam het niet eens meer bij hen op.

Toen er wat orde in was gekomen, na de opening van het restaurant en nadat Quentin met een gerust hart naar Marokko was vertrokken en de leiding aan hen had overgelaten, begon Brenda er weer aan te denken. Ze waren nu al jaren getrouwd, en ze waren allebei gezond en sterk.

'Zeg, wat kinderen betreft...' begon ze op een avond toen ze thee zaten te drinken in de keuken die ze per se in hun appartement boven de zaak wilden hebben. Ook al woonden ze boven een van de beste keukens van Dublin, ze wilden niet steeds naar beneden lopen als ze een bijvoorbeeld een eitje wilden bakken.

Ze zag Patricks ogen oplichten en hij pakte haar hand. 'Brenda, nee?' Zijn stem klonk zo hoopvol.

'Nee, helaas niet.' Ze probeerde luchtig te klinken en niet stil te staan bij het gevoel van verlies dat ze zojuist had opgemerkt.

Hij stond op om zijn gezicht te verbergen. 'Sorry, ik dacht alleen, toen je over kinderen begon...' mompelde hij met zijn rug naar haar toe.

Ze bleef stil zitten. 'Ik weet het. Ik wil het net zo graag als jij, Patrick. Dus vind je niet dat we er eens over moeten praten?'

'Ik dacht niet dat dat de manier was om kinderen te krijgen, door te praten.' Hij klonk ietwat opstandig. Meestal sprak hij niet op zo'n toon. Ze besloot het te negeren.

'Nee, dat ben ik met je eens, maar via de gebruikelijke methode lukt het ook niet. Dus ik vroeg me af of we ons niet eens moesten laten nakijken, als je begrijpt wat ik bedoel.'

'Ik begrijp wat je bedoelt,' zei Patrick, 'en het is niet bepaald iets waar ik om sta te springen.'

'Ik ook niet. Steeds wijdbeens over die beugels hangen en dat gedoe,' zei Brenda. 'Maar als het helpt, is het de moeite waard.'

'Als je afgaat op wat er in de kranten staat, wordt half Ierland al zwanger na een dronken scharrelpartijtje op een vrijdagavond,' mopperde Patrick.

'Zal ik dan een afspraak maken met dokter Flynn?' stelde Brenda voor.

'Kunnen we daar allebei terecht?' vroeg Patrick.

'Voor een gesprek wel, denk ik, en dan zal hij ons wel doorsturen voor testen.'

Ze dachten met tegenzin aan de hele onderneming. Die week maakten ze geen afspraak omdat de ventilatie zou worden geïnspecteerd. En de week erop ook niet, omdat Blouse Brennan en Mary O'Brien aankondigden dat ze gingen trouwen. En de week daarna evenmin, omdat er intensief contact was met de familie O'Brien, die overtuigd moest worden dat iemand die Blouse Brennan heette, wel de juiste man was voor hun dochter.

Daarna volgden de besprekingen met Quentins boekhouders, met de bank en met de notarissen. Zelfs het onderhoud met de schilder die het uithangbord zou maken, duurde veel langer dan ze hadden gedacht. Het zou bestaan uit dikke gouden letters op een donkergroene achtergrond. Een grote Q aan de voorkant en een hangbord met de rest van de naam opzij. Ze keken er vol ongeloof naar. Het was één woord. De schilder was de apostrof achter de n vergeten.

'Maar we hebben het je toch laten zien, Brian, kijk maar naar de tekening!'

'Ik weet het. Ik snap er zelf ook niets van.' Brian krabde op zijn hoofd.

'Brian, we hadden goede schilders zoals de Kennedy's kunnen nemen, maar we wilden jou op weg helpen, en wat gebeurt er? Heel Dublin zal ons uitlachen. We kunnen niet eens de naam van ons eigen restaurant spellen, zullen ze zeggen.'

Brian zag de twee ontzette gezichten naar het bord kijken. 'Weet je wat, jullie krijgen het voor niets,' zei hij vlug.

Ze vroegen Quentins mening tijdens zijn wekelijkse telefoontje. 'Eigenlijk vind ik die apostrof maar onzin. Wat mij betreft is het best zoals jullie schilder het heeft gedaan,' zei hij.

En zo gingen de weken voorbij zonder dat Brenda en Patrick zich een bezoek aan de huisarts meenden te kunnen permitteren over iets wat tenslotte geen acute ziekte was.

's Avonds, na hun lange, drukke dagen, staken ze hun armen naar elkaar uit in het grote tweepersoonsbed met de witte kanten gordijnen eromheen. Als ze al dachten dat de hele zaak misschien in orde zou komen voor ze het met dokter Flynn hoefden te bespreken, dan hielden ze dat allebei voor zich.

Blouse en Mary hadden een bescheiden bruiloft en gingen een week op huwelijksreis naar een biologische boerderij in Schotland. Ze kwamen vol ideeën terug over wat ze konden verbouwen. Blouse was nu een getrouwd man. Hij woonde niet langer in een hutje naast de volkstuin. Nee, ze hadden de kleine kamer aan de achterkant van Quentins samen met andere opslagruimten verbouwd tot een mooi, klein appartement.

Mary ging columns schrijven voor een krant, waar ze een erkend adviseur werd over het kweken van groenten op een beperkte ruimte. Ze verscheen zelfs in televisieprogramma's als expert op dat gebied. Met haar dansende rode krullen en glinsterende ogen sprak ze over haar man Blouse, zonder enige onbehaaglijkheid wat de naam betrof, maar vol trots over de persoon.

Blouse kreeg met de dag meer zelfvertrouwen, en hij had er nooit zo gelukkig en zelfbewust uitgezien als op de dag dat hij Patrick en Brenda vertelde dat ze een kind verwachtten. Ze waren vier maanden getrouwd, en nu al kwamen ze met het grote nieuws.

Ze slaagden erin enthousiast te doen en hun jaloezie te verbergen tot ze die avond alleen waren in hun slaapkamer. Ze probeerden blij te zijn voor Blouse en Mary, maar het was moeilijk. Ze vonden het gewoon oneerlijk. En hoewel ze naast elkaar zaten, was er een diepe kloof tussen hen. Hun schouders raakten elkaar niet eens.

'Het komt wel goed,' zei Brenda.

'Natuurlijk,' zei Patrick.

'Morgen zal ik dokter Flynn bellen,' beloofde ze. 'Dan mag hij met zijn toverstokje zwaaien.'

Toen ze naar bed gingen, sloeg ze haar arm om hem heen. In slechte tijden wisten ze elkaar troost te bieden. Zo vaak had de liefde de zorgen van de dag doen verdwijnen.

Maar die avond niet.

'Ik ben moe, schat,' zei hij, en hij draaide zich om, weg van haar.

Brenda lag de hele nacht naar de wanden vol foto's en herinneringen te kijken. Zelfs toen haar ledematen pijn gingen doen van vermoeidheid, kon ze de slaap niet vatten.

Dokter Flynn was aardig en zakelijk, en daardoor vonden ze hem niet opdringerig toen hij informeerde wanneer de laatste penetratie had plaatsgevonden. Hij verwees hen beiden naar het ziekenhuis voor testen, en vroeg of ze over zes weken wilden terugkomen.

Het was een vreemde tijd. Ze bedreven maar twee keer de liefde, en een derde keer toen het veelbelovend had geleken, zei Patrick dat het geen zin had omdat het niet het juiste tijdstip van de maand was en er toch niets uit zou komen.

En al die tijd klopte Mary trots op haar buikje en had Blouse het over de verantwoordelijkheden als vader die hem te wachten stonden.

Elke vrouw die Brenda tegenkwam leek het opeens over kinderen te hebben. Of het waren schatten en zo lief dat ze het niet konden verdragen om naar hun werk te gaan en hen achter te laten. Of het waren ettertjes, ondankbaar en met een grote mond, en als hun moeders wettelijk van ze af konden komen, dan zouden ze dat meteen doen.

Brenda luisterde en glimlachte.

De enige die haar begreep was haar vriendin Nora, kilometers ver weg op Sicilië. Nora, die nooit aan de dorpelingen kon vertellen dat ze van Mario hield, hoewel velen het waarschijnlijk vermoedden. Sommige mensen zeiden tegen de signora – want zo noemden ze haar, en nooit Nora – dat ze blij mocht zijn dat ze geen kinderen had en niet de problemen hoefde mee te maken die zij moesten doorstaan. Maar Nora zat voor haar raam en keek hoe Mario op het plein speelde met zijn zoons. Wat verlangde ze ernaar een baby met donker krulhaar van hem in haar armen te houden. Ze verlangde er zo hevig naar, dat ze bijna geloofde dat hij Gabriella en zijn andere kinderen in de steek zou laten als zij een baby van hem kreeg.

Maar gelukkig had ze die theorie nooit uitgeprobeerd.

Brenda schreef naar Nora wat ze nooit naar een ander in haar buurt kon schrijven. Ze schreef op een avond, toen Patrick in diepe slaap lag op zijn helft van het bed:

Hij houdt niet meer van me. Hij wil me alleen aanraken als ik op mijn vruchtbaarst hoor te zijn. Volgens de testen is er niets wat een bevruchting kan verhinderen. Mijn ovulatie is normaal. Patricks sperma is gezond. Ze zeggen steeds dat we nog niet aan vruchtbaarheidspreparaten toe zijn. Patrick vraagt zich af hoe oud we moeten zijn om die te krijgen. Ik weet het niet meer, Nora, echt niet. Je hoort steeds dat mensen wel elf embryo's krijgen na een vruchtbaarheidsbehandeling. En Mary en Blouse krijgen volgende week hun baby. En dan moet ik doen alsof ik blij ben en het prachtig vind. Ik vind het zo gemeen van mezelf dat het niet zo is.

Patrick wilde er niet over praten. 'Wat bedoel je met hoe ík het vind dat Blouse een kind kan maken en ik niet? Hoe dénk je dat ik dat vind?' snauwde hij.

'Zo heb ik het niet gezegd.' De tranen sprongen Brenda in de ogen.

'Maar dat bedoelde je wel, Brenda. De zot van de familie kan zijn vrouw wel zwanger maken, en dat kun je niet van zijn oudere broer zeggen.'

'Ik wil niet dat je zo over Blouse praat, Patrick. Dat heb je nog nooit gedaan. En dat accepteer je ook niet van anderen. Hij vertelde me dat je altijd naar het schoolplein ging om pestkoppen die hem uitscholden een pak slaag te geven, en nu doe je het zelf.'

Hij schaamde zich, dat kon ze zien, want hij liet zijn hoofd hangen. 'Sorry. Ik weet niet wat me bezielde.'

'Hetzelfde als wat mij steeds bezighoudt. Een verlangen naar een eigen kind. Geen wonder dat we van slag raken, Patrick.'

'Jij bent helemaal niet van slag. Je bent juist zo kalm,' zei hij.

'Nee, dat is mijn manier om ermee om te gaan, doen of alles normaal is, en dan wordt het misschien normaal.'

'Het spijt me, Brenda. Voor jou is het ook zwaar. Ik probeer me niet te verontschuldigen. Alleen vraag ik me wel eens af waar het allemaal goed voor is, als ik aan het eind van de dag doodmoe ben.'

'Wat allemaal?'

'Al dat gezwoeg. Waar doen we het eigenlijk voor?'

Brenda dacht dat ze het voor henzelf deden, voor elkaar, om hun gezamenlijke droom waar te maken. Maar ze wist dat ze op haar woorden moest passen. 'Ik weet het, zo voel ik het ook,' zei ze langzaam.

'O ja?' Hij leek verbaasd.

'Natuurlijk, Patrick. Hoe denk jij dan dat ik me voel?'

'Nou ja, omdat je vorige maand zei... toen we wisten dat het weer niet was gelukt... dat je toen zei dat het nu misschien maar het beste was.'

'Wat had je dan gewild? Dat ik uit de badkamer had geschreeuwd waar iedereen bij was, de leveranciers, de klanten, Blouse en Mary en iedereen die toevallig langskwam, dat we er weer niet in waren geslaagd om een kind te maken? Had ik in huilen moeten uitbarsten en iedereen van streek moeten maken? Zeg het maar, dan kan ik het de volgende maand op de juiste manier doen.'

Hij sloeg zijn armen om haar heen en ze bleef wel een kwartier tegen zijn borst huilen voor het schokken van haar schouders afnam. Toen hield hij haar van zich af en keek naar haar door tranen vlekkerige gezicht. 'Kom, zet je beste gezicht op voor ons beiden, mijn dappere Brenda Brennan,' zei hij, en voor het eerst sinds tijden kuste hij haar.

Mary en Blouse kregen een jongetje. Ze noemden hem Brendan Patrick. Hij was volmaakt.

Brenda ging elke dag bij hem kijken. Zijn vingertjes kromden zich over de hare. Hij glimlachte slaperig naar haar. Hij hield op met huilen als ze hem oppakte. Ze kon goed met kinderen omgaan. Op een dag zou ze zelf een kind hebben.

Ze belde dokter Flynn op en zei dat ze alle vruchtbaarheidsbehandelingen wilde ondergaan die er bestonden, ook al waren die nog in een experimenteel stadium. Hij drong aan dat ze verder zouden afwachten. Ze zei dat daar geen sprake meer van kon zijn.

Ze bleef verrukt glimlachen over de kleine Brendan Patrick. Ze was er zeker van dat niemand aan haar gezicht kon zien hoe ze verlangde naar een eigen kind. Maar op een dag kon ze door haar vaardigheid in liplezen een gesprek tussen Blouse en Mary volgen.

'Wat leuk hè, dat Brenda zo dol op hem is,' zei Blouse.

'Ja, maar ik vind dat we niet zo over hem moeten opscheppen,' zei Mary.

'Opscheppen? Ze praat toch net zo vol bewondering over hem als wij?' Blouse was verbaasd.

'Maar misschien had ze zelf wel een baby willen hebben,' zei de kleine Mary O'Brien met de rode krullen en de volmaakte, pasgeboren baby.

Er waren oorzaken voor het feit dat de behandeling niet leek aan te slaan. Het kon liggen aan hoge bloeddruk, allergieën, aan zoveel... De wachtlijst voor een reageerbuisbevruchting was heel lang. Het drong nooit goed tot Brenda door wat het probleem steeds was, omdat de teleurstelling haar zo in beslag nam, en de harde lijnen op Patricks gezicht werden steeds dieper.

Dokter Flynn probeerde het uit te leggen. Hij kreeg het idee dat hij tegen twee stenen muren sprak. Hij had het erover dat ze hun oude, gelukkige seksleven weer moesten oppakken. Hij bracht voorzichtig adoptie ter sprake. Dat bleek vaak heel goed te werken: als de ouders niet meer zo gespannen waren, kon daardoor juist een bevruchting plaatshebben.

Ze zeiden niets.

Dokter Flynn zei dat adoptie niet meer zo makkelijk was als vroeger, omdat er te veel gegadigden waren voor een beperkt aanbod. Ongetrouwde meisjes stonden hun kinderen niet meer af aan weeshuizen of ter adoptie. Veel beter natuurlijk, maar vervelend voor adoptieouders.

En dan was de leeftijd natuurlijk ook een factor. Mensen van boven de veertig kwamen eigenlijk niet meer in aanmerking voor adoptie, dus moesten ze haast maken als ze zich wilden opgeven.

Voor de buitenwereld was er niets veranderd, maar wel voor het uitstekende team Brenda en Patrick Brennan. Alleen hun naasten vermoedden dat er iets mis was. Blouse en Mary dachten dat ze overwerkt waren, want ze lachten lang niet zoveel meer als vroeger. Brenda's moeder merkte niets bijzonders, alleen dat ze een bits antwoord kreeg als ze informeerde of ze nooit aan kinderen dachten.

Quentin Barry merkte tijdens zijn wekelijkse telefoontjes dat de vonk leek te zijn verdwenen bij Brenda.

Hij schreef het toe aan spanning, regels en onzekerheid. 'Maak je niet ongerust,' drukte hij hun vriendelijk op het hart in zijn brieven. 'Ik weet dat het nog heel lang zal duren voor we winst maken. Mijn boekhouder blaft harder dan hij bijt. We zullen er samen iets moois van maken; jullie mogen niet jullie passie en enthousiasme verliezen.'

Patrick en Brenda hadden die instructie misschien met een wrang lachje gelezen, maar ze zeiden er niets over tegen elkaar. Ze waren nu al maanden eten aan het opdienen en steeds alles aan het veranderen.

Er waren zoveel kinderziekten. Wie had kunnen denken dat het parkeren een nachtmerrie zou worden. Taxibedrijven kwamen hun afspraak niet na. De aanvoer van verse vis was heel wisselend. Bekende mensen gebruikten creditcards die waren verlopen. Klanten stalen asbakken en linnen servetten. Ze werden door schade en schande wijzer. Voor het eerst moesten ze een eigen bedrijf bestieren. Of dat van Quentin. Hij had gezegd dat ze het als hun eigen zaak moesten beschouwen.

Maar als Brenda Patrick zag zuchten, moest ze weer denken aan wat hij had gezegd: 'Waar doen we het eigenlijk allemaal voor?' En dan werd ze heel verdrietig.

Tegen het einde van het eerste jaar was Brenda erg afgevallen. Ze zag er afgetobd uit. Mary, de vrouw van Blouse, die alleen maar mooier leek te worden door het moederschap, wist daarnaast ook nog een reeks banen aan te houden. Via haar contacten had ze veel publiciteit weten te krijgen voor hun eerste jubileum.

Drie avonden voor het jubileumfeest, toen elke mogelijke ramp was gebeurd, waren Patrick en Brenda om drie uur in de ochtend nog in de keuken. Ze hadden een dag achter de rug waarin een auto achteruit door een van de ramen was gereden. Overal lagen glasscherven en de gierende wind ging tekeer tot alles was afgetimmerd; het leek wel of er een bom was gevallen. Er was ook een gaslek geweest, een plank met waardevolle spullen was naar beneden gekomen, en een van de damestoiletten was overgelopen. Iemand had de vis teruggestuurd omdat 'er een rare lucht aan zat'. De andere gasten die vis hadden besteld, voelden zich opeens niet meer op hun gemak, hoewel hun vis tot dat moment prima had gesmaakt. Een van de obers had ontslag genomen omdat het bedrijf volgens hem een rotzooi was en nooit een toprestaurant kon worden.

'Waar doen we het eigenlijk voor?' zei Patrick weer.

'Wat, Patrick?'

'Je hebt me toch gehoord? Waar doen we het voor? Ik ben doodop. Jij bent vel over been. Je lijkt wel twintig jaar ouder. We zijn gek geweest om hieraan te beginnen. Hartstikke gek.'

'Was het wel de moeite waard geweest als we een kind hadden of een kind zouden verwachten? Zou zo'n rotdag als vandaag dan zin hebben gehad?'

'Natuurlijk, dat weet je.'

'Nee, dat weet ik niet. Dan zouden we net zo moe zijn geweest, en zelfs nog erger.'

'Je weet wat ik bedoel. Dan had het allemaal een doel gehad. Uiteindelijk wel.'

'En nu heeft niets een doel, zeg je?'

'Je zoekt ruzie, Brenda. Daar is het veel te laat voor.'

'Je hebt gelijk. Ga maar naar bed.'

'En jij dan?'

'Dadelijk. Ga jij maar vast.'

Patrick sjokte de deur uit en de trap op.

Brenda keek om zich heen in de ruimte waar ze sinds zeven uur 's ochtends had gewerkt. Twintig uur. Ze liep bedachtzaam naar een spiegel die ze op een strategisch punt hadden opgehangen opdat het personeel er nog even een laatste blik in kon werpen voor ze naar de eetzaal gingen. Vel over been, had hij gezegd. Twintig jaar ouder, had hij gezegd.

Ze schreef een kort briefje voor Patrick.

Sorry, maar ik heb geen zin om vannacht bij jou in bed te slapen. Niet als je vindt dat ik er oud en verlept en ellendig uitzie. Niet als je nergens het nut van inziet. Ik ga de nacht, of wat er nog van over is, bij een vriend doorbrengen. Maar wat ik verder ook mag zijn, een vakvrouw ben ik in elk geval. Ik kom morgen om twaalf uur terug voor de fotosessie die Mary heeft geregeld, en om mijn lunchdienst te draaien. Ik vind het niet nodig om hier tegen iemand iets over te zeggen, dus hoef jij dat ook niet te doen.

Brenda

Ze zette de brief op het nachtkastje naast hem. Hij lag in diepe slaap met zijn arm naar haar kant van het bed, zoals hij al jaren had geslapen. Ze pakte haar jas, wat schone kleren en wat toiletartikelen, en stapte naar buiten, in de vroege ochtend van Dublin.

Ze nam een taxi naar Tara Road, waar Colm een restaurant had. Hij was een ex-alcoholist, die licht sliep. Ook hij woonde boven zijn restaurant. Ze maakten altijd grapjes dat ze concurrenten waren, maar in deze groene buitenwijk kwamen heel andere klanten dan Quentins zakenlui.

Ze belde aan en hij deed klaarwakker open. 'Brenda Brennan, in eigen persoon!'

'Colm, mag ik vannacht blijven slapen, of wat er tenminste nog over is van de nacht?'

'Natuurlijk. Wil je thee en geroosterd brood, of wil je liever meteen gaan slapen?'

'Thee en geroosterd brood, graag,' antwoordde ze.

Hij vroeg niet waarom ze was gekomen, en een halfuur later ging ze naar bed in Colms logeerkamer en sliep tot tien uur.

'Zie ik er vel over been en twintig jaar ouder uit, Colm?' vroeg ze tijdens een ontbijt van meloen, champagne, sinaasappelsap en een vers broodje.

'Nee, en alleen een oververmoeide echtgenoot in paniek over zijn restaurant zou zoiets zeggen. Ga je terug?'

'Natuurlijk. Ik ben een vakvrouw.'

134

'En je houdt van hem?' zei hij smekend.

'Misschien.'

'Nee, voor altijd,' zei hij.

'Wil je in elk geval een taxi voor me bellen, Colm? En je bent de beste vriend die iemand zich kan wensen.'

De taxi kwam binnen vijf minuten. Elf minuten later werd de taxi geraakt door een grote vrachtauto. Hij botste tegen de kant waar Brenda zat. Ze kreeg een klap tegen haar hoofd en raakte meteen buiten bewustzijn. Daarna wist ze niets meer.

Brenda was nog nooit te laat op een afspraak gekomen. Patrick begon zich ernstig zorgen te maken. Ze had gezegd dat ze terug zou komen. Hij vroeg zich af naar welke vriend ze was gegaan. Was hij maar niet zo humeurig geweest. Waarom had hij haar niet gewoon omhelsd en gezegd dat ze zouden praten als ze wat rustiger waren? Brenda was niet haatdragend; ze zou nooit een scène maken op een belangrijke dag als deze.

Toen ze niet was teruggekomen voor de fotosessie werd hij echt ongerust. Hij had geprobeerd iedereen gerust te stellen, en erop gestaan dat Blouse, Mary en het nieuwe personeel ook werden gefotografeerd. Hij zei dat er altijd op het laatste moment dingen waren die geregeld moesten worden.

Ze dienden met een tekort aan personeel de lunch op. Hij verwachtte dat ze elk moment de keuken in zou komen en haar jas uit zou doen. Maar ze was er nog steeds niet toen de lunch allang voorbij was.

Die middag kwam ze evenmin opdagen. Hij was nu doodongerust. Om zes uur belde hij de politie. Die waren niet erg behulpzaam. Een huiselijke onenigheid om drie uur in de ochtend! Ze vonden het vervelend voor hem, maar ze konden hun tijd beter gebruiken. De meeste vermiste personen kwamen gewoon naar huis, zeiden ze. Hij moest haar vrienden maar eens bellen.

Hij had geen idee wie hij moest bellen. Hij kwakte het eten op de borden voor het diner zonder enig idee te hebben wat hij opdiende.

Het was niets voor haar om zo bij hem weg te gaan.

In het ziekenhuis zochten ze naar iets wat hun kon vertellen wie de donkerharige vrouw was. Ze hadden alleen een bos sleutels en wat geld in haar zakken gevonden, en schone kleren in een weekendtas. Geen enkel gegeven over iemand met wie ze contact konden opnemen.

Tijdens het diner ging Patrick weer naar boven. Hij zag Brenda's handtas op de vloer naast de kaptafel staan. Ze was zonder iets vertrokken. Ze zou toch niet zijn weggegaan om zelfmoord te plegen? Dat was niets voor haar. Hij wilde Blouse en Mary er niet bij betrekken; Blouse was zo argeloos en bezorgd. Maar tegen elf uur die avond moest hij het hun wel vertellen.

Hij zat in de keuken te huilen en ze wilden weten waarom.

'We gaan de ziekenhuizen bellen,' zei Mary.

Ze kozen zes grote ziekenhuizen en probeerden er elk twee.

Blouse vond haar bij zijn eerste poging.

'Lang, steil, donker haar, meestal opgestoken in een vlecht,' zei hij, trots dat hij dat allemaal wist te melden.

Patrick vroeg zich af of hij zo'n goede beschrijving had kunnen geven. Hij greep de telefoon beet. 'Leeft ze?' snikte hij. 'Goddank. Goddank.'

Ze was even bij kennis gekomen en had verward iets gezegd over Patrick en Quentin, maar ze hadden geen idee waar ze het over had. Ze lieten haar nu slapen.

Blouse stapte uit de bestelbus. Patrick zat met zijn hoofd in zijn handen. Had hij echt tegen die fantastische, sterke, trouwe vrouw gezegd dat niets zin had? Had hij haar het huis uit gejaagd omdat ze het niet eens meer kon verdragen om naast hem te liggen? Het enige wat ertoe deed was Brenda, dat had hij diep vanbinnen altijd geweten. Waarom had hij het nooit toegegeven en het tegen haar gezegd? God, alsjeblieft, als hij dat nog maar jaren tegen haar zou mogen zeggen.

Hij bleef de hele nacht naast haar bed zitten en streelde over haar magere, bleke wangen. Hij hoorde vaag dat ze hem vertelden over het ongeluk van de taxi en de vrachtwagen. Ze was onderweg naar huis geweest toen het gebeurde.

Tegen de ochtend werd ze wakker. Hij legde zijn hoofd op haar borst en huilde alsof zijn hart zou breken.

Ze had geen hersenschudding en maar een paar blauwe plekken, alleen een shock. Ze had geboft. De taxichauffeur had ook geluk gehad. Iedereen was er goed van afgekomen.

'Misschien kan ik het feest toch nog bijwonen,' zei ze.

'Je betekent alles voor me, Brenda. Alles, hoor je me? Als jij er bent heb ik niets meer nodig. Ik hou zo veel van je. En wij hebben samen nog een hele toekomst voor ons.'

Iedereen was die avond aanwezig op het eerste jubileum van Quentins. Het was een schitterend feest zoals ze lange tijd niet hadden meegemaakt in Dublin, en ze zouden een bepaald moment nooit vergeten.

Dat was het moment dat Patrick Brennan de hand van zijn vrouw pakte en die stevig vasthield. Hij keek naar de aanwezigen en liet zijn stem iets dalen.

'Brenda en ik hebben een prachtige baby en dat willen we vanavond met jullie vieren. De baby is één jaar, en we hebben jullie allemaal uitgenodigd om te vieren dat ons restaurant één jaar bestaat, een plek waar we vrienden en onbekenden welkom heten. Het is niet zo prachtig als een echt doopfeest voor een echte baby, maar voor ons is het alles wat een echt doopfeest behoort te hebben, met het gevoel dat ons allemaal een hoopvolle toekomst wacht. Dus willen jullie drinken op onze baby, Quentins, en ons alle goeds wensen in wat het verdere leven ons allemaal zal brengen?'

Zelfs de meest geharde journalisten en doorgewinterde feestgangers waren stil toen Patrick Brennan zijn magere, elegante vrouw Brenda kuste. Naarmate de jaren verstreken zeiden de mensen dat Brenda Brennan niet had gehuild, dat hadden ze zich vast verbeeld. Maar degenen die erbij waren geweest, wisten dat ze het zich niet hadden verbeeld. En niet alleen de Brennans hadden gehuild. Alle aanwezigen hadden blijkbaar een traantje weggepinkt.

Deel twee

5

Er waren zoveel verhalen over Quentins dat het moeilijk was om te kiezen welke ze zouden gebruiken. Een film maken kostte veel geld. Ze bogen zich ongerust over hun budget. Sandy had wat spaargeld dat ze graag in het fonds wilde storten. Nick nam een hypotheek op zijn flat, en dat leverde een aanzienlijk bedrag op. Maar als ze een film gingen maken die prijzen zou winnen, dan moesten ze hoge eisen stellen aan de productie, en dat hield in dat ze een flinke bijdrage moesten vragen aan de King Stichting. Ze hadden het aanvraagformulier ontvangen en vulden het met zorg in.

'Ik zal veel harder dan jullie moeten werken, want ik kan niets investeren,' zei Ella. 'Dus heb ik vandaag een fles champagne meegebracht die ik gisteren bij Colm van een klant heb gekregen. Moet je nagaan, hij zei dat hij me niet wilde beledigen door geld te geven. Als hij eens wist hoe graag ik beledigd had willen worden met geld!'

Ze haalden lachend glazen tevoorschijn en schonken de champagne in. Ze brachten een dronk uit op Firefly Films en de King Stichting in New York.

Toen de fles champagne leeg was, zei Nick dat ze realistisch moesten zijn. Ze probeerden iets voor elkaar te krijgen wat ver buiten hun bereik lag. 'Het gaat nu niet om een makkie,' zei hij fronsend.

Sandy probeerde er luchtig over te doen. Ze vond het vreselijk als Nick zo verontrust zijn wenkbrauwen fronste.

'Ach, veel makkies maken één grote, zo is het toch?' zei ze.

Hij glimlachte flauwtjes. 'Sandy, ik zeg alleen hardop wat we allemaal denken. Misschien komen we op nog een fantastisch idee. Door Ella zijn we nu zo ver gekomen. Nu hebben we nog één grote sprong nodig.'

Ella zag de schaduw over Sandy's gezicht trekken. 'We zijn niet door mij zo ver gekomen. Sandy heeft het hele voorstel geschreven, waardoor we in aanmerking zijn gekomen. En trouwens, zodra ik deze champagne op heb, ga ik jullie verlaten om nog een baantje te zoeken. Ik vind het vreselijk, maar jullie weten hoe de zaken ervoor staan.'

'Zitten je ouders al in de schuur?' vroeg Nick.

'Ja, wij allemaal, maar we noemen het de dependance, dat klinkt beter.'

'Is het erg benauwd?' informeerde Sandy.

'Dat valt best mee, tot mijn verbazing. Colm kende een aannemer van vroeger, en ze helpen elkaar wel eens. Die man heeft het prachtig verbouwd, met grote dakramen, dus er valt in elk geval voldoende licht naar binnen en er is een heleboel opslagruimte, dus mijn moeder kan spullen bewaren voor wanneer we weer uit de schulden zijn. Ik kan er zelfs mijn spullen kwijt.'

'En lukt dat? Uit de schulden komen?' Nick nam geen blad voor de mond.

'Dat weet ik niet. Ik denk het niet, maar het is een begin, en mijn vader is weer tot rust gekomen. Ik dacht even dat we hem naar een psychiatrische inrichting moesten brengen. Iedereen weet dat hij alles zal doen om hun terug te betalen; dat is een pluspunt. En twee appartementen in wat we nu het grote huis noemen, zijn al verhuurd. Eind volgende week zijn er weer twee klaar. Nou, dat is niet slecht.' Ze dwong zich om opgewekt te klinken.

Sandy en Nick knikten vol bewondering. Vergeleken bij wat de Brady's moesten doorstaan, stelden hun problemen niets voor. Ze zouden het geld voor hun project vinden, of anders niet. In elk geval waren zij niemand geld schuldig.

'Wat voor werk ga je doen?' vroeg Nick.

'Deirdre heeft een parttime baantje op haar laboratorium geregeld. Ik ga twee avonden bedienen bij Colm, twee avonden bij Scarlet Feather – je weet wel, je vrienden Tom en Cathy – en de weekends bij Quentins en, luister goed, ik ga twee uur per week bijles geven in wiskunde en de grondbeginselen van natuurwetenschappen aan een tweeling! Dat is me een stel. Ze vragen steeds of ik bij de nieuwe armen hoor. Ik weet niet waar ze die uitdrukking vandaan hebben, maar ze vinden hem schitterend.'

'Zo te horen blijft er niet veel tijd over voor een sociaal leven,' merkte Nick op.

'Ach, Nick, de afgelopen twee jaar heb ik genoeg sociaal leven gehad,' zei ze met een wrang glimlachje.

'Was het zo lang?' Hij realiseerde zich bedroefd dat haar verhouding al die tijd had geduurd.

'Zo ongeveer,' zei ze. 'Met geven en nemen. In mijn geval was het meer geven, maar wat telt dat nog?'

Naderhand vroeg Sandy haar in vertrouwen: 'Denk jij dat Nick iets om me geeft, Ella, of verspil ik mijn tijd?'

'O, ik denk dat hij heel veel om je geeft, Sandy. Maar luister alsjeblieft niet naar mij. Wat weet ik van mannen en wat ze wel of niet willen? Helemaal niets.'

Deirdre zei dat Nuala de volgende week over zou komen. 'Leuk, dan trakteren we haar op een fles wijn,' zei Ella. 'Eens even kijken... het kan na middernacht of tussen vier en zes uur, op woensdag en zaterdag.'

'Mijn god, ik kan niet wachten tot je weer voor de klas gaat staan en normale werkdagen hebt.'

'Ik ga niet terug,' zei Ella.

'Natuurlijk wel.'

'Dat kan ik me niet veroorloven,' zei Ella. 'Laten we gaan picknicken op Stephen's Green. Dat zal Nuala leuk vinden, en dan kan ik om zes uur weer bij Quentins zijn.'

'Ik zal het voorstellen,' zei Deirdre.

'Slecht nieuws, Ella. Ik zal het maar gewoon zeggen. Nuala wil je niet ontmoeten op Stephen's Green.'

'Oké, waar dan wel?'

'Dat is het hem juist. Ze wil je helemaal niet zien.'

'Dat geloof ik niet.'

'Mevrouw heeft het zelf gezegd.'

'Is ze niet goed bij haar hoofd of zo?'

'Het heeft te maken met Don. Haar man en zijn broers hebben een hoop geld verloren door Richardson. En dat zit haar blijkbaar niet lekker.'

'Nee, dat geloof ik. Dat geldt ook voor een heleboel andere ge-dupeerden. Maar waarom wil ze míj niet zien? Ik heb haar geld toch niet, verdomme!' Ella was gekwetst en kwaad.

'O, ik weet niet, iets over dat jij een leuke tijd in Spanje hebt gehad van Franks geld.'

'Wat een trut. Ik kan net zo goed lopen klagen dat ik op het feest van háár schoonouders Don ben tegengekomen en dat daar-door mijn leven is verziekt.'

'Laat nou maar, Ella. Ze is het niet waard.'

'Maar jij spreekt wel met haar af?'

'Niet als jij het niet wilt.'

'O, ga maar, hoor! Wat kan mij het schelen.'

'Toe, Ella!'

'Nee, het kan me niks schelen. Zo'n kleinzielige, bekrompen figuur kan er ook nog wel bij.'

'Ze was vroeger een vriendin van ons.'

'Dat is ze blijkbaar snel vergeten.'

Deirdre zuchtte. 'Ik zal je wel vertellen wat ze heeft gezegd.'

'Je moet doen wat je niet laten kunt.'

'Ik neem haar mee naar Quentins op een tijdstip dat je er niet werkt.'

'Ja, zorg daar vooral voor. Ik heb de neiging om hete soep over iemand heen te gooien,' zei Ella.

Het was tijd voor Ella's wekelijkse bijles voor Simon en Maud. Ze woonden bij hun grootouders in St.-Jarlath's Crescent. Het waren intelligente kinderen, maar ze liepen wat achter met wiskunde. Cathy Scarlet was een soort nicht van hen. Ella had geleerd om in dit soort gevallen niet naar details te vragen. Maar ze had ook nog nooit kinderen zoals Simon en Maud meegemaakt. Ze wilden haar per se hun hele levensverhaal vertellen: dat ze familie waren van Cathy's ex-man, de advocaat Neil Mitchell, maar na allerlei avon-turen en rechterlijke vonnissen nu bij Cathy's ouders, Muttie en Lizzie, woonden.

Ze hadden een hond. Hij heette Hooves en hij liep mank. Ze hadden een broer die op de vlucht was voor de politie. Die pro-beerde hem in diverse landen te pakken te krijgen. Ze hadden een eigen paspoort, want dat moesten ze hebben toen ze in Chicago bij een doopfeest gingen dansen. In het vliegtuig hadden ze de cockpit mogen zien. En in Chicago hadden ze...

'Dat zal wel, maar ik denk dat we nu beter aan de sommen kunnen beginnen.'

'We vervelen je toch niet?' informeerde Simon ernstig. 'Ze zeggen wel eens dat we zo druk zijn.'

'Nee, jullie vervelen me helemaal niet,' zei Ella naar waarheid. 'Maar ik word betaald om jullie bijles te geven, en ik wil niet oneerlijk zijn tegenover jullie grootouders.'

'Eigenlijk zijn ze niet onze echte grootouders,' begon Simon.

'Dus heb ik dit boek meegebracht. Het is makkelijker dan het boek dat jullie op school hebben, maar als we dit eerst doornemen en het wat duidelijker is voor jullie, dan pakken we jullie boek van school erbij.'

'En kunnen we echt met je praten als het duidelijk is voor ons?' vroeg Maud.

'Natuurlijk,' zei Ella gevleid.

'Want we mochten niets vragen omdat je nu zo zielig bent, maar we willen het toch wel weten,' legde Simon uit.

Ella legde een hand over haar gezicht om haar glimlach te verbergen. 'Ik zal jullie alle details vertellen zodra jullie deze vergelijkingen hebben opgelost,' beloofde ze.

'Je gaat toch niet de hele lunch naar me kijken alsof ik een crimineel ben of zo?' zei Nuala.

Deirdre haalde haar schouders op. 'Nee, want ik ben ervan overtuigd dat je een goede reden hebt om je als een eersteklas hufter te gedragen.'

'Toe, Deirdre, dat soort taal is toch niet nodig?'

'Nou en of. Ella heeft genoeg aan haar hoofd. Ze verheugde zich er zo op om jou weer te zien, en jij spuugt zowat in haar gezicht.'

'Maar Dee, ze wist toch wat ze deed toen ze op vakantie ging van Franks geld en de investeringen van zijn familie. Je hebt geen idee wat een rotzooi die Don Richardson heeft achtergelaten.'

'Ze heeft een paar dagen met hem doorgebracht, tijdens een schoolvakantie, en ze heeft haar eigen vliegticket betaald, sukkel die je bent.'

'Maar ik heb gehoord...'

'Je hebt gehoord wat je wilde horen, Nuala. Ik weet wat er is gebeurd, en ook dat de man die ze op jóuw feest heeft ontmoet, haar heeft belazerd, vernederd, en haar vader heeft beroofd van zijn goede naam en zijn huis. Het kan me niet schelen wat je wel of niet weet. Kijk naar de feiten: Ella werkt zestien uur per dag om terug te verdienen wat die klootzak haar ouders heeft ontfutseld. En dan wordt het haar niet eens gegund om gezellig te picknicken met iemand die ze als een vriendin beschouwde.'

Er viel een lange stilte.

'Waarom ben jíj dan gekomen, als je er toch zo over denkt?' zei Nuala uiteindelijk met een klein stemmetje.

'Om het jou recht in je gezicht te zeggen.'

'Zeg alsjeblieft tegen haar dat het me spijt. Ik heb gewoon niet nagedacht.'

'Nee, ik zeg niets. Je hebt haar telefoonnummer toch? Zeg het zelf maar.'

Nuala pakte haar mobiele telefoon uit haar handtas.

'Niet hier, dat mag niet,' zei Deirdre.

Nuala ging naar het damestoilet. Brenda Brennan vroeg of alles naar wens was.

'Ja, mevrouw Brennan.'

'Misschien vergis ik me, maar was dat niet de jongedame die hier destijds een huwelijksaanzoek kreeg?'

'Inderdaad.'

'En, eh... is alles goed gegaan?' Brenda Brennan voelde de spanning.

'Ja, dat denk ik wel. Hij is een inhalige geldwolf, maar hij is haar redelijk trouw, en zij lijkt er tevreden mee te zijn. De enige smet in hun paradijsje is dat ze zwaar te lijden hebben gehad door toedoen van Don Richardson.'

'Dat geldt voor meer mensen.'

'Ja, maar zij presteerde het om te zeggen dat Ella er haar voordeel mee heeft gedaan.'

'Iedereen weet dat het niet zo is. Ik dacht dat ze een vriendin van Ella was?'

'Dat dacht Ella ook.'

'Nou, gelukkig heeft Ella aan jou een goede vriendin.'

'En aan u, mevrouw Brennan. Ze is u heel dankbaar.'

146

'Ze werkt te hard, dat is mijn enige zorg. Ze ziet zo wit als een doek. Patrick en ik maken ons zorgen over haar gezondheid, en of ze het allemaal wel aankan. Ze heeft veel te veel hooi op haar vork genomen.'

Ze zagen dat Nuala terugkwam, en Brenda liep met een knikje naar een volgend tafeltje.

'Haar mobiele telefoon stond uit,' zei Nuala.

'Ja, ze zal wel aan het werk zijn, om te proberen terug te betalen wat die schoft van haar vader en diens cliënten heeft gestolen. Terwijl wij hier bij Quentins zitten te lunchen.'

'Ik voel me al rot genoeg, Deirdre. Het leven is voor mij ook niet bepaald rozengeur en maneschijn, hoor.'

'Dat is het nooit, Nuala,' zuchtte Deirdre. 'Vooruit, laten we met de pasta beginnen en als hoofdgerecht de gegrilde tonijn nemen. Dan kun jij me intussen vertellen wat Frank allemaal aan het uitvreten is.'

'Hoe weet jij dat hij iets aan het uitvreten is?' Nuala was verbijsterd.

'Dat zie ik aan je gezicht, Nuala. Het ligt er duimendik bovenop. Je verdenkt hem ervan, hè? Je denkt dat hij iets heeft met een vrouw in Londen.'

'O Dee, je kunt echt gedachtelezen,' zei Nuala.

'Het stelt waarschijnlijk niets voor.' Deirdre begon te vertellen wat Nuala wilde horen. 'Na een paar jaar maken alle stellen dit door. Alleen wij, de oude vrijsters, krijgen het te horen. Want ze vertellen het nooit aan andere getrouwde vrouwen.'

'Maar het is al een poos aan de gang,' zei Nuala twijfelend.

'Misschien in jouw verbeelding. Frank is net als zijn broers, charmant tegen iedereen. Het stelt waarschijnlijk niets voor,' zei Deirdre.

Nuala's ogen begonnen te stralen. 'Dat zegt Frank ook. Hij zegt dat ik het me maar verbeeld.'

'Nou, zie je wel,' zei Deirdre vermoeid.

Er kwam een bemoedigende brief van de King Stichting. Het aanvraagformulier was gelezen en ze waren voorgedragen als kandidaten. Er waren nog wat technische details waar ze op moesten letten en een paar criteria waar ze aan moesten voldoen, maar over het algemeen voldeden ze aan het profiel en konden ze de volgende stap nemen. De brief was ondertekend door Derry en Kimberly King. Nicky en Sandy hadden gewild dat Ella erbij was geweest toen ze dit lazen, maar ze gaf op dat moment bijles aan die uitzonderlijke tweeling. Ze zouden het later met haar vieren. Intussen pakten ze elkaar bij de hand van blijdschap dat ze zo ver waren gekomen.

'Als het lukt, en de film op festivals wordt vertoond en we bekend worden en een hoop geld verdienen, wat zou jij er dan mee doen?' vroeg Sandy opeens.

'Wat zouden wíj er dan mee doen, bedoel je toch?'

'Nee, ik had het over jou.'

Hij keek haar verbijsterd aan. 'Dan kunnen we ons een betere ruimte veroorloven. Nieuwe apparaten. Iemand fulltime in dienst nemen, een soort huwelijksreis maken en een schitterende brochure uitbrengen. Dat zou jij toch ook doen?'

'Ja,' zei ze blozend. Hij had het woord 'huwelijksreis' uitgesproken.

'Zou jij dat allemaal doen?' plaagde Nick haar.

'Ja.' Ze keek hem niet aan.

'Maar dan ontbreekt er één ding, Sandy. We kunnen niet op huwelijksreis als we niet eerst trouwen.'

'Dat weet ik,' zei ze.

'Dus ga je me ten huwelijk vragen?' vervolgde hij.

'Dat doet de man toch?' De arme Sandy wist nog steeds niet of hij haar plaagde of haar werkelijk ten huwelijk vroeg.

'Niet altijd. Degene die het best besluiten kan nemen, doet het. En in ons bedrijf ben jij dat.'

'En moet ik dan wachten tot we rijk zijn?' Ze klonk nu zo verontrust, dat hij het niet over zijn hart kon verkrijgen om haar nog langer te plagen.

'Ik zou graag met je trouwen, of we nu arm of rijk zijn,' zei hij.

'O, Nick.' Ze glimlachte zo breed, dat hij een polaroidcamera pakte. 'Dit wil ik op een dag aan onze kleinkinderen laten zien, en hun vertellen hoe je eruitzag toen je me ten huwelijk vroeg.'

Op dat moment ging de telefoon. Het was Mike Martin, een vroegere vriend van Don Richardson, die hun wel eens een karweitje had toegespeeld. Het verbaasde Nick dat hij belde.

'Helaas geen opdracht, die zijn tegenwoordig dun gezaaid.'

'Inderdaad,' moest Nick toegeven.

'Het gaat meer om een persoonlijke dienst. Jij kent Ella Brady toch?'

'Ja.' Nick werd voorzichtig.

'Nou, je herinnert je vast nog wel een vriend van haar. Iemand die hier niet meer woont, maar naar Spanje is gegaan?'

'Hebt u het over Don Richardson?' vroeg Nick op de man af.

'Ja. Ik probeerde discreet te zijn.'

'Ik hoef niet discreet te zijn. Zo heet hij toch? We leven niet in een politiestaat. We kunnen toch wel namen noemen?'

'Je weet dat ze het op hem gemunt hebben, Nick.'

'Dat kan wel zo zijn, maar mijn telefoon wordt heus niet afgetapt vanwege hem.' Nick begon kwaad te worden.

'Ben jij geld kwijt, Nick? Ik weet dat Don zijn uiterste best doet.'

'Dat geloof ik graag, zijn uiterste best. Nee, ik ben niets kwijt, maar heel goede vrienden van mij zijn geruïneerd.'

'En geloof me, die zullen hun geld terugkrijgen.'

'Dat is niet wat we in de kranten lezen.'

'Wat weten journalisten daar nu van? Daar bel ik trouwens over. Schikt het?'

'Ja, hoor. U hebt alleen een huwelijksaanzoek verstoord, maar dat kan vervolgd worden na dit telefoontje.' Nick boog zich voorover en streek langs Sandy's gezicht.

'Ik weet nooit wanneer ik je serieus moet nemen.'

'Nee, lastig, hè?'

Er viel een stilte.

'Nou ja, onze vriend heeft Ella niet kunnen bereiken.'

'Don weet Ella's nummer heus wel.'

'Zo eenvoudig ligt het niet.'

'Waarschijnlijk wel, en anders kan hij haar toch een brief sturen, of een kaart, of een e-mail.'

'Ik zal maar open kaart spelen, Nick. Je werkt niet zo mee en je toont minder begrip dan we hadden gehoopt.'

'We?'

'Eh... Don en ik.'

'Hij is nu bij u?'

'Dat doet er niet toe. Ik was van plan...'

'...om open kaart te spelen. Ik heb u wel gehoord.'

'Er is een koffertje met een laptop...'

'Dat zal best.'

'...dat meneer Richardson per ongeluk heeft achtergelaten in het appartement van mevrouw Brady.'

'Dat is zeker alweer een paar dagen geleden?'

'Hoe bedoel je?'

'Don Richardson heeft vier maanden geleden de benen genomen. Dan zal hij zijn koffertje toch wel eerder hebben gemist?'

'Hij zoekt er nu pas naar, Nick.'

'Nou, dan kan hij het toch komen ophalen?'

'Hij kan Ella niet vinden. Ze woont niet meer in dat appartement. En ze is niet in het huis op Tara Road.'

'En hij weet vast wel waarom. Ze hebben alles moeten verkopen, alles moeten opgeven, door hem.'

'Volgens mij denkt hij daar anders over...'

'U meent het!'

'Ik zal je een telefoonnummer geven. Vraag aan Ella of ze meneer Richardson zo spoedig mogelijk wil bellen.'

'Daar zou ik maar niet op rekenen, meneer Martin.'

'Ik zal het nummer geven, en je bent vast wel zo verstandig om het door te geven.'

'Moet ik misschien in de leer bij uw vriendje Don?'

'Heb je pen en papier bij de hand?'

'Ja, maar wat weerhoudt me ervan om ermee naar de kranten te stappen, of naar de politie, naar de mensen die hij van alles heeft beroofd?'

'Ik weet zeker dat je het juiste zult doen, Nick,' zei Mike Martin. Hij gaf het nummer en toen hingen ze allebei op.

'Wat was dat allemaal?' vroeg Sandy met grote ogen.

'Een stomme idioot die jou onderbrak toen je net voor me wilde knielen... wacht even... en toen ik voor jou wilde knielen en we elkaar de belangrijkste vraag van ons leven wilden stellen.'

'En die vent in Spanje dan?'

'Die kan net als iedereen op zijn beurt wachten,' zei Nick terwijl hij neerknielde.

Barbara en Tim Brady genoten van een late lunch in het stukje tuin dat ze voor zichzelf hadden gehouden naast het bijgebouw.

Door de bamboehaag konden ze het grote huis zien waar ze drie maanden geleden nog hadden gewoond. Dat was nu allemaal verhuurd voor astronomische bedragen. En het was vreemd, maar ze misten het lang zo erg niet als ze hadden gedacht.

Achteraf bezien beseften ze dat het te groot voor hen was geweest. En eenzaam. Sinds ze hier waren ingetrokken, was het eigenlijk veel gezelliger, en ze zagen Ella veel vaker als ze in en uit liep en even een kop thee kwam drinken. Haar vriendin Deirdre kwam vaak langs, en dat was leuk. Ze maakten zich nog steeds veel zorgen over hun schulden en de mensen op Tims kantoor die zoveel geld waren kwijtgeraakt. Maar alles bij elkaar genomen voelden ze zich veel beter. Ze durfden het eigenlijk alleen aan elkaar toe te geven. En ze konden tegenwoordig met elkaar praten. Wat ook een verandering ten goede was.

6

'Het is niet zo moeilijk, als je even doordenkt,' zei Simon.

'Dat vond ik ook altijd,' beaamde Ella.

'Maar het heeft natuurlijk eigenlijk geen zin,' vond Maud.

'Dat weet ik nog zo net niet. Het is een principe, een formule. Als je eenmaal weet hoe het in elkaar zit, kun je het altijd toepassen.'

'Maar wanneer wil je dat nou toepassen?' peinsde Maud.

'Voor examens, denk ik,' antwoordde Simon. 'Moeten we echt die hele bladzijde met opgaven af hebben voor volgende week?'

'Ja, want dan weet ik dat jullie het begrijpen, en dan kunnen we verder.'

'Niemand op school hoeft een hele bladzijde met opgaven te maken,' zei Maud met iets neergetrokken mondhoeken.

'Dat weet ik, Maud. En bof jij even dat je grootouders extra geld willen betalen, opdat jij meer kunt leren,' zei Ella.

Maud moest daarover nadenken, toen Ella's mobiele telefoon ging. Het was Nuala. Ze was in tranen. Het speet haar verschrikkelijk, ze was zo stom geweest, haar eigen schuld dat Deirdre zo tegen haar tekeer was gegaan. Ze zou Ella zo graag willen spreken. Als Ella het haar tenminste kon vergeven.

'Ja hoor,' zei Ella. 'Door die klootzak is iedereen uit zijn doen.'

Maud en Simon wisselden een blik.

'Maar ik moet ophangen, Nuala. Ik ben aan het werk.'

'Dee zegt dat je altijd aan het werk bent.'

'Welnee. Ik begin nu aan het sociale deel van het werk. Nietwaar, Maud en Simon?' zei ze tegen de kinderen.

Ze keken haar met open mond aan.

'Waar heb je het over?' vroeg Nuala giechelend.

'Dat Simon en Maud nu hun boeken wegleggen, me een lekkere beker thee geven, en ik hun alles ga vertellen over mijn onge-lukkige leven,' zei Ella.

'Je klinkt alsof je helemaal de kluts kwijt bent, Ella, maar ik ben zo blij dat je het me hebt vergeven. Doe maar wat je wilt. Ik bel je vanavond.'

'Niet tussen zes en middernacht,' zei Ella opgewekt, en ze ver-brak de verbinding.

Ze had juist aan de tweeling willen vertellen hoe erg ze het vond dat ze niet was gekozen voor het hockeyteam.

'Nou, dat vind ik niet ongelukkig klinken,' klaagde Maud.

'Nee, we bedoelen echt erge dingen,' viel Simon haar bij.

'Als je bij de eerste elf wilt horen, dat wil iedereen, dan is dat heel erg,' wierp Ella tegen.

Haar telefoon ging weer. Nu was het Nick. Ze luisterde. Haar gezicht werd rood en toen wit. De tweeling sloeg haar belangstel-lend gade. 'De klootzak,' zei ze ten slotte. 'De vuile klootzak.' Ze schreef een nummer op de achterkant van haar aantekenboek. 'Bedankt, Nick, ik kom hier nog wel op terug.' Haar stem klonk beverig, maar beloofd was beloofd: die kinderen hadden hun hers-ens gepijnigd over vierkantsvergelijkingen, nu moest ze hun ver-tellen over haar ongelukkige leven. 'Dus toen de dag van de hoc-keywedstrijd naderde...' begon ze.

'Wil je alsjeblieft over de klootzak vertellen?' onderbrak Maud haar. 'Dat klinkt veel interessanter.'

De hele avond moest ze denken aan die gluiperd van een Mike Martin, die nu in Spanje zat bij Don, na voor de televisiecame-ra's te hebben beweerd dat hij niets begreep van de verdwijning, van de vlucht. Hij had ten overstaan van het hele land gezegd dat Don Richardson dol was op zijn vrouw, de mooie Margery Rice. En nu zocht hij contact met Ella, de maîtresse, vanwege een computer.

Dit bewees dat die laptop iets bevatte wat ze dolgraag terug wilden hebben. Dat was interessant. Heel interessant. En ook een beetje beangstigend. Het zou niet lang duren voor ze te weten kwamen waar ze woonde. Iemand zou Mike Martin vertellen dat ze in het tuinhuis op Tara Road woonden. En dan zou hij vast de computer komen ophalen die van de grote Don Richardson was en waarschijnlijk enkele van zijn geheimen bevatte. Ella had aangenomen dat Don alle bestanden had verwijderd en dat daarom het wachtwoord 'Engel' niet meer geldig was, maar nu vermoedde ze sterk dat dat een voorbarige conclusie was geweest.

De laptop was met haar overige spullen opgeslagen in het bijgebouw op Tara Road. Ze had er in geen weken aan gedacht. En ze zou er nu ook niet aan denken, want ze had het te druk. En ze wilde ook niet geloven dat de laptop niet met opzet was achtergelaten. Dat hij hem niet zelf kwam terughalen. Nooit meer.

'Mijn god, wat zie je er vreselijk uit, Ella,' zei Nick toen ze elkaar bij Liffey ontmoetten om koffie te drinken.

'Bedankt, Nick, ik vind ook dat je er altijd zo goed uitziet,' antwoordde ze.

'Nee, het lijkt wel of je tien dagen bent doorgezakt. Je hebt enorme kringen onder je ogen.'

'Ja, Nick. Sorry, Nick. Is er nog nieuws over eventuele sponsors?'

'Ik heb eerst ander nieuws. Sandy en ik gaan trouwen,' zei hij schaapachtig.

Ze sloeg haar armen om hem heen. 'Wat leuk! Jullie worden vast heel gelukkig.'

'Waarom zeg je dat?'

'Omdat jullie zulke goede vrienden zijn. Dat is een enorm pluspunt.'

'Waren Don en jij dan geen vrienden?'

'Nee. Het leek destijds niet belangrijk, maar bij nader inzien was dat natuurlijk een enorm gemis.'

'Wat ga je doen met die stomme computer?'

'Die heb ik weggegeven,' zei ze terwijl ze hem recht in de ogen keek.

'Dat is niet waar, Ella.'

'Waarom zou ik hem houden?'

Hij hield zijn hoofd schuin en keek haar aan. 'Ik ken je toch. Je hebt hem niet weggegeven. Wie zou daar om te beginnen voor in aanmerking komen?'

'Ik heb hem niet.' Ze keek opstandig.

'Wel waar, Ella. Je hebt het tegen mij, hoor, je vriend. Ik weet dat je hem hebt en dat je hem zo snel mogelijk aan Fraudebestrijding moet geven voor die idioten achter je aan komen. Lever hem alsjeblieft in, dan ben je van alles af.' Hij keek ongerust.

'Er staat toch niets meer op.'

'Wat let je dan nog?'

'Je hoort niet te klikken en anderen stiekem in de problemen te brengen.'

Nick keek haar ongelovig aan. 'Hoor je jezelf wel? Wat heeft híj niet gedaan, Ella? Denk na! Omdat je toevallig van hem gehouden hebt, ben je toch niet zoáls hij! Wij zijn niet het soort mensen dat alles onder de tafel regelt en er als ratten vandoor gaat zodra het schip zinkt.'

'Oké, Nick, hou er maar over op.'

'Dat doe ik niet. Je lijkt wel niet goed snik, Ella. Je hebt die laptop niet weggegeven. Anders zou hij er niet zo naar op zoek zijn.'

'Er staat niets op.'

'Er zal heus wel informatie op staan. Waarom denk je dat hij Mike Martin erop heeft gezet? Met de boodschap: geef ons een telefoonnummer, of anders...'

'Dat heeft hij toch niet gezegd, "of anders"?'

'Nee, maar dat klonk wel door in Martins stem.'

'Wat moet ik doen, Nick?'

'Als je de laptop niet aan de politie wilt geven, moet je weggaan,' zei hij.

'Ik kan niet weg, dat weet je. Dit is niet het moment om op vakantie te gaan. Ik zou het niet aankunnen.'

'Het is geen vakantie, maar werk. Betaald werk.'

'Waar?'

'New York! We hebben goed nieuws. De King Stichting heeft laten weten dat we aan de kandidatenlijst zijn toegevoegd.'

'Nick, wat fantastisch! Waarom heb je dat niet eerder verteld?'

'Er waren belangrijkere dingen te bespreken. Maar dit is fantastisch, en iemand van ons moet gaan. Jij, Ella. Daarmee zou alles opgelost zijn.'

'Ik kan niet al mijn banen in de steek laten.'

'We hebben geïnformeerd. Ze laten je allemaal gaan. Tom en Cathy, Quentins, Colm, en Deirdres laboratorium. De enige die er problemen mee hebben zijn Maud en Simon. Ze hebben alles ge-

leerd wat je hun hebt opgedragen, en ze zijn bang dat ze het vergeten zullen zijn als je terugkomt.'

'Je hebt geïnformeerd zonder mij iets te zeggen? Hoe durf je dat
achter mijn rug om te doen!' Ella was hevig gepikeerd.

'We moesten je bewijzen dat je vrij was om te gaan voor we je
vliegticket kochten.'

'Ticket?' zei ze.

'Ja, natuurlijk. Je hebt een vliegticket nodig om in New York te
kunnen komen, Ella!'

'Bel hem maar,' zei ze opeens. 'Ik ga wel buiten naar de rivier
kijken.

'Ik zal zeggen dat je weg bent, en dan spreek ik de waarheid,' zei
Nick.

Mike Martin nam op.

'Ik ben haar gaan zoeken,' begon Nick behoedzaam.

'En?'

'En ze is er blijkbaar niet.'

'Ze is er niet? Hoe bedoel je dat?'

'Zoals ik het zeg. Ze is weggegaan. En niemand weet waarheen.'

'Aan wie heb je het gevraagd?'

'Aan diverse werkgevers. U kunt het bij hen navragen.'

'Ze kan beter geen spelletjes spelen met Don.'

'O, daar zal ze inmiddels wel achter zijn, maar het leek haar destijds wel een goed idee, omdat ze dacht dat hij meende wat hij zei
en zo.'

'Je hebt de zaken goed op een rijtje, hè, Nick?'

'Nee, ik zit eigenlijk heel simpel in elkaar, maar ik was wel blij
dat Ella weg is, en ik hoop dat ze sterk genoeg is om de confrontatie met jullie aan te gaan als ze terugkomt.' Hij verbrak met tril-
lende vingers de verbinding.

Ella kwam terug van de rivier.

'Ze denken dat je weg bent, Ella, dus nu zal ik je bijpraten over
Derry King.'

'Waarover?'

'Een heel rijke vent. Hij heeft een stichting opgericht om kunstenaars en filmmakers te steunen. We hebben alle hoop en huidi-
ge middelen geïnvesteerd in deze reis.'

'Dat kun je me niet aandoen, Nick,' zei Ella geschrokken.

'We moeten wel. Het is onze enige kans.'

'Ik voel me zo slap. Je zei zelf dat ik er afschuwelijk uitzag.'

'Je hebt tweeënhalve dag voor je hem te zien krijgt. Ga je gezicht opkalefateren of zo.'

Haar ouders waren blij met het nieuws. 'Dan kom je weer eens in de normale wereld,' zei haar moeder.

'Mijn god, ik denk niet dat een hotel in Manhattan en een schatrijke man laten investeren in een piepklein Iers bedrijfje veel met de normale wereld te maken hebben,' zei Ella.

'Het is weer eens iets anders,' merkte haar vader op.

'Ik moet jullie alleen één ding zeggen. Anders kan ik niet weg. Jullie kennen die Mike Martin toch wel? Hij komt vaak op televisie.'

'Die ken ik wel,' zei haar vader.

'Nou, hij is blijkbaar een vriend van Don, en Don is op zoek naar een laptop die hij in mijn flat heeft achtergelaten. Dus de kans bestaat dat Mike Martin hier komt om er jullie naar te vragen. Stel dat hij dat doet, willen jullie dan zeggen dat je geen idee hebt waar ik uithang, maar dat je wel hebt gezien dat ik een laptop heb meegenomen? Ik vind het vreselijk dat er nog meer leugens aan te pas komen, maar er zit iets van waarheid in. Ik neem hem inderdaad mee, en jullie weten niet waar ik de hele dag uithang.' Ze keek smekend van de een naar de ander.

'Dat is goed. We zullen het precies zo zeggen,' zei haar moeder.

'We zullen zeggen dat je ons nooit vertelt waar je naartoe gaat,' stemde haar vader in.

'En jullie laten je toch niet door hen koeioneren?' Ze keek vol genegenheid naar haar ouders.

'Koeioneren... Wat een grappig woord. Dat zal ik eens opzoeken.' Haar vaders glimlach was niet meer zo krampachtig als enkele maanden geleden.

'Ja, laten we het opzoeken, pap.' Ella pakte het woordenboek.

Ze schoten er weinig mee op. Het betekende iemand het leven zuur maken, treiteren, op zijn kop zitten.

'Dat is niets nieuws,' zei hij.

Ze begonnen te lachen. Ze waren in het tuinhuis een veel gelukkiger gezin dan ze ooit tevoren waren geweest.

Ella ging even langs bij de tweeling in het huis van Muttie en Lizzie.

'Hallo, Ella. We hadden gehoord dat je niet zou komen. We hadden het net over je.' Simon klonk verheugd.

'O ja?' Ella was argwanend.

'Die man die belde om te zeggen dat je twee weken niet zou komen, was dat de klootzak?'

'Nee, helemaal niet. Dat was Nick, en die is juist heel aardig.'

'Gaat hij deel uitmaken van je toekomst?'

'Nee Simon, toevallig niet.' Ella kwam bijna in de verleiding om te zeggen dat Nick deel uitmaakte van haar verre verleden, de eerste man met wie ze naar bed was geweest. Maar dat kon ze niet tegen deze twee zeggen. Je kon ze beter helemaal niets van belang vertellen.

'Ik zal Maud roepen. Ze is zachte toffee aan het maken in de keuken.'

'Simon, ik zal jullie een brief sturen. We zouden deze week meetkunde doen...'

'Maar we hoeven toch niet te werken als jij er niet bent?'

'Het móét niet, maar het zou wel leuk zijn als jullie, wanneer ik terugkom, deze makkelijke uitleg over cirkels die ik voor jullie heb opgeschreven, al hebben bestudeerd.'

'O, dat is veel te moeilijk. Daar snappen we helemaal niets van. Eerst was het de radius en toen werd het een diameter en daarna weer de omtrek. Nee, dat is veel te moeilijk om zelf te leren.'

'Niet als je mijn eenvoudige uitleg leest.'

'Wel waar, Ella.'

'Maar jullie leren het heus wel. En jullie zullen alles te weten komen over scherpe en stompe hoeken. Echt waar, geloof mij maar.'

Simon ging met zijn zus overleggen in de keuken. 'Maud wil weten of je hiervoor betaald wordt?'

'Ja, je grootouders geven me er geld voor.'

'Het zijn niet echt onze grootouders.'

'Dus als die brief komt, dan moeten jullie die ook serieus opvatten.'

'Waarom stuur je hem niet per e-mail, dat gaat toch veel sneller?' opperde Simon.

'Dat kan ik niet.'

'Heb je geen computer?' Hij klonk minachtend.

'Ja, dat wel. Een laptop. Maar het wachtwoord doet het niet. Ik kan er niet in.'

'Dat los ik zo op,' zei Simon. 'Heb je hem bij je?'

'Ja.' Ella aarzelde.

'Simon weet alles van computers,' stelde Maud haar gerust.

'Ja, maar het is eigenlijk niet mijn computer, maar van een vriend. Hij vroeg of ik wilde proberen of ik erin kon komen.'

'Nou, Simon, help haar dan even om hem uit het koffertje te tillen.'

'Wat denk je dat het wachtwoord is?'

'Ik dacht "Engel"; dat zag ik hem intikken,' zei ze. Haar hart bonsde. Ze leek wel gek dat ze deze twee kinderen erbij betrok.

'Nee, "Engel" is het niet.' Simon had het al uitgeprobeerd. 'Maar vaak is het iets wat erop lijkt.'

'Cherubijn,' opperde Maud. 'Veren? Vleugels?'

'Dat denk ik niet,' zei Ella.

'Is hij in Amerika?' vroeg Simon.

'Nee. Hoezo?'

'Dan kon het misschien "Los Angeles" zijn of zo.'

Ze herinnerde zich de blauw met witte tegels op de witte muren van Playa de los Angeles. Speelterrein van de rijken, crimineel of beroemd. Het toevluchtsoord vol biljartkamers en zwembaden. Dáár zou Don naartoe zijn gegaan. Dat kon het wachtwoord zijn. Ze schreef het met bevende hand op.

Simon tikte het in en het scherm sprong aan. Lijsten vol met initialen en getallen, kolommen vol.

'Was dat nou zo moeilijk?' zei Simon hooghartig.

'Nee, eigenlijk helemaal niet.' Ze sloot de laptop af. 'Heel erg bedankt, allebei. Ik zal een cadeautje voor jullie meenemen uit...'

'Uit waar?' wilde Maud weten.

'Waar ze ze allemaal weer op een rijtje probeert te krijgen,' legde Simon uit.

Het was middernacht. De volgende dag om twaalf uur zou ze uit Dublin vertrekken. Ella zat koffie te drinken in Deirdres flat. Ze moest zorgen dat ze alert bleef. Deirdre en Nuala sloegen glazen wijn achterover en hadden veel lol. Het leek net of er nooit enige verkoeling tussen hen was geweest. Maar ze hadden afgesproken dat ze niet tegen Nuala zouden zeggen dat Ella naar New York ging, alleen dat Ella ergens in alle rust tot zichzelf wilde komen.

Ella ging Deirdres kleren passen. 'Ik denk dat ik in elk geval dit rode jasje en de zwarte jurk meeneem,' zei ze.

'Ja, en dan kan ik zeker in mijn onderbroek naar mijn werk,' zei Deirdre. 'Neem die rood met zwarte sjaal dan ook maar mee, nu je toch bezig bent.'

'Dat je zomaar ergens naartoe kunt waar je wilt,' zei Nuala afgunstig. 'Dat heb ik in geen jaren gekund.'

Als de twee anderen al dachten dat Nuala's man Frank dat juist altijd leek te kunnen, dan lieten ze dat niet merken.

Ze had nog geen oog dichtgedaan toen ze in het vliegtuig stapte. Ze had alleen flink wat make-up ingeslagen op het vliegveld. Plus iets wat de verkoopster haar had aangeraden, een stift om de kringen onder haar ogen weg te werken.

In het vliegtuig bekeek ze het overzicht dat Sandy en Nick voor haar hadden samengesteld. Er was een map vol knipsels, foto's en een biografie van de man die ze zou ontmoeten. Een aardig gezicht, vierkant, en kort, dik haar, als de stekelharen van een borstel. Op de meeste foto's leek hij naar iets te turen, waardoor er overdreven diepe lachrimpels om zijn ogen kwamen. Hij had een vrij korte, dikke neus, maar een krachtige kin. Ze kon niet zien of hij lang of klein was. Hij ging formeel gekleed. Je zag hem bijna nooit zonder colbert en stropdas, zelfs niet op een feestje bij een jonge filmmaker, waar iedereen vrij nonchalant gekleed was. Of hij bezat veel smokings, of hij liet hetzelfde kostuum regelmatig stomen, want hij zag er altijd keurig uit op de vele bijeenkomsten waar hij was gefotografeerd. Er waren geen foto's van hem in zijn eigen huis.

Ze vroeg zich af hoe oud hij was, en zocht het op. Hij was drieënveertig jaar geleden geboren in New York als zoon van een Ierse vader en een Canadese moeder. Hij was de oudste van drie zoons, en volgens hem had hij zich door zelfstudie weten te ontplooien. Toch bleek hij in het bezit van eredoctoraten van diverse universiteiten, dus moest hij die zelfstudie wel heel goed hebben gedaan. Ze zag dat hij in veel takken van de handel in kantoorbe-nodigdheden had gewerkt en uiteindelijk een eigen bedrijf was be-gonnen. Het was een marktleider geworden, met vestigingen door de hele Verenigde Staten. Ze las bedrijfsprofielen die het succes en het feit dat het allerlei prijzen in de wacht wist te slepen, probeer-den te analyseren. Niemand leek de exacte reden te weten waar-om Kings bedrijf het zo goed deed terwijl er zoveel andere waren afgevallen. En niemand wist een exacte karakterschets te geven van Derry King, president van het bedrijf en voorzitter van het be-stuur. Hij zou een harde werker zijn, gemoedelijk, vastberaden, maar niet meedogenloos.

Ella kreeg het gevoel dat hij beleefd was geweest tegen de inter-viewers, maar niet erg tegemoetkomend. Hij vertelde niet wat hij bij het ontbijt at of hoe hij zijn vrije tijd doorbracht. Hij ging niet in op de vraag of hij van lezen, muziek of theater hield, maar zei alleen verontschuldigend dat hij in zijn jonge jaren zo hard had ge-werkt, dat hij nooit veel tijd had gehad om zich te verdiepen in muziek, theater of literatuur.

Maar hij was gek op beeldende kunst. Toen hij negen was, had een bevlogen leerkracht op school de kinderen verteld dat ze alle-maal konden schilderen en schoonheid in henzelf en om hen heen konden ontdekken als ze maar goed keken. Dat was een hele ver-rassing geweest voor de jonge Derry King. Hij zou nooit beweren dat hij zelf artistieke talenten had, maar het had hem de ogen ge-opend voor de schoonheid om hem heen, en daarom sponsorde hij wedstrijden in diverse kunstuitingen voor jonge mensen.

Een van de baantjes waarmee hij zijn schoolgeld had betaald, was schoonmaken in een bioscoop. Dat betekende dat hij gratis films kon zien. En daar had hij een voorliefde voor de filmwereld aan overgehouden. Nee, hij was nooit in de verleiding gekomen om zijn aanzienlijke fortuin in een studio of een productiebedrijf te stoppen, maar hij probeerde jonge mensen in diverse aspecten van het film maken aan te moedigen.

Toen hem werd gevraagd hoe hij gewoonlijk de dag doorbracht, was hij niet erg mededeelzaam. Geen woord over beursberichten lezen met een schaal fruit voor zich, of een persoonlijke trainer. Geen glimp van zijn privé-leven. Of hij wist niet met de media om te gaan, of hij wist het juist heel goed. Ella kwam er niet achter.

Hij kwam naar voren als een filantroop die schenkingen deed aan alle liefdadigheidsinstellingen. Hij was altijd geïnteresseerd in doelen die jonge mensen op weg hielpen, en richtte fondsen op voor degenen die geen makkelijke start hadden gehad in het leven. Je moest goed tussen de regels door lezen om erachter te komen hoe hij was, en tot nu toe leek hij nogal saai, vond Ella.

Maar dat deed er niet toe. Zij ging naar New York van Sandy's en Nicks zuurverdiende geld, om zich door deze man te laten vermaken en om zijn vinger te laten winden. En het was haar taak om zijn belangstelling te wekken voor hun project. En het zo goed mogelijk te verkopen. Er werd weinig ruchtbaarheid gegeven aan de stichting. Het leek wel of hij niet publiekelijk bedankt wilde worden voor zijn goede werk. Ze had wel wat meer informatie willen hebben.

In veel opzichten was het een kaal dossier. Geen foto's van hem in een penthouse in Malibu, of op een ranch tijdens de weekends. Er was blijkbaar wel een echtgenote, Kimberly, een mooie vrouw met lange benen. Hij had haar waarschijnlijk genomen om met haar te kunnen pronken. In een van de interviews zei hij dat ze geen kinderen hadden. In een ander dat zijn ouders allebei waren overleden. Nooit had hij het over zijn Ierse afkomst. In twee van de knipsels had hij het over fijne jeugdvakanties in Alberta in Canada.

Ze staarde weer aandachtig naar zijn foto.

Een man van drieënveertig, even oud als Don Richardson, die zijn hele leven hard had gewerkt. Ze werd niet veel wijzer van zijn foto. Maar ze was ook weinig te weten gekomen over Don Richardson na twee jaar van hem te hebben gehouden. Deze Derry King leek ouder dan Don. Misschien had hij geen makkelijk leven gehad. Misschien had hij niet van allerlei extraatjes en aangename bijkomstigheden kunnen genieten, zoals Don, die er waarschijnlijk nog steeds van genoot.

7

Het hotel was een klein, goedkoop maar chic onderkomen in Manhattan, in een zijstraat van Fifth Avenue. Heel ver van het pension vandaan waar zij en Deirdre jaren geleden hadden gelogeerd, Dat pension werd beheerd door de broer van iemand, die hun een mooi huurcontract zou bieden. Dat bleek een misverstand te zijn. Hij dacht juist dat zij hem ter wille zouden zijn, en niet andersom. Wat was ze toen jong geweest, dacht Ella. Dat ze zich daar zo druk over hadden gemaakt! Als ze toen had geweten hoe het echt zou zijn om je ergens druk over te maken!

Nou ja, het had geen zin om terug te kijken. Ze moest profiteren van alles wat het hotel haar bood. Ze had gezegd dat ze echt niet de hele tijd in New York hoefde door te brengen, maar ze hadden erop aangedrongen. Nick en Sandy vonden dat ze bereikbaar moest zijn voor het geval dat Derry King nog iets met haar wilde doornemen.

Deirdre had gezegd dat het minstens twee weken duurde voor iemand weer alles op een rijtje had gezet, vooral bij Ella, die zo'n dreun had gehad en het zelf had proberen op te lossen door veel te veel te werken. Brenda Brennan had gezegd dat ze er alles uit moest halen wat erin zat. New York in de herfst, daar droomde iedereen toch van? Ze moest het niet in haar hoofd halen om zo gauw mogelijk naar huis te gaan. Haar ouders zeiden dat ze aantekeningen moest maken van alles wat ze zag; ze popelden om alles te horen als ze weer terug was. Nu drong tot haar door dat ze bang waren, bang voor wat Don Richardson misschien zou doen als hij terugkwam.

Ella deelde een taxi naar de stad met een kleine, mollige vrouw uit Dublin die in alle uithoeken van de wereld was geweest. Ze zat in de handel, zei ze trots, en ze had vier lege koffers meegenomen.

Ze zou de volgende vier dagen alle koopjes aflopen en spullen in-slaan die je thuis niet zag, met roze bont afgezette pantoffels en zwart ondergoed met rode veren. Dat kon ze allemaal verkopen tegen driemaal de inkoopprijs. Dat deed ze elk jaar. Ze snapte niet waarom niet meer mensen dit deden. Zo makkelijk had ze nog nooit geld verdiend, en ze had voordien alle, maar dan ook wer-kelijk alle mogelijke manieren uitgeprobeerd.

Ze vroeg wat Ella in New York ging doen.

'Om geld bedelen voor een filmproject,' antwoordde Ella.

De vrouw zei dat ze Harriet heette, en dat Ella naar haar hotel kon bellen als ze zich eenzaam voelde, dan zouden ze ergens iets gaan drinken.

Ella probeerde haar verbazing te verbergen toen Harriet de naam van een heel duur vijfsterrenhotel noemde. Er viel blijkbaar aardig te verdienen met het importeren van buitenissige lingerie. Of moest je het smokkelen noemen? Het was haar een raadsel. Waarom nam je vier lege koffers mee als je je zo'n duur hotel kon permitteren? Waarom ging je met een deeltaxi de stad in? Maar misschien verklaarde dat soort zuinigheid juist dat Harriet zich een kamer in een vijfsterrenhotel kon veroorloven.

Ze checkte in haar eigen hotel in en ging heerlijk lang in bad. Deirdre had haar een heel dure badolie gegeven 'om je in de juis-te stemming te brengen'. De geur leek door te dringen tot elke vezel van haar lichaam, en de hele kamer. Ella geloofde eigenlijk niet dat die oliën en lotions werkten, maar ze voelde zich wel een stuk beter. En misschien zag ze er nu niet zo uitgeput uit.

Vervolgens maakte ze een afspraak voor de volgende ochtend in de schoonheidssalon. Ze had Nick en Sandy beloofd dat ze naar de kapper zou gaan voor haar gesprek met Derry King. Dat was ze het bedrijf verplicht, vonden ze. Ze wilden niet dat ze hem al de stuipen op het lijf zou jagen voor de onderhandelingen waren be-gonnen. Vervolgens ijsbeerde ze als een gekooid dier door de kamer. Tot haar verbazing voelde ze zich rusteloos. Ze had be-hoefte aan gezelschap. Thuis was het middernacht, maar hier was het nog maar zeven uur. Buiten begon de avond pas. Was Deirdre er maar. Wat zouden ze een lol hebben. Of Nick en Sandy, daar kon je ook plezier mee beleven. Als die er nu zouden zijn, met een fles goedkope wijn die Sandy in de een of andere winkel had weten te vinden, dan zouden ze nu hun strategie beramen.

Of iemand anders die ze aardig vond. Brenda Brennan van Quentins bijvoorbeeld. Die was heel leuk, als je haar eenmaal had leren kennen.

Ze keek naar de laptop. Nee, ze zou zich aan haar voornemen houden. Ze mocht niet naar de inhoud kijken tot ze Derry King had gesproken. Naderhand zou ze tijd genoeg hebben. En nu wist ze tenminste hoe ze achter Dons geheimen kon komen. Dankzij die jongen, Simon.

Deirdre belde naar de Brady's om zich te verzekeren van hun solidariteit. 'Dit reisje zal haar alleen maar goeddoen,' zei ze.

'Ik maak me zorgen, Deirdre. Onze dochter slaat op de vlucht voor iemand. Het lijkt wel of we allemaal in de criminaliteit zijn beland! Ze had die laptop toch beter aan de politie kunnen geven, dan waren alle problemen de wereld uit geholpen.'

'Dat gaat ze doen als ze terug is, dat weet ik zeker,' suste Deirdre. 'Ze heeft alleen wat tijd nodig.'

'Deirdre, ik probeer je de hele avond al te bereiken.'

'Ik was weg, Nuala. Maar nu ben ik er weer. Wat is er?'

'Moet je horen, Frank heeft een boodschap van Don gekregen.'

'Dat meen je niet!'

'Ja, vanmiddag. Ik heb steeds geprobeerd je te bereiken.'

'En wat had hij Frank te zeggen?'

'Dat een hoop dingen verkeerd naar buiten zijn gebracht.'

'Ja, dat zal wel.'

'Nee, echt waar. Hij heeft uitgelegd hoe het allemaal uit zijn verband is getrokken.'

'Bel je me daarom, Nuala?'

'Ja en nee. Frank vroeg zich af of Don misschien contact zou willen met Ella.'

'Hoe komt hij op dat idee?'

'Nou, ik heb gezegd dat ze vandaag is vertrokken en dat ze niemand heeft verteld waar ze naartoe ging.'

'En?'

'En Frank had het idee dat ze misschien nog verliefd is op Don.'

'Verliefd!' Deirdre schoot in de lach. 'Belachelijk. Is Frank niet goed bij zijn hoofd of zo? Als Ella die vent zou zien, dan zou ze zijn ogen uit zijn hoofd krabben. Ze haat hem, Nuala, dat weet je toch?'

'Liefde en haat liggen niet ver uit elkaar,' zei Nuala op een betweterig toontje.

'Dat lijkt me in dit geval niet van toepassing. Is Frank zomaar op dit idee gekomen, of heb jij het hem ingefluisterd?'

'Nee, ik heb niets ingefluisterd, maar na zijn gesprek met Don leek het hem niet onmogelijk.'

'En nu is hij weer dikke maatjes met Don?'

'Ik zei toch dat het een misverstand was. Don heeft geld gestuurd naar een postbus, en een broer van Frank heeft het afgehaald.'

'Dus Frank heeft het hem vergeven.'

'In elk geval wil hij nu weer naar hem luisteren.'

'En wat heeft hij dan gehoord?'

'Dat Don het wil goedmaken met Ella. Hij wil weten waar ze is.'

'Nou, ik heb geen idee. Ze wilde weg om ergens tot rust te komen, en ik heb geen zin meer om er verder over te praten.'

Deirdre was dolblij dat ze niets tegen Nuala hadden gezegd. Stel je voor dat ze hadden verklapt waar Ella naartoe ging! Dan zou een van Dons handlangers haar nu in het hotel in New York hebben opgewacht.

Nick en Sandy wilden juist naar bed gaan, toen Deirdre belde. 'Het is misschien stom van me, maar ik zit me gewoon zorgen te maken. Alles is toch goed met haar? Don is namelijk bezig om Frank en zijn wanhopige broers over te halen om via Nuala Ella op het spoor te komen. Hij heeft hun zelfs het geld betaald dat ze waren kwijtgeraakt.'

'Vind je dat we haar moeten bellen?' vroeg Nick.

'Ik weet het niet. Ergens wel, maar dat is aan jullie. Ik wil niet dat ze het voor jullie verknalt.'

'Zij is belangrijker dan die film. Ik zal het met Sandy bespreken, en dan bellen we haar wel.'

'Weet je het zeker, Nick? Als ze daar in haar eentje is, kan ze het misschien beter niet weten.'

'Ga nou maar slapen, Deirdre. Don Richardson kàn toch niet alle nachtrust in het Westen verstoren?'

Ze belden naar Ella's hotel, maar ze was niet op haar kamer. En ook niet in de eetzaal. 'Het is een uur in de ochtend!' zei Sandy afkeurend.

'Daar is het pas acht uur in de avond. We zijn haar ouders niet.'

'Maar wie kent ze daar? Waar kan ze zijn?'

Ella was op een feestje in Harriets suite. Ze dronk cocktails en maakte kennis met Harriets contactpersonen. De meesten waren vrouwen van in de vijftig, die voor haar op speurtocht waren gegaan. Sommige vrouwen waren jonger. Die droegen dure sieraden en dito jasjes. Harriet was helemaal niet verbaasd geweest toen Ella belde, en ze had haar hartelijk verwelkomd. Iedereen was heel even geïnteresseerd geweest toen ze werd voorgesteld als filmmaker, maar ze verloren de belangstelling toen ze hoorden dat het om een documentaire ging.

Harriets contactpersonen hadden voorbeelden meegebracht. Ella bekeek gele negligés, bezet met bergkristal, rode strings en zwarte broekjes met roze rozenknopjes van kant. Was Ierland zo veranderd? Of droeg iedereen thuis dit soort ondergoed en was Ella de enige uitzondering?

'Je mag alles op afbetaling kopen,' zei Harriet vriendelijk.

'Dank je, Harriet. Maar op het moment is mijn seksleven te verwaarlozen, dus ik pas, als je het niet erg vindt.'

'Zo'n mooie meid als jij, hoe is het mogelijk!' zei Harriet.

Een paar contactpersonen leken te suggereren dat je alleen met dergelijke kleding een goed seksleven kon hebben.

Ella had nog niets gegeten, en ze kreeg een licht gevoel in haar hoofd. 'Ach, als ik hiermee het idee voor mijn film aan Derry King kon verkopen,' zei ze terwijl ze met gemaakte belangstelling een korsetje bekeek.

'Toch niet dé Derry King!' zei een van de contactpersonen.

'Kent u hem dan?'

'Er stond een groot artikel over hem in de krant vandaag... in welke krant was dat ook alweer?'

Niemand kon het zich herinneren.

'Ik hoop dat hij niet failliet is,' zei Ella. Dat zou de tongen wel losmaken. Maar het bleek te gaan over een hondenasiel. Derry King had niet alleen gezorgd voor de nodige financiën, maar was zelfs meegelopen met de demonstranten en had hun daardoor een betere naam bezorgd. 'Hij houdt dus van honden,' constateerde Ella. Dat feit had in geen van de dossiers gestaan. 'Dan koop ik die halsband met edelsteentjes voor hem,' zei ze.

'Die is nogal goedkoop, Ella. Ik bedoel, hij kost maar vijf dollar. Dat soort dingen geven mannen aan meisjes met van die opgedofte schoothondjes.' Harriet wilde haar niet van het pad af helpen.

'Weet je wat, ik koop er twee. Ik ken een hond in Dublin, Hooves, die het prachtig zou vinden.'

Ze dronk nog drie cocktails, ging terug naar haar hotel, en viel in slaap zonder zelfs maar naar haar voicemail te luisteren.

Dit had haar vrije dag moeten zijn. Een hele dag om tot rust te komen en zich voor te bereiden op haar ontmoeting de volgende dag met de grote Derry King, investeerder en blijkbaar hondenliefhebber. En nu had ze een verschrikkelijke kater. Ze kwam langzaam op gang. De vrouw in de schoonheidssalon vond dat ze een gezichtsbehandeling moest hebben. Dat was heel duur, maar wat kon haar dat schelen? Ze zou het Firefly Films wel terugbetalen. Daar leek haar toekomst toch al uit te bestaan, uit het terugbetalen aan mensen.

'Sorry, Nick, ik was er gisteravond niet. En ik was vergeten om de telefoon te checken,' zei ze toen ze het knipperlicht zag en hem terugbelde.

'Leuk, hoor, Ella. Je hebt blijkbaar alles onder controle,' zei hij.

'Nee, ik meen het echt. Je zou mijn kapsel en mijn gezicht eens moeten zien. Niet te geloven!'

'Fijn.'

'Waar belde je eigenlijk voor?'

Hij vertelde haar in het kort wat er was gebeurd, dat ze bang waren dat Nuala misschien iets had geraden.

'Dat lijkt me niet, als je nagaat hoe ze voorheen de mist in is gegaan.'

'Doe niet zo vervelend. Wij zijn je vrienden, hoor.'

'Ja, sorry, ik voel me alleen niet zo goed. Dat stomme gedoe van Nuala lijkt hier zo onwerkelijk.'

'Waarom voel je je niet goed?'

'Ik heb een kater. Te veel cocktails gedronken.'

'Jezus, Sandy, ze verspilt ons geld aan cocktails.'

'Nee, die waren gratis. Ik had in het vliegtuig een vrouw ontmoet die...'

'Ik wil het niet weten. Luister even, Ella. Dit kan serieus worden. Hij heeft Frank en zijn broers alleen maar afbetaald omdat Frank met een vriendin van je is getrouwd en hij hoopt dat die weet waar je bent.'

'Nee, hij wil geen contact met mij,' zei ze.

'Waarom zeg je dat? Hij heeft toch Mike Martin en Frank hun voelhoorns laten uitsteken?'

'Als Don echt met mij wil praten, zal hij me wel weten te vinden.'

'En zou je dan met hem willen praten?' vroeg Nick angstig. Hij kreeg het nare vermoeden waarom Ella de laptop had gehouden: ze wilde dat Don weer contact met haar zou opnemen.

'Misschien.' Ze klonk afwezig.

'Maar dat kan niet. Niet als er verder niemand bij is.'

'Dit gesprek kost een vermogen, Nick. Bedankt voor je bezorgdheid. Dat meen ik echt. En bedank Sandy en Dee namens mij. Maar alles gaat prima.'

'Echt?'

'Echt. En ik ben zo benieuwd naar Derry King. Ik heb trouwens een hondenhalsband met steentjes voor hem gekocht.'

'Ik vraag me steeds af of we er wel goed aan hebben gedaan om jou naar New York te sturen,' zei Nick.

Harriet belde om te vragen of alles in orde was.

'Ja, zo ongeveer. Sorry dat ik gisteren zoveel heb gedronken.'

'Welnee. Alleen... Nou ja, die hondenhalsbanden zijn zo ordinair. Als je echt indruk op hem wilt maken, kun je die beter niet geven.'

'Bedankt, Harriet. Ik zie hem morgen. Ik kijk wel hoe het gaat.'

'Trouwens, wie ben ik om zo tegen je te praten. Je kunt heel goed voor jezelf zorgen.'

'Was het maar waar.'

'Ik herkende je. Je was de vriendin van die geldhandelaar. Ze dachten dat hij er met jou vandoor was.'

'O.' Ella's stem klonk vlak. Ze vroeg zich vaak af of mensen haar herkenden. Die kans was afgenomen nu er maanden waren verstreken, maar natuurlijk kwam ze uitgerekend hier weer iemand tegen die haar herkende.

'Dat komt omdat een vriendin van me, Nora O'Donoghue, het geld voor haar huwelijk door hem is kwijtgeraakt.'

'Ik ken Nora wel. Ze heeft in de keuken bij Quentins gewerkt. Ze is heel aardig.'

'Ze heeft een keer bij mijn zus in Mountainview ingewoond en ze gaat trouwen met een leraar. Hij gaf blijkbaar les aan de zoons van Richardson... Nou ja, ze zijn hun spaargeld kwijt, daarom weet ik het nog.'

'Een heleboel mensen zijn hun spaargeld kwijt, mijn eigen ouders ook,' zei Ella.

'En niemand weet waar hij is?'

'We denken dat hij in Spanje zit. Hij zal wel een andere naam en adres hebben geregeld toen ik bij hem was. Dat lijkt allemaal zo lang geleden.'

'Weet je, ik vroeg me al af of hij er ook zou zijn toen ik jou zag. New York is natuurlijk een ideale stad om onder te duiken, en misschien had je met hem afgesproken. En toen zei ik tegen mezelf dat je gevaar kon lopen.'

Ella voelde opeens een rilling van angst. Dat kwam door de kater, hield ze zich streng voor. Maar het viel niet mee als twee mensen binnen vijf minuten haar wilden waarschuwen.

'Ik meen het echt, Harriet. Hij is al heel lang uit mijn leven verdwenen.'

'Nou, in elk geval veel succes met de film, en vergeet niet wat ik heb gezegd. Denk nog eens goed na over die halsband.'

'Dank je, Harriet, en het beste.'

'Er komen heus wel andere mannen, zo gaat het altijd.'

'O, dat zal best. Ik ben er alleen nog niet aan toe.'

'Ze komen juist wanneer je ze totaal niet verwacht.'

'Is dat jou ook overkomen, Harriet?'

'De beste kerel die je kunt hebben. Getrouwd met een kreng

van een wijf. Op een dag ging ze te ver en toen kwam hij met een koffer naar mij. Dat was tien jaar geleden.'

'En waarom is hij nu niet bij je?'

'Hij is bang om te vliegen en hij heeft een hekel aan grote steden.'

'Wat doet hij dan terwijl je weg bent?'

'Dan maakt hij kippenpastei en spaghettisaus en die vriest hij in porties in met een etiketje erop. En hij praat tegen zijn duiven en hij gaat een biertje drinken met zijn zoon, en hij komt me van het vliegveld afhalen en dan brengt hij mij en mijn koffers naar huis.'

'Nou, het beste,' zei Ella.

'En jij ook, Ella, en je moet weten dat niemand jou de schuld geeft van wat die rotzak heeft gedaan. Maar ik hoop dat het allemaal een keer goed komt voor je familie en zo...'

'Dat zal heus wel een keer gebeuren,' beloofde Ella, terwijl ze naar de laptop op haar bureau keek.

Wat een heerlijke dag. Geen wind die haar nieuwe kapsel door de war zou waaien, dus ging ze een wandeling maken over Fifth Avenue.

New York straalde energie uit. Ella voelde een nieuwe veerkracht in haar benen terwijl ze liep. Ze ging de kathedraal van St.-Patrick binnen en wenste dat ze zo gelovig was dat ze tot God kon bidden en hem kon vragen om de bijeenkomst met Derry King goed te laten verlopen. Maar dat zou niet eerlijk zijn. En het zou toch niet helpen, omdat God wist dat ze niet echt gelovig was.

Dus zei ze tegen God dat als Hij toevallig nog luisterde naar zondaars, ze Hem er, geheel vrijblijvend, graag aan wilde herinneren dat er elk jaar duizenden films werden gemaakt en dat niemand er bezwaar tegen zou hebben als hun film er daar één van zou zijn.

Ze keek naar de uitstallingen van bloemisten. Ze las de menu's op ramen. Ze bewonderde de uniformen van portiers. Ze slenterde door de atriums van kantoorgebouwen. Ze keek naar kantoorpersoneel dat buiten een sigaret ging roken of een broodje kocht bij een delicatessenwinkel. Ze vroeg zich af hoe het zou zijn om te werken in deze grote, opwindende stad waar niemand elkaar leek te kennen zoals in Dublin, waar je voortdurend naar mensen knikte of elkaar groette.

171

Een lange man liep langs en wierp haar een bewonderende blik toe. Ella schrok. Stel dat Harriet gelijk had toen ze zei dat New York een ideale stad was om onder te duiken. Misschien was Don inderdaad hier. Ze kon hem tegen het lijf lopen aan het eind van deze straat, bij de volgende stoplichten. Maar ze moest niet toegeven aan dwaze angst. Dat leidde maar tot waanideeën en zwakheid.

'Je moet flink zijn,' zei ze hardop.

'Zo is dat, mevrouw,' zei een man bij de krantenkiosk, de enige die haar had gehoord.

Ella wenste zichzelf geluk. Ze vond het heerlijk in New York, ze was hier net zo veilig als waar dan ook. Ze zou blijven wandelen tot ze geen stap meer kon zetten en daarna een taxi terug naar haar hotel nemen.

Ze sliep veertien uur achter elkaar en toen ze opstond, merkte ze dat ze zich in geen tijden zo goed had gevoeld.

'Ik dacht dat u ouder zou zijn,' zei Derry King toen hij haar een hand gaf in de foyer van het hotel.

'Dat dacht ik van u ook,' antwoordde Ella gevat. 'Maar we blijken dus jonkies in de grote zakenwereld te zijn. Mag ik u een kop koffie aanbieden?'

Hij glimlachte, en zag er opeens veel aardiger uit.

Derry King was een vierkant gebouwde man met een doorgroefd gezicht. Ze wist precies hoe oud hij was, en merkte op dat hij er niet uitzag als iemand van drieënveertig. New Yorkers waren blijkbaar beter geconserveerd dan Dubliners.

'Ja, graag koffie. Zullen we hier praten of wilt u liever dat we dat in uw suite doen?'

'We zijn maar een klein bedrijfje, meneer King. Ik heb een gewone kamer, geen suite. Ik heb dus liever dat we hier praten.'

'En ik word liever Derry genoemd.'

'Goed, Derry. Ik heb een cadeautje voor je meegenomen,' zei ze.

'O ja?' Hij was verbaasd.

'Ik heb gehoord dat je een hondenliefhebber bent, dus ik heb een leuke halsband voor je gekocht.' Ze haalde hem uit haar handtas.

'Wat een afschuwelijk ding! Waar heb je die vandaan?' zei hij lachend.

172

'Hij is niet afschuwelijk. Ik heb hem voor vijf dollar gekocht van een handelaar die elk jaar naar New York komt om smaakvolle cadeautjes in te slaan voor de kerstinkopen in Ierland,' zei Ella verdedigend.

'We zullen het vast goed met elkaar kunnen vinden, Ella Brady,' zei hij, en haar verkrampte maag kwam tot rust.

Hij had gelijk. Ze zouden het goed met elkaar kunnen vinden.

8

'Denk je dat ze hem echt een hondenhalsband gaat geven?' vroeg Sandy aan Nick.

'Niets zou me verbazen,' zei hij somber.

'Misschien pakt het juist goed uit. Misschien wordt hij wel verliefd op haar.'

'Jezus, dat hoop ik niet. Hij heeft een vrouw, Kimberly, en de helft van zijn bedrijf is van haar.'

'Weet Ella dat wel?' Sandy klonk nu angstig.

'O, absoluut. Ze heeft zijn dossier gelezen. Maar een echtgenote heeft haar voorheen ook niet bepaald tegengehouden, als je begrijpt wat ik bedoel.'

De man die bij de Brady's op Tara Road kwam om te informeren naar een appartement, was heel beleefd. Hij bewonderde hun tuinwoning, zoals hij het noemde, en zei dat hij het leuk vond dat er veel foto's aan de muur hingen. Dat maakte het huiselijk.

'Is dat uw dochter? Wat een knap meisje,' merkte hij op terwijl hij naar een foto van Ella keek.

'Inderdaad,' zei Barbara.

Ella had gezegd dat ze op haar hoede moest zijn en dat was ze, maar deze goedgeklede heer was vast geen sinistere dingen van plan. Hij was zo beleefd, en hij zocht een appartement voor een collega die over een paar maanden uit Engeland zou komen.

'Woont ze nog thuis?' Hij keek nog steeds naar Ella's foto.

'O ja, zo af en toe.'

'En is ze hier nu?'

'Nee, ze is weg. Zo gaat dat op die leeftijd.'

'Is ze naar het buitenland?'

Nu werd Ella's moeder ongerust. Deze beleefde man zocht

geen appartement voor een collega, hij was op zoek naar Ella.

'Ach, die jongelui van tegenwoordig vertellen je immers nooit waar ze naartoe gaan.' Ze lachte nerveus.

'Dat is zo, maar moet ze dan niet werken? Ze zit toch in het onderwijs, zei u?'

Dat hadden ze helemaal niet gezegd.

'Ze doet van alles wat... Dan is het makkelijker om vrij te nemen.'

'Ze is zeker de zon gaan opzoeken in Griekenland of Spanje?' opperde de man. 'Daar gaan veel mensen naartoe in september.'

Barbara Brady wierp haar man een vastberaden blik toe. 'Daar heeft ze tegen mij niets over gezegd. Tegen jou, Tim?'

'Geen woord,' zei hij. 'Ze had het over ergens in Kerry of West-Cork. Misschien heeft ze er een tijdelijk baantje bij genomen. Ze heeft dit jaar een beetje pech gehad, en ze probeert op allerlei manieren wat geld bij elkaar te krijgen.'

'Goed. Wat het appartement betreft...' begon Barbara.

Maar de man had geen belangstelling meer voor het appartement op Tara Road.

'We zijn een paar dagen terug. Zullen we gaan lunchen, Deirdre?'

'Nee, ik kan jammer genoeg niet, Nuala.'

'Je weet nog niet eens op welke dag,' protesteerde Nuala.

'Ik kan op geen enkele dag. Het is crisis hier op het werk. We hebben niet eens meer tijd voor een lunchpauze,' loog Deirdre.

'Ben je ergens kwaad over op mij, Dee?'

'Nee, ik heb de pest in dat ik mijn lunchpauzes moet opofferen. Waarom zou ik kwaad op jou zijn?'

'Je deed zo pissig toen ik vroeg waar Ella was. Ik wilde het alleen maar weten. Frank loopt er steeds over te zeuren. Hij zegt dat dat het enige is wat ik hoef te weten en dat ik zelfs dat nog niet kan.'

'Wat een aardige vent heb je toch,' zei Deirdre zonder enig medeleven.

'Nee, ze zijn bang. Zijn broers ook, allemaal.'

'Ik dacht dat ze hun geld onderhands hadden teruggekregen?'

'Dat was maar een gedeelte, om te laten zien dat ze het terug kúnnen krijgen als...'

'Als wat?'

'Als ze het spelletje meespelen, denk ik.'

'En Ella aan hen uitleveren, bedoel je?'

'Nee, zo bedoel ik het natuurlijk niet.'

'Nou, dan is het maar goed dat we geen van beiden weten waar ze is, nietwaar, Nuala?' zei Deirdre kordaat.

'Jij weet het wel, Dee.'

'Was het maar waar.'

'Wat moet ik nu? Help me, alsjeblieft.' Nuala klonk wanhopig.

'Ik neem aan dat jullie nog niet hebben overwogen de politie erbij te halen?' vroeg Deirdre liefjes.

'Nee. Frank en zijn broers willen zo min mogelijk te maken hebben met politie en advocaten,' antwoordde Nuala.

Patrick en Brenda Brennan gingen naar bed. Het was een lange, drukke avond geweest. 'Ik vraag me af of we wel moeten meedoen met die documentaire,' merkte Patrick op. 'Alle tafels waren bezet vanavond.'

'Ja, daar heb ik ook aan gedacht. We zullen aan uitbreiding moeten denken.' Brenda fronste haar voorhoofd.

'Dat zou alles veranderen.' Patrick fronste eveneens zijn voorhoofd.

'Maar het ging niet om de publiciteit.' Brenda vrolijkte op. 'Het is eigenlijk een stuk geschiedenis van Dublin, hoe dingen door de jaren heen zijn veranderd voor dit restaurant en de gasten.'

'Nu klink je net als dat jonge ding, die Ella Brady,' zei hij geeuwend.

'Ik ben benieuwd hoe het met haar gaat daar in Amerika,' zei Brenda terwijl ze aan haar kaptafel ging zitten en haar make-up begon te verwijderen.

Ze kon niet verstaan wat Patrick zei, want hij lag onder het dekbed in zijn kussen te mompelen.

'Ik hoop maar dat het goed gaat. Ze heeft zo'n afschuwelijke zomer achter de rug,' zei Brenda tegen zichzelf toen ze de laatste sporen wegveegde van de make-up waardoor ze altijd tien jaar jonger leek.

Derry King had gelijk. Ze konden inderdaad goed met elkaar opschieten. Ella loog niet tegen hem, en ze prees Firefly Films niet overdreven aan.

'Wat zit er voor mij in?' had hij in het begin gevraagd, en ze had het hem zo eerlijk mogelijk verteld. Hij zou deel uitmaken van iets heel nieuws, met een frisse aanpak, een film waarvan de makers hoge eisen aan de productie zouden stellen. Een film die prijzen kon winnen op festivals, die in veel landen op televisie zou verschijnen.

'Wat bedoel je met een "frisse aanpak"?' wilde hij weten.

'Dat het niet een en al Ierse nostalgie is,' zei ze, en hij moest lachen. 'We zijn niet van plan om het mooier te maken dan het is.'

Hij keek belangstellend. 'Dus met alle gebreken erbij.'

'Ja, we stellen al dat pretentieuze gedoe aan de kaak,' zei ze.

'Geef eens een voorbeeld.'

'Patrick moet er altijd om lachen dat Ieren vaak doen of ze verstand hebben van dingen terwijl het niet waar is, net of ze niet voor gek willen staan. Hij zegt dat je nooit de op één na goedkoopste wijn van de kaart moet nemen. Dat kan de grootste troep zijn, omdat mensen die altijd kiezen als ze niet gierig willen lijken door de goedkoopste wijn te nemen.'

Derry keek haar glimlachend aan. 'En hij gaat dat allemaal vertellen?'

'Ja zeker.'

'Is hij niet bang dat hij zijn cliëntèle kwijtraakt?'

'Nee, hij zal het fijntjes brengen. Je zult hem vast wel mogen als je overkomt. Het verbaast me trouwens dat je nooit in Quentins bent geweest als je in Ierland was,' zei Ella.

'Ik ben nog nooit in Ierland geweest,' zei Derry op vlakke toon.

'Wat?'

'Ik ben er nooit geweest,' zei hij, en hoewel hij nog steeds glimlachte, lag er een harde blik in zijn ogen. 'En ik ben ook niet van plan om er ooit heen te gaan.'

Cathy Scarlet en Tom Feather waren maar een klein bedrag kwijtgeraakt toen Rice en Richardson failliet gingen. Vergeleken met anderen hadden ze veel geluk gehad. Er stond alleen nog een rekening open van zevenhonderd euro. Ze hadden één cateringavond voor niets gewerkt.

Het was de wekelijkse middag waarop Maud en Simon, de zogenaamde 'schatten' van Tom en Cathy, kwamen poetsen en in details de komende baby kwamen bespreken. Wisten ze al een naam? Waar ging de baby wonen? Zou hij al groot zijn als Tom en Cathy eindelijk eens gingen trouwen? Konden ze de baby stepdansen leren?

Het was bijna een opluchting toen de deurbel in het kantoor aan de voorkant rinkelde en ze een paar minuten aan de vragen van de kinderen konden ontsnappen. Het was iemand die kwam informeren naar brochures en prijslijsten. Het was een goedgeklede man die niet precies leek te weten wat hij wilde. Hij kwam zo vaag over dat ze argwaan kregen.

'Jullie kennen Ella Brady toch?' zei hij opeens.

'Ja,' antwoordde Tom vaag.

'Een beetje,' zei Cathy, ervoor zorgend dat ze nog onverschilliger klonk. Ze wisten waar Ella was, maar dat moest geheim blijven.

'Weten jullie misschien waar ze is?' informeerde hij beleefd.

'Nee, helaas,' zei Tom.

'Geen idee,' zei Cathy.

'Dat is jammer. Mij is namelijk gevraagd om jullie het geld te geven voor een rekening die nog niet is betaald. Zonder opzet, uiteraard. Een bedrag van zevenhonderd euro, als ik het goed heb.'

Tom en Cathy keken elkaar verbijsterd aan. 'Bent u van Rice en Richardson?' vroeg Cathy.

'Nee, helaas niet. Maar laten we zeggen dat ik bevriend ben met een van de betrokkenen, en hij vond het vervelend dat dit misverstand is ontstaan en de rekening nog openstaat.'

'Dat kan ik me voorstellen,' zei Cathy.

De man trok zijn portefeuille. 'Hij wilde dat ik het persoonlijk zou overhandigen. Hij houdt niet van schulden.' De man zweeg even terwijl hij zeven briefjes van honderd euro op het tafeltje legde. 'En hij zou het op prijs stellen als u Ella wilt vragen om hem op dit nummer te bellen.'

'Nou, ze zal het fijn vinden dat de rekening wordt betaald,' zei Tom. 'Maar we hebben geen idee waar Ella is.'

'Als het daarvan afhangt,' merkte Cathy op, 'dan moeten we het geld maar niet aannemen.'

'Jawel. Misschien schiet het u nog te binnen waar ze is.'

'Wij weten waar ze is,' klonk een helder stemmetje. Tom en Cathy zagen tot hun ontzetting dat Maud naar voren was gekomen.

Ella zou toch niet zo dom zijn geweest om iets tegen die kinderen te zeggen?

'Ga alsjeblieft terug naar de keuken, Maud,' zei Cathy op dwingende toon.

'Jullie weten toch niet waar Ella is,' zei Tom.

Simon voelde zich gepikeerd. Dit was niet eerlijk. 'Wel waar,' zei hij opstandig.

'En waar dan wel?' informeerde de man belangstellend.

'Ze is naar het ziekenhuis,' vertelde Simon triomfantelijk.

'Om haar gedachten weer op een rij te laten zetten,' verklaarde Maud. 'Dat duurt alles bij elkaar een week of twee.'

De man keek naar Tom en Cathy alsof hij bevestiging zocht. Ze haalden allebei hun schouders op.

'Wie weet,' mompelde Cathy.

'Het is heel goed mogelijk,' zei Tom.

De man draaide zich om en vertrok zonder nog een woord te zeggen. Toen hij wegliep door het met kinderkopjes geplaveide laantje pakte hij zijn mobiele telefoon.

'Die zal wel naar Spanje bellen,' merkte Cathy op.

'Is het ziekenhuis daar?' vroeg Simon. 'Ik dacht dat het in Amerika was. Omdat Ella iets had gezegd wat ermee te maken had.'

Tom ademde langzaam uit. 'Waarom heb je dat dan niet tegen die meneer gezegd?'

'Ik wist het niet zeker. Ze zei iets over haar laatste dollar aan iets uitgeven, maar misschien was dat maar een uitdrukking.'

'Dat kan,' zei Cathy. Ze pakte opgelucht Toms hand beet.

'Gaan jullie weer vrijen als de baby is geboren?' informeerde Maud.

'Waarschijnlijk. Als we de energie kunnen opbrengen,' zei Cathy.

'Kost dat veel energie?' vroeg Simon belangstellend.

'En nu allemaal terug naar de keuken,' zei Tom.

Op de hoek van de straat belde de man naar Don Richardson. 'Ik heb niet veel geluk, Don. Ik ben niets wijzer geworden bij die filmmakers, niet bij haar ouders en niet bij dat restaurant. En nu ook niet bij de cateraars.'

Hij luisterde even en knikte. 'Goed. Dan gaan we over op plan C.'

Ella staarde Derry King met open mond aan. 'Je bent niet van plan om ooit naar Ierland te gaan!' zei ze verbijsterd.

'Nee. Nooit, wat mij betreft.'

'Waarom heb je het er dan over om daar een film te maken?'

'Die maak ik niet, maar jullie.' Hij hief zijn handen op om aan te tonen hoe simpel die redenering was.

'Maar waar hebben we het dan over gehad als je niet... als je niet eens van plan bent om... Sorry, Derry. Ik begrijp er niets van.' Ze zag er gekwetst en boos uit.

'Ik hoef toch niet dol te zijn op Ierland om in een film over het land te investeren? En trouwens, het zal niet bepaald een lofzang worden, maar juist alle zwakke punten, al het nieuwe geld, de hebzucht en zogenaamde stijl aan de orde brengen.'

'Dat hebben we niet gezegd...'

'Nou, zo kwam het wel over. Mensen die de Europeanen willen imiteren.'

'Maar wij zijn toch ook Europeanen!' riep Ella uit.

'Je zei net nog dat jullie dingen aan de kaak wilden stellen.'

'Derry, iets klopt hier niet.' Ze keek naar haar aantekeningen. 'Ik zit hier al uren in deze koffiebar met je te praten, en ik heb je blijkbaar een heel verkeerd beeld gegeven.'

'Ik heb om persoonlijke redenen niets met Ierland,' zei hij. 'De erfenis van mijn vader is niet bepaald een reden om op zoek te gaan naar mijn afkomst. Ik was geïnteresseerd in het project omdat ik dacht dat jullie het zouden opsturen.'

'Maar je hebt de aantekeningen van Nick toch ontvangen?'

'Hij zei dat het eerlijk en baanbrekend zou zijn. Daarom ben ik hier. Om te horen hoe jullie dat willen doen.'

'En wat is je conclusie tot nu toe?' Ella voelde een brok in haar keel van teleurstelling.

'Mijn conclusie is dat we te lang in deze koffiebar hebben gezeten. We moeten even pauze nemen. Daarna zal ik je met een auto laten ophalen en gaan we ergens dineren. Ik heb trek gekregen van al dat gepraat over eten.'

Ze was bang om hem uit het oog te verliezen. 'Ze hebben hier ook een restaurant...' begon ze.

'Nee, dat is geen echt restaurant. Je wordt om zeven uur opgehaald. Goed?'

180

'Nog één ding.'

'Natuurlijk, zeg het maar.'

'Ik zal Nick moeten bellen. Zal ik zeggen dat alles een misverstand is geweest?'

'Waarom?'

'Nou, dat meende ik te hebben begrepen.'

'Ho, we hebben het tot nu toe alleen maar gehad over een eventuele bespreking. Zo ver zijn we nog lang niet.'

'Maar ik kan dit restaurant niet laten vallen, dat wil niemand van ons. Ik bedoel, als je dat zou willen, moeten we het hele project schrappen.'

'Ik begrijp het, en ik respecteer je mening. Tot zeven uur.'

Er volgde een moeizaam telefoongesprek. 'Ik begrijp het niet goed,' zei Nick.

'Ik ook niet, eerlijk gezegd. Zullen we het er voorlopig bij laten dat we in gesprek zijn over besprekingen?'

'Nee, Ella. We hebben er alles in gestoken. We beginnen allebei nogal ongerust te worden.'

'Nou dat geldt voor ons drieën, of misschien wel vieren. Misschien is Derry ook wel ongerust. Hij blijkt een vreselijke hekel te hebben aan zijn vader en aan Ierland.'

'Dat geloof ik niet.'

'Dat heeft hij me verteld. Zal ik je bellen als ik terug ben? Dan is het een uur of drie, vier in de ochtend bij jullie.'

'Laat maar, Ella. Bel morgen maar.'

Ella trok Deirdres zwarte jurk en rode jasje aan. Ze nam een grote handtas mee waarin papieren en foto's pasten zonder dat het op een diplomatenkoffertje leek. Ze werd afgehaald door een chauffeur.

'Naar welk restaurant gaan we?' informeerde Ella opgewekt.

De chauffeur noemde respectvol een naam, op een toon alsof dat de aangewezen plek was als je door de heer King werd uitgenodigd.

Hij zat aan de tafel te wachten. Hij droeg een smoking. Hij zag er net zo formeel uit als op de foto's in de knipsels die ze zo aandachtig had gelezen tijdens de vlucht naar New York. Maar in die interviews en artikelen kwam je weinig over hem te weten. Er was niets in terug te vinden over zijn enthousiasme en bereidwilligheid om aan iets te werken tot het af was. Er werd niet in vermeld dat zijn gezicht zo oplichtte als hij het idee kreeg dat ze een stuk waren opgeschoten. Hij was een doorgewinterde zakenman, ver boven haar niveau.

Ella kreeg opeens het gevoel dat ze tekortschoot. 'Ben ik wel netjes genoeg gekleed?' vroeg ze.

'Je ziet er heel leuk uit,' zei hij.

'Kon je vrouw niet mee vanavond?'

'Al een heleboel avonden niet,' zei hij glimlachend.

'Sorry, weer iets wat ik verkeerd heb begrepen,' verontschuldigde ze zich.

'Nee, je hebt je dossier goed bestudeerd. Je bent alleen niet toegekomen aan het gedeelte waar staat: "huwelijk ontbonden".'

'Was dat lang geleden?' Ella probeerde net zo nonchalant te klinken als hij.

'O, een jaar of tien, denk ik. Maar het is moeilijk om het precies te zeggen, omdat we elkaar elke week zien bij de vergadering van de stichting.'

'Is dat niet moeilijk? Nou ja, ik denk het niet, anders zouden jullie het niet allebei volhouden.'

'Het gaat goed. Heel goed zelfs, en Kimberly is hertrouwd en ze gaat veel uit. Ik niet, dus we komen elkaar 's avonds zelden tegen. Maar vanmiddag hebben we elkaar nog gesproken. Ze is heel geïnteresseerd in het project, en morgen zal ze er ook bij zijn.'

'Er komt dus een morgen?' Ella kreeg bijna tranen in haar ogen van dankbaarheid.

'Natuurlijk, Ella. En bekijk nu het menu eens en vertel of je vrienden van Quentins dit restaurant kunnen evenaren.'

'Konden ze me nu maar zien. Ik wou dat iedereen me nu kon zien.' Voor het eerst sinds ze in New York was, zag ze er blij en zelfbewust uit.

Kimberly leek tweeëntwintig, maar Ella wist dat ze bijna veertig was. Ze zag er schitterend uit met haar perfecte, glanzende kapsel dat vast elke dag in een kapsalon werd bijgehouden, haar perfecte glimlach met regelmatige, witte tanden, een perzikkleurig designer-

182

pakje en zwarte schoenen met hoge hakken. Daarbij had Ella zelden iemand meegemaakt die zo intelligent was. Ze was helemaal op de hoogte van het project, en ze begreep wat Firefly Films probeerde te doen. Ze vertelde over andere films die ze hadden gesteund, een over een jonge liedjesschrijfster die zo in haar carrière geloofde dat ze alle tegenslagen en afwijzingen te boven wist te komen. En een andere film over een vrouw die een clubje voor geestelijk gehandicapte kinderen had opgericht om hun ouders even tijd voor zichzelf te geven, maar dat door de autoriteiten werd gesloten omdat ze niet de benodigde opleiding had. En een film over de stress die het leven als echtgenote van een politieman meebracht, en een over een vrouw die, zonder dat iemand het ooit had gemerkt, dertien jaar een kat had gehad in een appartementencomplex waar huisdieren verboden waren.

Ella kon geen enkele overeenkomst tussen al die projecten ontdekken. Derry en Kimberly leken tevreden. Ze wilden niet voorspelbaar zijn. Morgen zouden ze de harde feiten bekijken, zei Kimberly, en een rondreis uitstippelen voor wanneer Derry in Ierland aankwam.

Ella keek verbaasd op. 'Maar je zou toch niet naar Ierland gaan, Derry?'

'Natuurlijk wel. Dat is maar onzin,' zei Kimberly.

'Nee, Kim, vergeet het maar.' Derry glimlachte toegeeflijk.

'Wil jij dan komen, Kimberly?' smeekte Ella.

'Ja, Kim, dat zou echt iets voor jou zijn,' plaagde hij.

'Derry weet dat ik absoluut niet van plan ben om mijn jonge, beïnvloedbare echtgenoot bloot te stellen aan de verleidingen van deze stad.'

'O, Lorenzo zal echt niet vreemdgaan,' zei Derry. 'Nooit van zijn leven.'

'Hij heet Larry, Ella, zoals Derry heel goed weet. En ik laat hem niet alleen om de een of andere theorie uit te proberen.'

Ella keek naar Derry. Hij wond zich blijkbaar totaal niet op.

'Het komt wel goed. Kim speelt graag spelletjes. Dat is altijd al haar zwakke punt geweest.' Hij zei het zonder enig venijn, maar zelfs vol genegenheid.

'Mijn hemel, iemand moet toch spelletjes kunnen spelen.' Ze woelde lachend door zijn haar.

'Laten we geen tijd verspillen door oude koeien uit de sloot te halen.'

'Derry zal vroeg of laat naar Ierland moeten. Hij gaat wanneer hij er klaar voor is. Als jij ons nu eens je verhalen vertelt, Ella? Vertel ons alles over de mensen om wie de film zal draaien.'

De tijd was gekomen om hen te overtuigen dat juist dit restaurant vol verhalen zat over het leven van allerlei verschillende mensen door de jaren heen. Ze pakte haar aantekeningen en begon te vertellen.

De stroomuitval

Martin viel weer in slaap nadat hij zijn wekker had uitgezet. Hij kreeg een onrustige, ingewikkelde droom, waarin hij het verkeerde wisselgeld had en om die reden niet werd geholpen. Met een rilling van irritatie werd hij wakker. Hij raakte nog meer uit zijn humeur toen hij zag dat het zeven uur was en twintig minuten te laat om op tijd op het werk te komen. Uitgerekend vandaag. Hij probeerde zich te haasten, en natuurlijk ging alles toen nog langzamer dan anders. Hij ging onder de douche staan, die te heet was, zodat hij er vlug weer uit moest springen, waarbij hij allerlei voorwerpen van een plank stootte. Hij trok een knoop van zijn beste overhemd en morste sinaasappelsap in de koelkast. Hij herinnerde zich dat hij kleren naar de stomerij had willen brengen, maar daar was nu geen tijd meer voor. Dat betekende dat hij voor morgen geen schoon pak had. De vuilnis moest die dag buitengezet worden, en hij had werkelijk geen seconde tijd meer. Hij haastte zich naar buiten en merkte dat het regende, ging weer naar binnen om een paraplu te pakken, en hoorde de telefoon rinkelen. Het was nog geen acht uur, dus moest het wel dringend zijn. Hij nam op en hoorde tot zijn grote ergernis dat het zijn zoon was.

'Hallo, pa, met Jody. Ik wilde alleen even weten of je het niet vergeten was.'

Waarom dacht die jongen dat hij een lunchafspraak zou vergeten die al langer dan een maand geleden was gemaakt?

'Je hebt het altijd zo druk. Misschien was het je ontschoten.'

'Nee, Joseph, mensen die het druk hebben vergeten geen afspraken die allang vaststaan. De luxe om iets te kunnen vergeten geldt alleen voor mensen die niets aan hun hoofd hebben en geen belangrijke dingen te doen hebben. Die niets belangrijks in hun leven hebben.'

Waarom deed hij het? De jongen nog meer van zich afstoten en de verwijdering tussen hen nog groter maken? En zichzelf nog langer ophouden. Nu begon Joseph over het menu te kletsen, en zei dat zijn vader moest kiezen wat hij wilde eten. 'Ja ja, dat doe je meestal in een restaurant,' snauwde Martin.

Maar Jody hoorde de koele toon in zijn vaders stem niet. 'Ik wilde alleen maar zeggen dat je je niet aan een dagschotel of zo hoeft te houden,' legde hij uit.

'Joseph, ik moet nu weg.' Martin hing op. Buiten in de natte straat had iedereen wel de vuilnis buitengezet. Andere mensen waren wel op tijd opgestaan en naar hun saaie baantjes gegaan, maar hem, Martin, was het niet gelukt. Martin, die het grootste reclamebureau van de stad had, een man die in het hele land bekend was. Vandaag probeerden ze de grootste klant binnen te halen die ze ooit hadden gehad. Ze waren het al drie maanden aan het voorbereiden, en uitgerekend vandaag, nu de grote dag was gekomen, was hij weer in slaap gevallen en had hij die nare droom gekregen. Er moesten vandaag ook nog andere dingen gebeuren. Kit Morris, zijn secretaresse, moest nodig eens iets aan zichzelf doen. Ze was eigenlijk te oud voor het werk: ze had niet de juiste uitstraling en ze kon alle nieuwe technologieën niet goed bijhouden. Misschien moest hij het gesprek maar tot later op de dag uitstellen. Hij moest Kit nageven dat ze nooit op de tijd lette en heel hard werkte. Ze werkte al heel lang bij hem. Waarschijnlijk stelde haar privé-leven niets voor.

Het zou op geen enkele dag makkelijk zijn om tegen haar te zeggen dat ze voor zijn bedrijf niet het juiste imago had in haar vormloze rok en lange vest. Maar het was een spannende dag vandaag en het zou heel laat worden. Ze hadden om vijf uur een receptie voor hun Amerikaanse partners met een diner erna. Het had niet slechter kunnen uitkomen. Als ze de nieuwe klant niet kregen, zouden ze weinig zin hebben om de Amerikanen aangenaam bezig te houden.

Martin slaakte een zucht terwijl hij haastig over het glibberige trottoir liep. Dat hij uitgerekend vandaag met Joseph moest lunchen. Maar de jongen was onvermurwbaar geweest. Het was de sterfdag van Rose. Zijn vrouw was vijftien jaar geleden overleden. Sindsdien had Martin zich op zijn werk gestort. Maar tragedies hebben op verschillende manieren hun uitwerking op mensen. Joseph was enkele weken na de begrafenis van school gegaan. En sindsdien was het onmogelijk om waar dan ook over te praten met zijn zoon.

Martin kwam nat, buiten adem en slechtgehumeurd aan op zijn kantoor.

'Ze zitten op je te wachten,' zei Kit opgewekt.

'Kit, hou die wijsheden vandaag alsjeblieft voor je.'

Kit liet zich niet uit het veld slaan. 'Alles is in orde, Martin. Ik heb ze koffie gegeven en een excuus verzonnen. Ik zei dat je een zakenontbijt had dat je niet kon afzeggen. Misschien werkt het wel in je voordeel.' Ze glimlachte hem geruststellend toe.

Martin rechtte zijn schouders en ging aan de slag.

Hij kon het niet weten, maar andere mensen hadden het ook moeilijk die ochtend. Jody ijsbeerde door een kleine zit-slaapkamer en oefende wat hij tijdens de lunch bij Quentins zou zeggen. Zou het eruit komen zoals hij het wilde? Hoe vaker hij het zei, hoe minder waarschijnlijk het leek.

In het restaurant was de Bretonse ober Yan onder toezicht van Brenda Brennan het bestek op elke tafel aan het oppoetsen met een zachte doek. Ook hij had een slechte ochtend. Hij had een brief van thuis gekregen met de vage vermelding dat zijn vader naar het ziekenhuis van Concarneau moest om testen te ondergaan. Niemand zei waar de testen voor dienden. Zou hij naar huis gaan om erachter te komen? Telefoneren had geen zin, ze zouden alleen maar zeggen dat hij zijn zuurverdiende geld niet moest verspillen.

Kit Morris had ook een moeilijke dag. En dat Martin zich als een verwend kind gedroeg, maakte het er niet beter op. Ze had haar eigen problemen. Zoals hoe de toekomst eruit moest gaan zien voor haar bejaarde moeder. Ze kon niet langer op zichzelf wonen. Of Kit moest haar in huis nemen, of ze moest naar een bejaardenhuis. Andere opties waren er niet, dat hadden haar getrouwde broers duidelijk gemaakt. Kit had tijd nodig om erover na te denken. Ze had Martin een paar dagen vrij willen vragen. Maar daar was vandaag niet de juiste dag voor.

Martin zat aan zijn tafel in Quentins met zijn vingers op tafel te trommelen. Een van zijn collega's had hem een lift gegeven. De man had er neerbuigend bij Martin op aangedrongen dat hij eens rustig moest lunchen om te ontspannen, want hij had gemerkt dat Martin vandaag nogal kortaf was. Dus nu was hij een kwartier te vroeg en die jongen zou natuurlijk zoals gewoonlijk te laat komen. Martin liep in gedachten weer de bijeenkomst na. De mensen waren heel terughoudend geweest, en ze hadden geen ja en geen nee gezegd op het voorstel. Ze zouden het hem later op de dag laten weten. Maar het meeste was goed gegaan.

Hij had een stevige borrel nodig. De ober, natuurlijk weer een buitenlander, leek hem niet te zien. De jongen keek wel een keer in zijn richting, maar met een lege blik, dus knipte Martin met zijn vingers om zijn aandacht te trekken. Toen gebeurde er iets met het gezicht van de jongen. Er kwam iets kils over. Het was zo opzettelijk dat Martin zijn ogen niet kon geloven. Die blaag was niet van plan om op zijn wenk te reageren. Maar dat kon toch niet door de beugel. Dit was een toprestaurant. Hij knipte weer met zijn vingers, maar het gezicht van de jongen leek wel uit steen gehouwen. Martin voelde een zenuw in zijn voorhoofd kloppen. Hij stond op en wilde juist naar Brenda Brennan gaan om luidkeels zijn beklag te doen, toen er opeens een stroomstoring was. Alle lichten gingen uit. Dat had een verbijsterend effect in een donker restaurant met dikke gordijnen op zo'n natte, bewolkte dag. Alles leek in volslagen duisternis te zijn gehuld. Heel even dacht Martin dat hij een blackout had, maar tot zijn opluchting hoorde hij andere gasten kreten slaken, lachen, en opmerkingen maken over het incident.

Hij hield zich aan de tafel vast en ging weer op zijn stoel zitten. Brenda liet haar personeel binnen enkele ogenblikken kaarsen naar de tafels brengen. Ze verzekerde iedereen dat ze zowel op gas als elektrisch kookten, dus er was geen enkel probleem. Om de overlast een beetje te compenseren kreeg iedereen iets te drinken van de zaak.

'Als er tenminste iemand is die het wil komen brengen,' mopperde Martin.

'Pardon, meneer?' zei Brenda Brennan verbaasd.

'Die mooie jongen daar lijkt wel met doofheid en blindheid geslagen, zelfs toen het licht nog aan was,' zei Martin.

'Yan is een van onze beste obers, dus dat verbaast me. Maar mag ik u dan van dienst zijn? Wat wilt u drinken?'

Hij zag dat ze met Yan ging praten. De jongen probeerde iets uit te leggen en dat deed hij vol overtuiging. Martin kon het niet horen, maar hij zag dat Brenda hem gerust wilde stellen; ze legde een hand op zijn arm. Toen kwam ze bewonderenswaardig snel terug met zijn wodka, en hij probeerde zich te ontspannen. Ten slotte kwam de ober hem de menu's brengen. Martin was er nog niet in geslaagd om zich te ontspannen.

'O, ik zie dat je me eindelijk hebt opgemerkt,' zei hij.

'Het spijt me, meneer,' zei de jongen.

'Je wilt toch niet zeggen dat je me niet zag?' begon Martin.

'Nee, ik heb u wel gezien. Neemt u me niet kwalijk dat ik niet naar u toe kwam.'

'En waarom deed je dat niet?'

'U maakte dit geluid met uw vingers.' Yan deed het geluid na.

'Ja, omdat ik je aandacht wilde trekken.'

'Ik ben opgeleid bij een maître d'hôtel die zei dat we ons een diplomatieke blindheid moesten aanmeten als zoiets gebeurde, en de betreffende persoon nooit moesten bedienen. Maar mevrouw Brennan legde zojuist uit dat de regels hier anders zijn. Het spijt me.'

'Dat soort dingen kan misschien in Frankrijk...' begon Martin.

'Ik kom uit Bretagne, meneer,' zei Yan. Hij zag bleek. Misschien had Brenda hem wel met ontslag gedreigd.

'Gaat het wel?' vroeg Martin opeens.

'Dank u voor uw belangstelling. Ik maak me zorgen over mijn vader. Hij is ziek. Ik weet niet of ik naar hem toe moet gaan.'

'Kun je goed opschieten met je vader? Kunnen jullie goed met elkaar praten?'

'Een vader kan niet goed met zijn zoon praten, en een zoon niet met zijn vader. Er zijn er niet veel die dat wel kunnen. Maar ik geef veel om hem.'

Op dat moment zag Martin dat zijn eigen zoon naar hun tafel werd gebracht en opeens kwam de oude ergernis weer bij hem boven. Joseph – of Jody, zoals hij zichzelf per se wilde noemen – droeg een gerafelde parka en daaronder een verschoten grijze trui. Hij zag er zo slonzig uit, zo misplaatst, maar toch lachte hij vol zelfvertrouwen.

'Pa, sorry dat ik zo laat ben. De bussen waren vol door de regen, en ik heb me zo gehaast om hier te komen, want...'

'Het is al goed, Joseph. Bestel iets te drinken bij de ober. Het is gratis, omdat de stroom is uitgevallen.'

'O ja?' Jody keek verbaasd om zich heen. 'Dat was me niet eens opgevallen.'

Martin keek nijdig. De jongen leek wel een imbeciel.

'Joseph, probeer eens met beide benen op de grond te blijven,' begon hij.

'Maar pa, ik was zo opgewonden. Ik kon gewoon niet wachten om je het grote nieuws te vertellen.'

'Heb je een baan?' vroeg zijn vader.

'Ik heb altijd al een baan gehad, pa,' zei Jody.

'Als je bladeren vegen een baan noemt.'

'Dat heet tuinieren, pa, maar daar gaat het verder niet om. Waar het om gaat is...' Jody zweeg, bijna niet in staat om de grootsheid onder woorden te brengen van wat hij wilde zeggen. 'Ik heb twee hele ochtenden lopen piekeren hoe ik het je moest vertellen, en nu vraag ik me af waarom ik er zo op heb geoefend.'

'Op wat?'

'Toen ik binnenkwam, zag ik je met de ober praten...' Jody gebaarde naar Yan, die was blijven staan en van de een naar de ander keek alsof hij een tenniswedstrijd bijwoonde. 'En je zag er zo vriendelijk en bezorgd uit, als een gewoon mens en niet als een grote zakenman. Dus toen zei ik tegen mezelf: waarom zou ik het juiste moment afwachten om het je te vertellen? We krijgen een baby, Jenny en ik... We zijn zo opgewonden. Ik kan je niet zeggen hoe gelukkig we zijn. Stel je voor, een zoon of dochter van ons tweeën. Een nieuw mensje!'

Er blonk iets van tranen in zijn ogen, het enthousiasme dat nooit was verdwenen. Het optimisme dat zelfs door de koele, afwerende houding van zijn vader nooit was gedoofd, straalde van hem af.

Op dat moment bracht Brenda een brief voor Martin. 'Uw secretaresse heeft hem persoonlijk afgegeven. Ze zei dat u geen telefoontjes zou aannemen.'

Uitgerekend op dit moment moest Kit hem lastigvallen met zaken. Hij gunde de envelop nauwelijks een blik waard, maar probeerde te bedenken wat hij tegen zijn zoon moest zeggen. Voor Martin zijn mond kon opendoen, had Yan Jody's hand gepakt. '*Mes félicitations...* Ik bedoel, gefeliciteerd. Wat een goed nieuws. Uw vrouw en u zullen wel heel gelukkig zijn.'

'Jenny en ik zijn niet getrouwd. We hebben nooit het nut ingezien om...' begon Jody.

'Nee, nee, in het Frans betekent *femme* vrouw én echtgenote.'

'En zo is het ook,' zei Jody. Hij keek naar zijn vader. 'Maak je de brief van kantoor niet open, pa? Misschien is hij belangrijk,' zei hij bescheiden.

Martins keel zat zo dicht dat hij bijna geen woord kon uitbrengen. 'Niets kan zo belangrijk zijn als dit,' stamelde hij uiteindelijk. 'Ik ben zo blij voor jullie allebei, en voor mezelf, en misschien... misschien...' – zijn stem brak – '... misschien weet je moeder het ook op de een of andere manier.'

'Maar natuurlijk!' zei Jody stralend.

Yan deed een stap achteruit alsof hij verwachtte dat de twee mannen elkaar zouden omhelzen. En ze stonden inderdaad tegelijkertijd op en omarmden elkaar, iets wat ze nooit eerder hadden gedaan. Bijna beschaamd gingen ze weer zitten en keken elkaar aan.

'Maak nu alsjeblieft die brief open, pa. Ik word er zenuwachtig van,' zei Jody.

Kit schreef dat ze het contract hadden gekregen en dat ze zo vrij was geweest om champagne te bestellen, zodat ze het straks met de Amerikaanse partners konden vieren. 'Iedereen is zo blij, Martin,' schreef Kit. 'Je hebt van dit kantoor meer een thuis gemaakt dan een werkplek. Gefeliciteerd namens ons allemaal.'

Martin voelde zich bijna week worden toen hij dat las.

Wat had hem bezield om Kit te willen veranderen?

Ze was onmisbaar voor het kantoor zoals ze was.

Goddank had hij niets tegen haar gezegd. Dat zou onvergeeflijk zijn geweest.

Jody vertelde over namen en plannen, en dat hij net zo goed voor de baby zou zorgen als Jenny.

'Ik wou dat ik dat bij jou ook had gedaan,' zei Martin peinzend.

'Daar heb ik moeder ooit wel eens naar gevraagd, maar ze zei dat je veel te ongedurig was om voor een kind te zorgen,' zei Jody, die geen greintje wrok leek te koesteren.

'Kan ik vanavond na het zakendiner bij jou en Jenny komen om het te vieren?'

Jody keek hem verbaasd aan. Zijn vader was nog nooit in zijn appartement geweest. Misschien gold die ongedurigheid niet voor grootvaders.

Een groot feest

Toen Maggie Nolan met zulke prachtige cijfers voor haar examen was geslaagd, zei haar vader dat dit gevierd moest worden: de familie Nolan ging in een hotel dineren.

Dat was nog nooit gebeurd. Ze waren zelfs nog nooit naar een gewoon restaurant gegaan, laat staat naar het restaurant van een hotel. Andere mensen gingen naar de Chinees of de Italiaan... Het land begon kosmopolitisch te worden. Nou ja, een deel in elk geval.

Maar de Nolans niet.

Er was nooit extra geld. Er moest zoveel betaald worden en er werd zoveel beslag gelegd op hun tijd. Om te beginnen woonde de moeder van mevrouw Nolan bij hen in, en moest er elke dag een warme maaltijd gekookt worden voor de vader van meneer Nolan, en naar diens flat worden gebracht.

Meneer Nolan werkte op de vleesafdeling van zo'n ouderwetse kruidenier die volgens sommigen uit de tijd raakten. Hij werkte er met plezier en hij werd er gewaardeerd, maar als de winkel echt op zijn retour was, zou het natuurlijk moeilijk worden voor meneer Nolan om een andere baan te vinden.

Mevrouw Nolan werkte als schoonmaakster in het ziekenhuis. Ze was heel populair bij de verpleegkundigen en de patiënten, maar ze werkte lange, vermoeiende uren; ze had last van spataderen en hoopte dat ze kon blijven werken tot de kinderen zichzelf konden redden.

Maggie was de oudste van vijf kinderen en het enige meisje. De jongens wilden allemaal gaan voetballen bij Engelse clubs. Ze hadden geen zin om te leren en waren stomverbaasd dat hun grote zus zo'n mooie eindlijst had, dat er serieus over gepraat werd om haar naar de universiteit te laten gaan. Het verbaasde ze nog meer dat hun vader hen naar een groot, duur hotel wilde meenemen, waar niemand die ze kenden ooit een voet binnen had gezet.

Maar hij zei steeds dat Maggies cijfers niets zouden voorstellen als ze er geen groot feest van maakten.

'Gaan jullie met zijn drieën, ma, pa en Maggie?' wilden ze weten.

'Nee, het moet een familiefeest zijn,' zei hij beslist.

'Gaat oma dan ook mee?' vroegen ze.

Oma Kelly had de neiging om in het openbaar haar gebit uit te doen. De uitnodiging was niet bestemd voor oma, klonk het vastberaden. Opa Nolan zei dat hij uit principe niet eens over de drempel van zo'n etablissement zou stappen. Hij zei het voordat iemand hem had uitgenodigd, zonder uit te leggen wat voor principe dat was.

Maar dat hield nog steeds in dat er zeven mensen naar een belachelijk duur hotel zouden gaan.

'Het kan niet. Het is gewoon idioot, mam,' zei Maggie. Haar moeder zag er moe uit na de hele dag een zware, onhandige schoonmaakkar over de afdelingen te hebben geduwd.

'Hoor eens, kind, we zijn zo trots op je. En je vader heeft toch niet voor niets al die jaren vlees staan snijden, dus mag hij best zijn gezin meenemen naar een duur restaurant als zijn oudste een genie blijkt te zijn.' De ogen van Maggies moeder straalden in haar vermoeide gezicht.

Daarmee was de discussie afgelopen. Protesten hadden geen zin meer.

Maggie ging naar haar kamer.

Ze was achttien. Ze wist dat het diner een vermogen zou kosten, misschien wel twee weken van haar vaders salaris. Hij zou het moeten lenen van de kredietvereniging op zijn werk. Maggie had veel liever gehad dat ze ergens kip met patat gingen eten en dat haar vader haar vijftig pond had gegeven om studieboeken te kopen.

Maar ze luisterde naar haar moeder. Dit grote feest in het beste restaurant van Dublin zou veel voor hen betekenen. En niet alleen voor haar vader, ook haar moeder zou graag over de afdelingen lopen en langs haar neus weg zeggen wat er de vorige avond op het menu had gestaan.

Haar twee lastige grootouders zouden zich er net zo op verheugen alsof ze er zelf bij zouden zijn. Haar vier jongere broers zouden het als een groot avontuur beschouwen. En als ze hun kon inprenten om hun aardappels niet met hun nagels te pellen...

Meneer Nolan besprak een tafel.

'Moeten ze een voorschot hebben?' dacht Maggies moeder hardop.

'Nee. Ze vroegen een telefoonnummer en ik heb het nummer van de vleesafdeling gegeven,' antwoordde hij trots.

De jongens werden kriegel van al het wassen en boenen; en van de instructie vooral schone overhemden aan te trekken. Maggies moeder had de hoofdzuster verteld waar ze naartoe ging en de hoofdzuster was zo aardig geweest om haar een stola te lenen. Maggies vader had de bedrijfsleider verteld waar hij naartoe ging, en de bedrijfsleider had gezegd dat hij naar het restaurant zou bellen om hun voor het diner cocktails te laten brengen, met zijn complimenten.

Ten slotte kwam de grote avond.

Maggie had er niet meer bij stilgestaan omdat er zoveel andere dingen waren om aan te denken, zoals het studiegeld, en hoe ze haar studie moest indelen, met al die uren die ze zou moeten werken om geld te verdienen. Het grote feest in het dure restaurant was slechts een van de vele ingrijpende gebeurtenissen. Omdat de Nolans geen auto hadden, moesten ze twee bussen nemen om het restaurant te bereiken. Meneer Nolan had het geld in een envelop in zijn binnenzak. Tijdens de rit klopte hij er een paar keer trots op. Maggie had wel kunnen huilen toen ze dat zag, maar ze bleef opgewekt en zei steeds dat ze niet kon geloven dat ze samen zo chic uit eten gingen. Wat zouden haar vriendinnen jaloers zijn, zei ze. En ze werd beloond toen haar moeder haar geleende stola optrok en haar vader zei dat het wel heel aardig was van de bedrijfsleider om voor cocktails te zorgen.

Toen ze bij het restaurant kwamen, leek het enorm en intimiderend, en niemand wilde als eerste de trap op.

Eenmaal in het restaurant voelden ze zich nerveus en niet op hun gemak. Meneer Nolan vroeg zich af of ze de cocktails in de lounge of aan tafel zouden drinken. Maggie, die bedacht dat de jongens zich waarschijnlijk beter zouden gedragen als ze op één plek bleven, stemde voor de eetzaal, maar haar moeder dacht dat meneer Nolan misschien graag ook de lounge wilde zien.

Er ontstond enige verwarring toen meneer Nolan de naam van de bedrijfsleider noemde. Er waren geen cocktails geregeld. Er had blijkbaar niemand gebeld om die te bestellen.

'Geeft niet, pa, we zouden allemaal maar op ons hoofd staan,' zei Maggie, en ze probeerde niet op te merken hoe de ober zijn gezicht vertrok toen hij haar reactie hoorde.

Ze besloten het menu te bestuderen en de cocktails over te slaan. Het menu was in het Frans.

'Wilt u het alstublieft voor ons vertalen?' vroeg Maggie aan de arrogante ober.

Ze werd woedend bij de gedachte dat het grote feest een teleurstelling zou worden. Ze koos voor haar vader biefstuk, voor haar moeder kip, en voor haar en de jongens lamskoteletjes, goed doorbakken. Niemand zou een voorgerecht nemen, maar straks bestelden ze een dessert, beloofde ze de spottend glimlachende ober.

De jongens waren zo vol ontzag dat ze het voor het eerst van hun leven met haar eens waren.

Ze was nog nooit zo kwaad en van streek geweest. Het was of er een mes in haar borst werd gestoken toen ze de gezichten van haar ouders zag. Ze waren van hun stuk gebracht en schaamden zich. Hun plan en de lening waren geen goed idee geweest.

'Dit zal ik nooit vergeten, mam, pap,' zei Maggie naar waarheid. Ze zou het zich elke dag herinneren als ze een succesvol advocaat was, als ze genoeg zelfvertrouwen had en alle gerechten op het menu kende, en werd bewonderd door al het personeel hier.

'Misschien was het niet zo'n...' begon haar vader.

Maggie voelde zich letterlijk slap worden, alsof ze zou omvallen. Hij had zo graag gewild dat dit uitje een feest voor haar werd. Hoe meer ze protesteerde, hoe erger het zou zijn en hoe zieliger hij zou lijken.

Een serveerster legde het juiste bestek op tafel. Ze was een elegante, verzorgde vrouw van een jaar of dertig, ze droeg een wit kanten kraagje en was waarschijnlijk net zo afschuwelijk, snobistisch en uit de hoogte als de rest. Maggie kookte van woede.

Maar deze vrouw wist haar blik te vangen en keek haar vol begrip aan. Ze leek te weten dat het een bijzondere gelegenheid was.

'Ik ben Brenda Brennan, en ik zal u vanavond bedienen. Mag ik vragen of dit een speciaal familiefeest is?' informeerde ze.

'Mijn oudste... Niet te geloven, zulke mooie cijfers als zij heeft gehaald op haar eindexamen.' Die arme pa popelde om het iemand, wie dan ook, te vertellen.

'Zo, dat zal ik aan de chef-kok vertellen. Hij zal het leuk vinden dat we geleerde gasten hebben. Meestal komen hier alleen mensen die onkosten kunnen declareren,' zei de vrouw die Brenda heette.

Maggie kon haar wel omhelzen. Maar ze wist dat ze dat niet moest doen; ze moest in haar rol blijven.

'Als je bent afgestudeerd en een goede baan hebt, zullen chef-kok Patrick en ik ons eigen restaurant hebben,' vertelde Brenda.

Maggies vader bloosde van genoegen.

'Wilt u ons uw adres geven, meneer, dan zetten we dat op onze lijst,' vroeg ze.

De hooghartige ober was verbaasd toen Patrick, de lange, donkere, zwaarmoedige chef-kok, zei dat hij een speciaal dessert zou maken voor het gezelschap Nolan. Gratis.

Hij spoot de naam Maggie in chocola op een taart en toen die werd opgediend liet hij er een foto van maken. Hij poseerde ernaast, met zijn koksmuts op en zijn armen om het gezin geslagen.

De verwaande ober snoof. Dat er zo'n drukte werd gemaakt voor deze eenvoudige mensen...

De Nolans gingen met de overgebleven helft van de taart naar huis. Het was echt een groot feest geweest.

Maggie keek die avond uit het raam van haar kamer en dacht eraan hoe lang het zou duren voor haar vader alles had afbetaald.

Tegen de tijd dat ze voor haar doctoraal in de rechten was geslaagd en haar bul kreeg, waren er vier jaar verstreken. En er was een heleboel gebeurd.

Zoals was voorspeld, was het kruideniersbedrijf waar haar vader werkte, verkocht. Hij was echter door de nieuwe kopers in dienst genomen en droeg nu een strohoed en een gestreept schort achter de vleesafdeling, wat hij heel leuk vond.

Maggies moeder was met succes aan haar spataderen geopereerd en ze voelde zich een nieuw mens. Ze was hoofd van het schoonmaakpersoneel geworden. Een van Maggies broers was inderdaad gaan trainen bij een grote Engelse voetbalclub, maar de anderen konden hun draai nog niet vinden.

Haar grootmoeder ging nu naar een dagopvang. De zorg voor bejaarden was stukken beter geworden. Ze vond het er heerlijk, omdat ze lekker iedereen de hele dag kon terroriseren.

Maggies grootvader, die op zijn zeventigste zijn eigen warme maaltijd nog niet kon koken, ontmoette op zijn tweeënzeventigste een kordate vrouw die hem allerlei gerechten liet klaarmaken, met hem trouwde en heel zijn leven veranderde.

Maggie won de 'Gold Medal in Law', en had de beste advocatenkantoren in het land voor het uitkiezen.

Ze wist dat haar vader haar weer wilde meenemen naar het saaie, snobistische restaurant, dat inmiddels helemaal passé was. Ze kon het niet opbrengen om hem te vertellen dat het restaurant uit de gratie was geraakt en dat niemand er meer heen ging.

Het bleek niet nodig te zijn om hem dat te vertellen.

Toen Maggies Gold Medal in de kranten vermeld werd, werd er een uitnodiging bezorgd bij het huis van haar vader. Brenda en Patrick Brennan, die nu managers waren van het uitstekende restaurant Quentins, zouden het op prijs stellen als de familie bij hen feest wilde komen vieren. Ze schreven dat hun kansen ten goede waren gekeerd op de avond dat ze de Nolans hadden ontmoet. Het was dus niet meer dan logisch dat ze dit allemaal op een speciale manier zouden vieren.

Maggies vader was een ruimhartig man. Hij had geen idee dat Quentins tegenwoordig je van het was.

'Nou, ik had je het beste gegund, Maggie, maar omdat die mensen zich zo hebben opgewerkt is het onhartelijk om niet te gaan, vind je niet?'

'Jij bent nooit onhartelijk, pap.'

'En je weet zeker dat het niet om een gratis diner gaat? Ik heb genoeg geld gespaard om naar dat chique restaurant te kunnen gaan, hoor,' zei hij, bang dat er een misverstand zou ontstaan.

Ze gingen met de bus naar Quentins, maar zouden met de taxi terugkeren. Daar zou haar moeder op trakteren. Maggies broers waren deze keer niet vol ontzag. Om te beginnen waren ze vier jaar ouder, maar hier probeerde men je niet te kleineren.

Maggie herkende de vrouw. Iedereen groette haar of probeerde haar aandacht te trekken. Brenda Brennan was tegen iedereen vriendelijk, maar ze bleef bij geen enkele tafel talmen; ze liep voortdurend rond.

'We zijn u allemaal zo dankbaar,' begon Brenda.

'En beheert u dit restaurant zelf? Het ziet er heel mooi uit,' viel pap haar in de rede.

Brenda antwoordde dat ze het inderdaad beheerde, en dat chef-kok Patrick deze keer een taart met een gouden medaille erop had voor Maggie.

Het diner was wel tien keer zo lekker als dat van vier jaar geleden, vonden ze eensgezind.

Mams taxi kwam en ze trokken hun jassen aan.

'Waarom hebt u dit voor ons gedaan, mevrouw Brennan?' vroeg Maggie zacht toen ze weggingen. 'Die uitvlucht dat uw kansen ten goede waren gekeerd op de avond dat we u ontmoeten...'

'Maar dat was ook zo,' zei Brenda. 'Op die avond beseften we dat we niet langer voor zo'n gelegenheid konden werken, hoe goed het er ook uitzag op een cv. Die arrogante, snobistische mensen, zonder enige hartelijkheid, zonder liefde voor eten...'

'Hoe weet u dat het de avond was dat wij er waren?' wilde Maggie weten.

'Jullie waren eerlijke mensen die iets wilden vieren, en ze behandelden jullie niet netjes. Het heeft een diepe indruk op ons gemaakt. Die avond werd ons duidelijk hoe vernederend het was om in een restaurant te werken dat zijn gasten zo slecht behandelde. En toevallig kwam ik de volgende avond via via te weten dat ze mensen zochten voor Quentins. We namen ontslag, en zoals je ziet is het allemaal goed afgelopen.'

Maggie wist dat mevrouw Brennan geen emotionéle vrouw was, niet iemand die je kon omhelzen. Maar Maggie legde een omhelzing in haar blik, en ze zag dat die was begrepen. De vrouw slikte even en zei toen: 'Zoals je wel begrijpt, Maggie, heb ik me nog voorzichtig uitgedrukt. Dat is een gewoonte die je krijgt in dit vak. Het is allemaal beter gegaan dan we ooit durfden dromen. Wij zijn jullie iets verschuldigd, en daarom waren jullie vanavond onze gasten en moeten jullie weer terugkomen.'

'Misschien als mijn ouders vijfentwintig jaar getrouwd zijn?' stelde Maggie met een glimlach voor.

Daar was Brenda Brennan het mee eens. 'Ja, of als je broer wordt gekozen om zijn eerste international te spelen voor Ierland. Mijn zwager in de keuken herkende hem. Hij wil graag zijn handtekening. Zou hij die aan je broer kunnen vragen, denk je?'

'Ik denk dat dat het grootste feest zal worden dat mijn familie ooit heeft meegemaakt,' zei Maggie.

Verandering van gedachten

Drew was nog nooit in Ierland geweest. En het zou nooit bij hem zijn opgekomen om ernaartoe te gaan, als het bedrijf niet had aangekondigd dat de vergadering van de verkoopafdeling in Dublin zou worden gehouden. Moira zei dat het gewoon op een zuippartij uit zou draaien, dat het een excuus was om nog meer geld uit te geven dan anders.

'Maar het bedrijf betaalt toch?' protesteerde Drew.

'Niet voor alles,' zei Moira. Ze wist dat er zou worden gedronken en uitgegaan en dat er dan dingen gebeurden waar geen enkel bedrijf voor zou willen betalen.

Drew en Moira gingen al drie jaar met elkaar. Ze hadden een heleboel dingen afgesproken, maar niets stond vast. Ze hielden van elkaar, ze zouden trouwen en ooit twee kinderen krijgen, daar waren ze het over eens. Maar niemand wist nog wanneer dat zou gebeuren.

Moira wilde samen een huis kopen. Daar moesten ze een aanbetaling voor doen. Drew leek het beter om in zijn flat te trekken, omdat die goedkoper was dan die van Moira. Moira wilde een huwelijksfeest met al hun familie en vrienden erbij. Drew was er tevreden mee om met zes mensen voor de burgerlijke stand te trouwen en daarna op bier en broodjes te trakteren.

Moira vond dat je maar één keer leefde en dat zo goed mogelijk moest doen. Daarom moest je elke week wat geld opzijzetten. Drew was van mening dat je maar één keer leefde en van elk moment moest genieten.

Moira besefte dat Drew er niet over peinsde om de verkoopvergadering in Dublin te laten schieten, al beschouwde hij die naar eigen zeggen alleen maar als een gratis uitje, maar ze wist dat het geld zou kosten. Drew besefte dat hij heel binnenkort een besluit zou moeten nemen over alles. Hij ging op vrijdagavond niet meer uit met de jongens, en hij had het plan al opgegeven om een nieuw colbertje te kopen. Nu zag het ernaar uit dat hij niet op iets extra's hoefde te hopen tijdens dit reisje.

Toen hij haar kuste voor zijn vertrek, wisten ze beiden dat er een besluit moest worden genomen als deze conferentie voorbij was. Ze waren nerveus omdat ze het niet tegen elkaar durfden te zeggen. Het was te groot, te belangrijk.

Toen ze in Dublin kwamen gingen ze naar een groot, modern hotel. Drew zei tegen zijn collega's dat hij ver achter was met zijn cijfers. Hij was graag meegegaan naar de stad, maar ze moesten het deze keer echt zonder hem doen. Ze beschuldigden hem van een teveel aan ambitie. Hij zou nog eindigen als een magnaat, zeiden ze, een topman in het bedrijfsleven.

Drew grinnikte zuur. Hij probeerde de twintig pond te besparen die hij in pubs zou hebben uitgegeven, en nog veel meer als ze daarna naar een nachtclub waren gegaan. Hij zag dat er voorzieningen waren om thee te zetten, dus hij zou theedrinken en koekjes eten en kijken wat er op televisie was. Misschien zou hij zelfs doen wat hij had gezegd, zijn verkoopcijfers bekijken en wat trends onderzoeken.

Kreeg hij maar promotie, dan hoefden Moira en hij geen bedrag opzij te zetten, waardoor ze letterlijk nooit meer geld aan iets leuks konden uitgeven. Hij verlangde ernaar om met haar te praten, haar iets liefs te horen zeggen, en hem eraan te herinneren waarom deze zelfopoffering nodig was. Maar omdat hij zelf zijn telefoonrekening moest betalen, belde hij niet naar Schotland.

De Ierse Loterij was aan de gang. Zoiets moest hij nou hebben: de hoofdprijs winnen en als miljonair terugkomen. Maar het was te laat. Had hij maar één lot gekocht onderweg van het vliegveld. Naderhand zag hij dat er zes winnaars waren. Hij had een van die zes kunnen zijn en zich nooit meer geldzorgen hoeven maken. Maar dat was niet gebeurd.

Drew begon zich onredelijk te ergeren aan de zes gelukkige winnaars. Wat hadden ze uiteindelijk gedaan, behalve een lot kopen? Maar hij probeerde die nutteloze en destructieve afgunst van zich af te zetten. Hij hield zich voor dat mensen zelf hun kansen creëerden. Daar had hij genoeg over in managementboeken gelezen om te geloven dat het misschien waar kon zijn.

De eerstvolgende kans die hij kreeg zou hij grijpen. Zelfs nu kon hij al kansen pakken. Hij zou de namen van alle leidinggevenden die hen morgen zouden toespreken, uit zijn hoofd leren, en de korte biografieën bestuderen die ze allemaal hoorden in te kijken.

Misschien leek hij dan slimmer dan hij was. Misschien zou iemand hem uitkiezen voor een promotie. Dat gebeurde zo vaak.

De volgende dag leek hij inderdaad slimmer dan de anderen, hoofdzakelijk doordat hij vier uur eerder was gaan slapen dan de rest. En hij had niet ontdekt hoe lekker Quinness smaakte als je het in grote hoeveelheden dronk aan de rivier de Liffey. Mogelijk was dat de reden dat hij bij de groep van twintig hoorde die bij Quentins mochten dineren.

Drew kwam te weten dat het bedrijf niet alleen het diner betaalde, maar ook taxi's heen en terug. Dat was een meevaller!

Quentins was een heel chic restaurant. Je moest aanbellen om binnen te worden gelaten. Op een bordje stond dat dit was om de gasten persoonlijk te kunnen verwelkomen. Drew dacht dat ze waarschijnlijk ook ongewenste gasten buiten wilden houden. Hij moest goed opletten, zodat hij alles aan Moira kon vertellen.

Moira was serveerster, en ze zou graag in een chiquer restaurant willen werken. Ze drukte vaak haar gezicht tegen de ruit van een deftig restaurant om een idee te krijgen van hoe het daar toeging. Wat zou ze vanavond graag met hem naar deze gelegenheid zijn gegaan.

Zou dat ooit gebeuren? Of zou hij zoveel geld opzij moeten zetten, dat er niets meer overbleef om eens een avondje uit te gaan naar een restaurant als Quentins?

Een paar jongens van school hadden allerlei dingen verzonnen om aan geld te komen. Een van hen verdiende kapitalen met het leveren van valse certificaten voor oude auto's.

Drew had dat met een zuiver geweten kunnen doen. Er werd al veel te veel tijd en papierwerk besteed aan auto's. Maar Moira wilde er natuurlijk niet van horen. Alleen criminelen deden dat, zei ze. Moira en haar familie moesten niets hebben van criminele activiteiten.

Soms zou het makkelijker zijn geweest om niet van Moira te houden. Ze was zo onbuigzaam. Niet flexibel, zoals andere meisjes die hij had gekend. En ze begreep niet hoe moeilijk het was om op een reisje als dit mee te gaan en als een vrek te worden beschouwd. Ze zou een stomme opmerking maken over dat de bazen hem in de gaten hielden en dat ze onder de indruk zouden zijn.

Zo ging het er in werkelijkheid helemaal niet aan toe. De bazen smeten vaak het meeste geld over de balk.

Maar nu was hij dan echt een avondje uit en hij zou ervan genieten. Misschien gaven ze wel van die doosjes Ierse bonbons en Iers glaswerk weg, dan had hij een cadeautje voor Moira en voor zijn moeders verjaardag.

Drew bepeinsde hoe fijn het zou zijn om niet zo geobsedeerd te hoeven zijn door geld en de prijs van dingen. Om niet steeds naar de grond te kijken voor het geval dat iemand een bundeltje bankbiljetten had laten vallen. Zou hij het aan de politie geven als hij er een vond? Nee, zeker weten van niet!

Toen ze allemaal in het restaurant waren, werden ze naar twee tafels voor tien personen gebracht. De jonge obers en serveersters kwamen uit verschillende landen van Europa, en ze waren allemaal keurig gekleed in zwarte broeken en witte hemden.

Tussen hen door liep een elegante vrouw, mevrouw Brennan, die iedereen op zijn gemak stelde en de namen van de gerechten tussen neus en lippen door vertaalde, alsof ze die natuurlijk allemaal al kenden. Ze kon uitleggen wat voor gerechten het waren, alsof het allemaal specialiteiten van het restaurant waren. Ze fluisterde zelfs op vertrouwelijke toon tegen Drew en de anderen aan hun kant van de tafel, dat ze wel heel erg gewaardeerd werden, omdat de beste wijnen waren besteld en geen moeite gespaard mocht worden.

Hij bedacht hoe oneerlijk het leven toch was. Waarom konden sommige mensen zich altijd een dergelijke levensstijl veroorloven, terwijl het voor anderen, zoals hij, een eenmalige gebeurtenis was waarover hij alleen maar aan Moira zou kunnen vertellen?

Hij hoefde niet eens een zesde van de loterij te winnen. Een paar honderd pond was genoeg.

Met moeite richtte hij zijn aandacht weer op het gesprek van de anderen. Ze hadden het over een meisje met grote, trieste ogen, dat aan het tafeltje naast hen zat. De tafel was gedekt voor twee, maar ze was alleen.

Een paar maten dachten dat ze misschien wel bij hen wilde aanschuiven. Drew had zo zijn twijfels. Quentin leek hem niet een restaurant waar je een meisje van een andere tafel kon versieren. Ze had een betraand gezicht. Misschien had ze iets te veel gedronken. Ze konden haar beter laten blijven waar ze was. 'O, let maar niet op Drew, die is verliefd,' zei iemand.

Dat was hij ook, maar als hij niet gauw aan meer geld kwam, zou daar misschien een eind aan komen, en dat was een heel beangstigend idee. Drew besloot aan iets anders te denken.

Niemand zei iets tegen meneer Ball, het hoofd van de afdeling, een ontoeschietelijke, zwijgzame man, die nooit eens gewoon een praatje maakte. Maar het was praten tegen meneer Ball, of aan Moira denken. En diezelfde Moira had vaak gezegd dat iedereen interessant was, als je er maar achter kon komen waar iemands belangstelling lag.

'Speelt u golf, meneer Ball?' vroeg Drew met de moed der wanhoop.

'O nee, Drew, daar heb ik nooit het nut van ingezien,' zei meneer Ball, dus dat onderwerp was afgesloten.

Drew gaf het nog niet op. 'Maar u ziet er zo fit uit, meneer Ball. Ik dacht dat u wel aan een of andere sport zou doen, en ik weet dat ik u een keer heb gevraagd of u voetbalde, maar u zei nee.'

Meneer Ball keek links en rechts van hem en vervolgens vertelde hij Drew tot in details over zijn bezoeken aan de sportschool. Het had geen zin om een of twee keer per week te gaan, zei hij, je moest vijf dagen gaan. Gelukkig had het hotel een redelijk fitnesscentrum. Had Drew het al gezien? Nee? Nou, dan zou meneer Ball hem dat morgen wel laten zien.

'Ik wil niet moeilijk doen over geld, meneer Ball, maar is die sportschool thuis erg duur?'

Meneer Ball vertelde hoeveel een jaarabonnement kostte, en hij zag de uitdrukking op Drews gezicht.

'Als je wat bent opgeklommen in het bedrijf, als je promotie krijgt, dan betaalt het bedrijf je abonnement. Het is in hun eigen belang om fit personeel te hebben,' zei hij. In werkelijkheid had hij Drew nooit beschouwd als iemand die zich snel zou opwerken.

'En wat voor programma volgt u, meneer Ball?' ging Drew wanhopig door. Hij legde een belangstellende glimlach op zijn gezicht, terwijl hij alles te horen kreeg over spieren, bewegingen en trainingsprogramma's. Hij knikte en schudde zijn hoofd terwijl hij hoorde welke machines alles deden wat ze beloofden, en welke niet. Hij kreeg kramp in zijn kaken, maar meneer Ball dacht dat Drew helemaal gefascineerd zat te luisteren. Drew zag dat meneer Ball het gesprek het liefst had voortgezet en het alleen moest beëindigen uit plichtsgevoel.

Drew mengde zich weer in het gesprek tussen zijn collega's. Ze hadden het nog steeds over het meisje en vroegen zich af of ze straks met hen uit zou willen.

'Denk eens na,' zei Drew, 'je hebt er niets aan. Kijk dan, ze zit te huilen. Zien jullie dat niet eens?'

Op dat moment had mevrouw Brennan geregeld dat de gast met de tranen in haar ogen discreet naar de deur zou worden geleid door een van de jonge obers. De taxi was al gebeld door het restaurant. Misschien was ze wel een vaste klant en dronk ze soms iets te veel. Iemand die het waard was om een oogje op te houden. Het werd heel tactisch gedaan, merkte Drew. Toen zag hij de portemonnee op de grond.

Hij leunde achterover en stak hem in zijn zak. Niemand had het gezien. Hij ging naar het herentoilet. In het hokje maakte hij de portemonnee open. Het was een grote, zwarte portemonnee van zacht leer. Er zaten creditcards in, bonnetjes, kaartjes voor een theater en een brief.

Er zat ook veel geld in.

Wat dom van dat meisje, om in haar eentje dronken te worden en weg te gaan zonder te kijken of ze alles wel bij zich had. Ze had de portemonnee in de taxi kunnen verliezen. Of op het trottoir, toen ze in de taxi stapte. of toen ze uitstapte.

Hij zou het geld pakken en de portemonnee morgen anoniem terugsturen naar het restaurant.

Hij wist niet meer wanneer hij besloot de brief te lezen. Hij was geen crimineel, alleen iemand die zijn kans greep. Ze heette Judy en ze schreef naar een vent om te zeggen dat ze het vervelend vond dat ze hem smeekte om deze laatste keer met haar te gaan eten, maar ze had hem zo veel te vertellen. Dat ze van hem hield, en dat dit het enige belangrijke was. En ze moest hem vertellen dat ze zwanger was, maar ze zou de eer aan zichzelf houden en het nooit aan zijn vrouw vertellen.

En Judy zou hem niet om alimentatie voor het kind vragen. Ze wilde niets van hem, alleen de herinnering aan hun liefde en het beste voor hun kind in de toekomst. Ze zou deze laatste keer met hem gaan eten, vroeg weggaan, hem deze brief geven en dan uit zijn leven verdwijnen. Ze wilde alleen dat hij wist hoeveel ze van hem had gehouden.

Drew zat op het toilet na te denken over liefde en bedrog, en hoe ontzettend moeilijk sommige mensen het hadden.

Hij verliet het toilet en liep rechtstreeks naar mevrouw Brennan.

'Ik heb dit onder een van de tafels gevonden,' zei hij.

'Ja, ik had al zoiets gezien,' zei ze.

Ze deed helemaal niet afkeurend.

'Was u op de hoogte van de, eh... de situatie?' vroeg hij.

'Een beetje. Het is geen prettige situatie, maar daar wil ik verder niet op ingaan...'

'Het zit alleen zo: ik woon in het buitenland, en ik kom hier toch nooit meer terug. Ik vroeg me af of iemand hem misschien moet vertellen dat ze zwanger is?'

Als mevrouw Brennan het vreemd vond dat hij haar dit vertelde, en toegaf dat hij een persoonlijke brief van een ander had gelezen, dan liet ze dat niet blijken.

'Ik denk niet dat het enig verschil zal maken,' zei ze bedachtzaam.

'Maar een man hoort toch te weten dat hij vader wordt? Ze was van plan hem die brief vanavond te geven, maar hij is niet komen opdagen.'

'Hij is heel goed in het niet komen opdagen, maar dat lijkt vrouwen niet tegen te houden.' Ze schudde haar hoofd over het feit dat mensen zo dom konden doen.

'Dus hij zal het nooit te weten komen?' Drew was verbijsterd.

'En het zou hem waarschijnlijk niet interesseren,' vulde Brenda aan.

'Dat is toch niet te geloven,' zei hij.

'Misschien niet voor een aardige jongeman als jij en een dege-

206

lijke, hardwerkende vrouw als ik, maar wel voor mensen als die man die het vanavond heeft laten afweten.'

'Ik ben geen aardige jongeman,' zei Drew. 'Maar alles zit in de portemonnee, tot op de laatste cent.'

'Dat geloof ik graag,' zei Brenda Brennan met een glimlachje.

'Waarom?' Hij was verbaasd. Ze was zo kalm en helemaal niet kwaaddenkend.

'Als het er niet allemaal in had gezeten, zou je hem gewoon onder de tafel hebben geschopt toen je van gedachten veranderde,' luidde haar eenvoudige conclusie.

'Van gedachten veranderde!' Het verbaasde hem dat ze het zo goed had geraden.

'Natuurlijk, zo was het. Mag ik je een keer een diner hier aanbieden, jou met een vriend of vriendin?' bood ze aan.

'Dan zou ik helemaal uit Schotland moeten overkomen,' zei Drew.

De anderen maakten aanstalten om te vertrekken en informeerden naar nachtclubs.

'Ik ga niet mee, helaas,' zei Drew. 'Te oud en te degelijk. Ik rij mee in de taxi van mijn afdelingschef, en dan kruip ik maar eens vroeg onder de wol.'

'Ik heb zo'n idee dat het best eens in je voordeel zou kunnen zijn,' zei Brenda Brennan.

Drew zag dat ze met meneer Ball stond te praten, maar hij wist dat ze niet uit de school klapte, dat ze niet vertelde dat hij bijna een portemonnee had gestolen.

Pas de volgende dag ontdekte hij wat ze wél had gezegd.

Dat hij een opmerkelijke jongeman was, die niet alleen een portemonnee van een andere gast had gevonden en terugbezorgd, maar zich zelfs bezorgd had getoond om het welzijn van de dame in kwestie.

Meneer Ball keek met hernieuwde interesse naar Drew, een jongen die hij voorheen misschien te veel over het hoofd had gezien.

En toen hij eenmaal Drews belangstelling voor de sportschool had ontdekt en had gezien hoe teleurgesteld de jongeman was dat hij zich het abonnement niet kon veroorloven, besloot hij zijn werknemer te zullen voordragen voor promotie zodra ze terug waren in Schotland.

Een bruin kaft

Mon wenste vaak dat ze terug was in Sydney, Australië. Op een dag als vandaag had ze met haar vriendinnen naar het strand kunnen gaan. In Ierland was het nu wat zij als zomer beschouwden, maar het was echt geen dag om naar het strand te gaan. Ze zou gegeseld worden door de wind, door de rimpelingen in het bij eb terugtrekkende water heimwee krijgen naar de hoge golven waar ze zo dol op was, en bevriezen als ze zich in het ijskoude water waagde.

Maar ze was niet naar Ierland gekomen voor het leuke strandleven. Het hoorde bij haar reis om de wereld. Hoewel van die wereldreis weinig terecht was gekomen. Die had moeten beginnen met een week in Rome, dan een week in Dublin en zes weken trekken door de rest van Ierland, en vervolgens nog een stuk of tien andere landen bezoeken voor ze haar leven in Australië weer zou oppakken. Maar er was iets vreemds gebeurd. Na de week in Rome was ze volkomen platzak in Dublin aangekomen.

Niet dat haar geld was gestolen of dat ze het was kwijtgeraakt. Ze had alleen in één week tijd al haar geld waar ze twee jaar voor had gespaard, uitgegeven aan een man die Antonio heette. Ze begreep niet goed hoe het had kunnen gebeuren, maar het was gebeurd.

En dus moest ze op haar eerste dag in Ierland een baan hebben. Er stond een advertentie in de krant die ze onderweg op het vliegveld van Dublin had gelezen. Ze had opgebeld om een afspraak te maken en ze had de baan bij Quentins gekregen. En op de een of andere manier was de tijd verstreken.

'Je bent verliefd, daarom zit je daar nog,' beschuldigde haar moeder haar in een e-mail. Maar dat was niet zo.

'Die Ieren hebben zeker iets wat wij niet hebben,' schreven haar vriendinnen. Maar ook dat was niet zo.

Mon, of Monica Green – zoals ze nooit werd genoemd – had zich getsetteld. Ze had elf verschillende baantjes gehad sinds ze van de universiteit was gekomen, maar om de een of andere reden die ze niet begreep, was Quentins de eerste plek waar ze zich werkelijk thuis voelde. Bij Patrick Brennan, de chef-kok, die haar leerde koken als het niet al te druk was, bij zijn jongere broer, die vreemd genoeg Blouse werd genoemd en niet superintelligent was, maar bepaald niet dom. Bij Patricks koele, evenwichtige vrouw Brenda, die iedereen in Dublin leek te kennen. Ze had het gevoel dat ze deel uitmaakte van de familie, als een jongste zusje of zo. Mon maakte deel uit van hun team, en dat beviel haar. Ze hoefde niet weg. Voorlopig.

'We zullen een vriendje voor je moeten zoeken,' zei Brenda Brennan op een ochtend plotseling tegen Mon.

'Waarom?' Mon begreep er niets van.

Zo praatte Brenda anders nooit. Ze moest een reden hebben voor die opmerking. En die had ze.

'Je bent heel goed in je werk. De gasten zijn dol op je, Mon. En je gaat hier weg, tenzij je net als iedereen verwikkeld raakt in een ingewikkelde romantische situatie.'

Brenda zei het met een glimlach, alsof zij alleen wist hoe de gekke wereld in elkaar zat.

'Advies en hulp zijn altijd welkom,' zei Mon.

'Iemand heeft ooit tegen me gezegd dat ik altijd mijn hart en ogen open moest houden. Dat hielp.'

Mon hield haar adem in. Dat die onberispelijke, koele Brenda dit tegen haar zei. Misschien had ze gelijk. Maar na een verbijsterend stom en romantisch avontuur met Antonio in Rome was Mon voorzichtig geworden. Misschien was ze te veel de andere kant op gegaan. Misschien had ze haar hart open moeten houden. Nou ja, op een kiertje dan.

Mon liep zoals elke dag voor de lunch door het restaurant om te kijken of alles op de tafels in orde was. Meneer Harris van de bank naast hen kwam binnen om te lunchen, in zijn eentje, wat hij drie dagen per week deed. Hij was een saaie, zwijgzame man. Hij zat altijd met zijn neus in een boek, waar meestal een bruin kaft om zat. Mon had hem ooit lachend gevraagd of hij soms porno zat te lezen, en toen was er een ijzige blik in zijn ogen gekomen. Daarna maakte ze geen grapjes meer. Haar Australische humor was helemaal niet in goede aarde gevallen.

'Mevrouw Green,' knikte hij haar toe.

'Meneer Harris,' knikte Mon terug.

Brenda had echter gestaan op onvoorwaardelijke beleefdheid en vriendelijkheid, zelfs tegenover chagrijnige mensen. Dus legde Mon een glimlach op haar gezicht toen ze hem het menu kwam brengen.

'De kok heeft vandaag een heerlijk gerecht van zeeduivel op het menu staan, meneer Harris. Die zult u vast lekker vinden.'

Ze had geen idee wat de man wel of niet lekker zou vinden. Hij leek te eten zonder iets te proeven. Niemand vond het prettig om hem te bedienen.

Hij moest een jaar of vijfendertig, veertig, zijn. En hij had vast een goede baan bij de bank als hij het zich kon veroorloven om zo vaak bij Quentins te eten. Hij bracht nooit iemand mee, ook geen krant of een tijdschrift, en hij groette nooit iemand. Hij zat alleen maar boeken in een bruin kaft te bestuderen.

Meneer Harris zei dat hij de zeeduivel wel wilde proberen, en toen Mon zich over de tafel boog om een glas water voor hem in te schenken, stootte ze per ongeluk tegen zijn boek, dat vervolgens van tafel viel. Het kaft liet los.

Het was geen pornoboek, maar toch heel verrassend. Populaire psychologie. Het boek bood twintig manieren om het hart van een vrouw te veroveren. Een gids die gegarandeerd kon zorgen dat vrouwen gek op je werden.

Meneer Harris en Mon Green keken vol ontzetting naar elkaar en naar het boek dat daar open en bloot lag.

Iemand moest iets zeggen.

'Helpt het, denkt u?' vroeg Mon toen ze het boek aan hem teruggaf.

Meneer Harris' gezicht stond op onweer. 'Waarom vraagt u dat?' wilde hij weten.

'Nou, toen ik meer dan een jaar geleden in Rome was, ontmoette ik een man, Antonio, en... Nou ja, ik had wel alles willen lezen om hem te kunnen krijgen. Voor vrouwen hebben ze namelijk ook zo'n soort gids, maar ik kon geen winkel vinden waar je Engelstalige boeken kon kopen, en toen was het te laat...'

'Te laat?' Meneer Harris keek belangstellend. 'Hoe wist u dat het te laat was?'

'Omdat Antonio ervandoor was met al mijn geld. Ik zou namelijk met hem investeren in een broodjeszaak, ziet u.'

'Hij is er met uw geld vandoor gegaan?' Meneer Harris keek ontzet.

'Ja, maar dat was niet het ergste. Het viel uiteindelijk allemaal wel mee, maar ik had toch graag de weg naar zijn hart willen weten,' gaf Mon toe.

Meneer Harris keek naar Mon alsof hij haar voor het eerst zag. 'Bedoelt u dat vrouwen dit soort boeken ook lezen?'

'Zeker weten. Misschien leest de persoon die u leuk vindt nu ook wel zo'n boek tijdens de lunchpauze.'

'Dat denk ik niet.' Meneer Harris schudde triest zijn hoofd.

'Meneer Harris, hebt u zin om straks om een uur of zes iets met me te gaan drinken, dan kunnen we vergelijken wat we weten van de andere sekse?' hoorde Mon zichzelf zeggen.

Brenda Brennan kwam natuurlijk net op dat moment langs het tafeltje. Ze hield haar pas iets in om meneer Harris te horen zeggen dat het hem een uitstekend idee leek, en waar wilde mevrouw Green het liefst naartoe?

Ze gingen weken op zoek naar handleidingen over hoe je aantrekkelijk kon zijn voor de andere sekse, en daarin stond hoofdzakelijk dat je aandachtig en attent moest zijn en je moest openstellen voor anderen.

Iedereen wist, lang voor meneer Harris en mevrouw Green het zelf beseften, dat ze verliefd op elkaar waren. Hun gezichten lichtten op als ze elkaar zagen. De afspraken om iets te gaan drinken liepen uit in etentjes en theaterbezoek. En toen de jaarlijkse 'Bank Dinner Dance' kwam, merkte Mon tot haar verbazing dat iedereen in het restaurant wist door wie ze was uitgenodigd.

Ze waren heel lang van mening dat ze alleen maar nuttige informatie uitwisselden in boeken met een bruin kaft erom. Maar natuurlijk bleken ze die boeken helemaal niet nodig te hebben. Meneer Harris en mevrouw Green hadden de weg naar elkaars hart al gevonden voor ze het zelf beseften.

De speciale uitverkooplunch

De januari-uitverkoop begon elk jaar vroeger. De meeste waren-huizen waren op tweede kerstdag al open. Veel mensen protes-teerden, en zeiden dat het gezinsleven werd ontwricht. Maar vaak waren ze stiekem opgelucht; het gezinsleven werd wel eens over-gewaardeerd. Patrick Brennan zei dat ze ervan moesten profiteren en de winkelende mensen bij een lunch hun vermoeide voeten wat rust moesten gunnen.

'En hoe zit het met de vermoeide voeten van ons personeel?' wilde Brenda weten. Maar ze wist dat hij gelijk had. De mensen zouden het heerlijk vinden. Het winkelen werd minder zwaar als ze wisten dat ze hun inkopen in Quentins grote garderobe konden wegzetten en konden genieten van een lunch waarin geen flinter-tje kalkoen te bekennen was.

'We zullen niemand dwingen om te werken. We hebben toch niet iedereen nodig.'

Patricks broer Blouse en zijn vrouw Mary zouden helpen. Op die dag konden ze toch hun winkel met biologische groenten niet openhouden. Op de dag na Kerstmis wilden mensen alleen maar digitale camera's, koperen pannen of designerschoenen kopen; dan hadden ze geen belangstelling voor de zonder bestrijdingsmidde-len gekweekte pastinaken van Blouse en Mary Brennan.

Ze legden op elke tafel een briefje waarop werd vermeld dat op 26 december een beperkt maar interessant menu zou worden ge-serveerd. Het was raadzaam om te reserveren. Het menu was ei-genlijk niet beperkt, omdat ze van plan waren om Patricks legen-darische vleespastei, lamskoteletten en een kruidige bouillabaisse te serveren.

Yvonne boekte een tafel voor vier zodra ze het hoorde. Het was de ideale keus voor haar baas Frank. Dan kon hij zijn drie kinderen daar op een lunch trakteren. Dat was eens iets heel anders voor de eerste kerst die hij buiten de deur zou vieren. Franks lastige echtgenote Anna, die zoveel regels had gesteld en allerlei dingen zo moeilijk maakte, zou er geen bezwaar tegen hebben. Vreemd, vond Yvonne, dat Anna, die Frank voor een andere man had verlaten, het nog steeds voor het zeggen had. Ze woonde nog steeds in het oude huis en de kinderen waren met Kerstmis bij haar. Frank was veel te toegeeflijk. Hij zei dat het geen zin had om de kleine Daisy, Rose en Ivy nog meer van streek te maken. Zij konden er niets aan doen. Hij leek te suggereren dat niemand er iets aan kon doen. Anna was opeens verliefd geworden op die andere man, Harry, en daar was niets aan te doen. Iedereen op kantoor was woedend op hem. Sommige mensen zeiden zelfs dat als hij altijd zo passief was, Anna misschien wel reden had om bij hem weg te gaan.

Maar Yvonne wist wel beter. Frank was een liefhebbende echtgenoot en vader die veel uren in zijn werk stak opdat zijn gezin met vakantie kon naar het buitenland, nieuwe vloerbedekking kon kopen en een terras kon laten aanleggen in de tuin. Yvonne wist dat hij zich zorgen maakte over al die uitgaven. Ze zag hem zuchten en zijn wenkbrauwen fronsen als hij dacht dat niemand keek.

Yvonne lette altijd op Frank, maar dat merkte hij niet. Waarom zou hij haar zien staan? Die kleine, gezette assistente van de afdeling Verkoop. Yvonne woonde bij haar gehandicapte moeder. Yvonne, die niet stijlvol was en geen liefde kende. En die niet te vergelijken was met de lange, blonde Anna, die alleen maar hoefde te glimlachen of iedereen deed al wat ze wilde.

Ze vertelde haar moeder over de lunch.

'En ga jij dan ook?' vroeg haar moeder benieuwd.

Soms maakte de wanhoop zich meester van Yvonne. Ze zou maar wat graag op tweede kerstdag lunchen in een chic, drukbezocht restaurant met Frank en zijn drie kinderen. Maar daar kon geen sprake van zijn. Dat zou veel te opdringerig lijken. Ze kon alleen maar zijn aandacht vestigen op de lunch en die voor hem bespreken.

'O nee, moeder,' zei Yvonne. 'Dat kan helemaal niet.'

'Je moet zelf eens uitgaan met kerst, Yvonne,' zei haar moeder. 'Ik zit hier prima met mijn gedachten en de televisie.'

'Dat weet ik wel, moeder, maar ik zou eigenlijk niet weten waar ik naartoe zou willen.' Yvonne staarde in de vlammen van de haard en bedacht dat ze zesendertig was, net zo oud als Anna. Zelfs moeder, die in een rolstoel zat, had ooit een liefdesleven gekend en een kind gekregen. Wat kon het leven toch vreemd lopen.

Frank meldde dat Anna de lunch bij Quentins een uitstekend idee vond. Ze had hem zelfs een compliment gegeven.

'Ik heb niet gezegd dat het eigenlijk jouw idee was,' verontschuldigde hij zich. Ze had zich naar voren willen buigen en langs zijn gezicht willen strijken. Maar ze beheerste zich. Hij zou zich een ongeluk schrikken en zich opgelaten voelen, en dan zou er een einde zijn gekomen aan hun vriendschap.

Op eerste kerstdag was het koud in de straten van het centrum. Er stond een harde wind. Brenda Brennan braadde een kalkoen voor Patrick, Blouse en Mary. En voor de nieuwe baby Brendan. Mon en haar verloofde waren er ook.

Yan, de Bretonse ober, belde om hun een goede kerst te wensen, en vertelde dat zijn vader helemaal beter was en naar huis had mogen gaan. Mons familie belde uit Australië. Ze vertelden dat ze door de zon verbrand waren op het strand, en ze wilden weten of die meneer Harris van Mon nog steeds met haar wilde trouwen, of had hij zijn gezonde verstand weer teruggekregen?

Meneer Harris, die een rood gezicht had van de port, vertelde hun dat hij Mon gewoonweg aanbad, en dat het hem niet kon schelen wie het wist. Ze aten in de keuken van Quentins en luisterden de hele dag naar countrymuziek.

'Ik hoop dat het de moeite waard is om morgen open te gaan,' zei Patrick.

Ze stelden hem gerust. 'Alle tafels zijn besproken, en dat maken we niet vaak mee op een dinsdag,' zei Brenda, praktisch als altijd. Blouse zei dat hij het leuk vond om voor een dag ober te zijn en in een mooi pak rond te lopen. De mensen zouden denken dat hij heel wat was.

'Maar dat ben je ook,' zeiden ze allemaal in koor tegen Blouse. Ze vertelden over de reserveringen die ze hadden gemaakt. Blouse had een tafel besproken voor een vrouw in een rolstoel die nooit eerder in het restaurant was geweest. Ze had per se een tafel willen hebben waar zij en haar metgezellin door iedereen konden worden gezien. Brenda had een tafel geboekt voor een jongeman die zijn vriendin ten huwelijk wilde vragen en had verzocht om een fles champagne koel te leggen. Als die niet nodig bleek te zijn, zou hij het laten weten. Ze waren het er allemaal over eens dat geen enkele baan zo interessant was als het kijken naar het menselijk ras tijdens voedertijd.

Op eerste kerstdag was het koud en er stond een harde wind buiten het grote huis waar Anna en Franks drie dochtertjes hun cadeautjes openmaakten. Harry stond toe te kijken.

'Wel rot voor Frank dat hij het niet kan zien,' mompelde hij tegen Anna.

Haar blauwe ogen stonden triest. 'We moeten nu eenmaal een begin maken met te leven zoals we het voortaan willen,' zei ze. 'En hij heeft ze morgen de hele dag.'

Frank merkte niets van het weer toen hij in het huis van zijn zus met haar kinderen zat te spelen in plaats van met die van hemzelf. En hun medelijden met hem probeerde te omzeilen, en hun kwaadheid op Anna.

Yvonne en haar moeder waren al jaren met hun tweeën met Kerstmis. Yvonnes moeder zag er prachtig uit in de zachte wollen, lichtpaarse stola die Yvonne haar cadeau had gegeven. Yvonne zat sprakeloos te kijken naar de uitnodiging voor de lunch bij Quentins de volgende dag, haar moeders cadeau aan haar. Ze kon een dergelijk cadeau niet weigeren of teruggeven, ze moest wel gaan.

Frank kwam de meisjes om halfelf halen. Anna zag er net zo mooi uit als altijd. Harry keek een beetje opgelaten, niet zeker wat voor houding hij moest aannemen. De meisjes waren opgewonden. Ze trokken hun vader mee naar de kerstboom om hem te laten zien wat de kerstman had gebracht. Ze hadden alles gekregen waar ze op hadden gehoopt. En mama had hun elk een nieuwe fluwelen jurk gegeven.

'Hoe laat wil je dat ik ze thuisbreng?' vroeg hij bescheiden.

Anna liet een helder lachje horen. 'Frank, dat hoef je toch niet te vragen, je bent hun vader! Wij hebben geen gerechtelijke bepalingen nodig. Hou ze de hele dag tot ze moe worden. Goed, meisjes?'

Goed, zeiden ze, blij dat er geen ruzie kwam. Daisy was bijna negen en bijna groot, dus toen de anderen niet luisterden, fluisterde ze haar vader een paar theorieën toe die ze over de kerstman had. Frank luisterde aandachtig en zei dat het inderdaad niet meeviel om alles zeker te weten, en dat je altijd open moest staan voor andere ideeën.

'Vind je het erg dat Harry er is, pap?' vroeg ze.

'Nee, schat, niet als je moeder gelukkig is.' Hij probeerde haar gezicht te lezen, maar hij wist niet zeker of hij wel of niet het juiste antwoord had gegeven.

Het was heel druk in de winkels. Het viel niet mee om te kiezen als je zes, zeven en acht was. Hun beentjes waren moe toen ze als eerste gasten bij Quentins kwamen.

'Welkom,' zei de ober. 'Zal ik de pakjes wegleggen voor de dames?' Daisy, Rose en Ivy giechelden toen ze dames werden genoemd.

'Hoe weet u straks welke van ons zijn?' vroeg Ivy.

'Als jullie zeggen hoe jullie heten, schrijf ik het op,' antwoordde hij.

'En hoe heet u?'

'Blouse Brennan,' zei de man.

'Waarom?' wilde Ivy weten.

'Toen ik klein was, noemde ik mijn overhemd een blouse. Naderhand ben ik dat vergeten, maar anderen niet.'

'Nou, een overhemd ís ook een soort blouse,' zei Daisy.

'Dat vond ik nou ook altijd,' zei Blouse verheugd.

Frank keek vol trots naar zijn oudste dochter. Er kwamen nu meer gasten het restaurant binnen, vooral gezinnen en af en toe een paar. Hoewel hij een diepe eenzaamheid voelde omdat hij geen deel uitmaakte van een echt gezin, meende Frank af en toe afgunstige blikken te bespeuren naar hem en zijn drie mooie dochtertjes. Ze waren zo vol aandacht voor alles en ze zaten lachend om zich heen te kijken.

'Kijk die twee eens zoenen,' zei Rose toen aan een tafel in hun buurt een fles champagne werd geopend.

'Heeft die mevrouw geen benen?' zei Daisy met haar heldere stem.

De vrouw in de rolstoel draaide zich met een glimlach om.

'Jawel, lieve kind, maar ik kan ze niet meer gebruiken, dus heeft de ober me naar binnen gereden. Hij was heel behulpzaam.'

'Ik zag u binnenkomen. Blouse heeft u naar binnen gereden.'

'O, was dat Blouse? Een heel aardige jongeman.' De oude dame knikte.

Eindelijk keek de vrouw die bij haar zat op. Het was Yvonne, van zijn werk.

Frank was verbaasd en verheugd. 'Dus je besloot ook te komen,' zei hij opgewekt. 'Wat leuk! Ik zal mijn dochters even voorstellen.' Hij bracht ze naar Yvonnes tafel, waar ze iedereen in de weg stonden tot Blouse Brennan voorstelde om de tafels tegen elkaar aan te schuiven.

Yvonne bloosde diep. 'Het spijt me vreselijk, Frank. Dit was mijn moeders idee,' siste ze hem toe.

'Maar ik vind het juist zo'n leuke verrassing...' begon hij.

Ze hoorden de kinderen met Yvonnes moeder praten. Ze vroegen hoe het kwam dat haar benen niet meer wilden, en droeg ze nog kousen, en wat zou er gebeuren als er brand uitbrak in het restaurant?

'Dan rijdt Blouse me wel naar buiten,' zei Yvonnes moeder.

'Dat zou ik zeker doen, mevrouw,' zei hij terwijl hij Ivy's servet om haar hals knoopte, net zoals de Fransen deden.

'Wat hebben jullie mooie jurken aan.' De oude vrouw voelde aan de kleurige fluwelen stof.

'Die hebben we van onze moeder gekregen. Ze woont niet meer bij papa, daarom is ze er niet.' Daisy voelde zich die dag blijkbaar geroepen om alles uit te leggen.

'Dan moeten jullie haar alles vertellen. Ze wil vast graag weten wat jullie hebben gedaan, omdat ze veel van jullie houdt, net als jullie vader. Hij houdt heel erg veel van jullie, dat hij jullie naar zo'n mooi restaurant heeft meegenomen.'

'Is het eten lekker?' informeerde Rose belangstellend.

'Het beste.' Yvonnes moeder klonk heel resoluut.

'Ik vind het jammer dat ze niet allebei hier zijn,' verzuchtte Daisy.

'Ach, ik weet niet... Soms is het apart leuker. Net als met Yvonnes vader en mij. We waren dol op haar, maar later hielden we niet meer zoveel van elkaar, en toch is ze altijd gelukkig geweest met ons. Niet waar, Yvonne?'

'Ja, dat is zo,' zei Yvonne verbijsterd.

'Later ging haar vader van iemand anders houden en ik ook, maar dat veranderde niets aan onze liefde voor Yvonne. Niet waar?!' zei ze op luide toon tegen haar dochter.

'O, absoluut, moeder. Net of jullie hart groter leek te worden en meer liefde kon geven,' zei Yvonne, die niet meer wist hoe ze het had.

Frank gaf een klopje op haar knie en streek over haar hand. 'Yvonne, als je eens wist hoeveel dit voor me betekent...' begon hij.

Maar Yvonne luisterde naar wat haar moeder nu weer van plan was. Het was redelijk onschuldig. Ze vroeg haar nieuwe beste vriend Blouse om wat brood waarmee ze de eenden in St.-Stephen's Green konden voeren.

'Mogen wij ook mee?' vroeg Rose.

'Ja,' smeekte Frank. 'Alsjeblieft?' En dat werd geregeld. Heel veel later zou ze hem wel vertellen dat haar ouders nooit gescheiden waren, dat haar vader vijftien jaar geleden was gestorven en dat haar moeder nooit naar een andere man had gekeken. Maar dit was niet het juiste moment. De speciale uitverkooplunch was bijna voorbij. Het regende niet meer, en het was tijd om de eenden te gaan voeren.

Deel drie

9

Ella keek op toen ze de verhalen had verteld. Voorzover ze kon zien was het goed gegaan. Ze had in elk geval hun aandacht weten vast te houden. Nu moest ze weg om hun de kans te geven het te bespreken. Ze handelde snel. Nee, nee, ze zou wel een taxi aanhouden, zei ze. Dat was het leuke van New York. Ze hoefden haar niet uit te laten, ze had liever dat ze zouden praten over wat ze had verteld.

Toen vluchtte ze. Met de lift naar beneden, en het stille gebouw uit in de verbijsterende drukte op straat. Toen keerde ze terug in haar kleine hotel dat inmiddels een thuis begon te lijken, en ze ging naar haar kamer.

Nu kon ze doen wat ze had uitgesteld tot ze haar werk gereed had. Ze ging zitten en opende de laptop van Don Richardson.

Het werd donker terwijl ze zich door de bestanden worstelde. Bankrekeningnummers op het eiland Man, op de Caymaneilanden, in Zwitserland. Ze kon er geen wijs uit worden, omdat de namen in een soort code waren gesteld.

Ze zag overdrachten van onroerend goed, maar geen ervan op naam van Don of zijn schoonvader. Toen zag ze het bestand met haar eigen naam, en haar hart maakte een sprongetje. Misschien had hij inderdaad iets voor haar geïnvesteerd, zoals hij had gezegd. Iets waardoor ze verzorgd achterbleef als hem iets zou overkomen. Ze slikte. Hij moest toch ooit van haar hebben gehouden? Maar het leek niet erg waarschijnlijk. Want dit ging niet over Ella Brady. Deze familie Brady bestond uit vijf personen: een man, zijn zoon, de echtgenote van de zoon en hun twee kinderen, en ze woonden in Playa de los Angeles. Er waren brieven over hen aan banken en van banken. Wie ze ook mochten zijn, die Brady's hadden geld genoeg. En veel ervan was heel recent gestort. Het grootste bedrag in de week dat zij met Don in Spanje was geweest. Toen hij weg was uit het hotel. Toen zijn vrouw Margery Rice, de moeder van zijn twee kinderen, er was. Opeens drong tot haar door dat hij niet alleen al het andere van haar had gestolen, maar ook haar naam.

Ze kon een heleboel dingen doen. Ze kon het nummer van de afdeling Fraudebestrijding in Dublin bellen en hun zeggen dat het apparaat kon worden opgehaald. Ze kon contact opnemen met een Iers televisiestation. Ze kon Don nu bellen; de familie Brady had een telefoonnummer dat in de computer stond. Ze kon hem zeggen dat ze hem de computer terug zou geven zonder verder iets te hoeven weten, als hij haar vader alles terugbetaalde wat hij was kwijtgeraakt. Ze kon contact opnemen met een van de vele betrokken verzekeringsmaatschappijen en die de computer aanbieden. Ze besefte dat ze dit besluit helemaal alleen zou moeten nemen. Alle anderen zouden bevooroordeeld zijn. Ze zouden willen doen wat ze het beste vonden voor haar of voor hen of voor wie dan ook. Waarom gaf ze de computer niet gewoon aan de politie? Dat zou een normaal mens immers doen.

Ze opende de minibar, pakte een klein flesje Amerikaanse whisky en dronk die uit een tandenborstelbekertje. Niets werd er duidelijker door. De wazige randen werden niet scherper. Als je van iemand had gehouden, met hem naar bed was geweest, maandenlang alles met hem had gedeeld, dan overhandigde je zijn computer niet zonder blikken of blozen aan de politie. Het had te maken met een belachelijke edelmoedigheid. Al had híj zich als een rotzak gedragen, dan wilde dat niet zeggen dat zij dat ook moest doen. Haar loyaliteit werd gewoon nogmaals op de proef gesteld.

Ze zou hem laten zien dat niet iedereen vrienden en minnaars verraadde. Ze wilde er niet over praten met Deirdre of met Nick of Sandy. Met niemand. Ze moest zelf beslissen wat ze zou doen. Eigenlijk zou ze, hoe gek het ook klonk, met Don willen praten. Nou ja, dat was ook een optie. Hoe gek ook. Er waren zo veel vragen waar ze antwoord op wilde. Was hij altijd al van plan geweest om de naam Brady aan te nemen, of kwam dat door haar? Hoe had hij alles zo nauwkeurig kunnen plannen en dan de computer kunnen achterlaten in haar flat? Was dat altijd al zijn bedoeling geweest, of was hij hem echt in de haast vergeten?

En als hij altijd van Margery had gehouden, waarom hadden ze dan elk een totaal eigen leven geleid? En voelde hij zich schuldig, of kon hij ermee leven en gewoon zeggen dat zulke dingen nu eenmaal bij het leven hoorden? Ze kon zich zelfs al voorstellen hoe het gesprek zou verlopen. Maar ze zou niet vanaf hier bellen. Ze was geschrokken toen ze hoorde dat hij de laptop in handen wilde krijgen en anderen op pad stuurde om haar op te sporen. Dat was nogal beangstigend.

Maar ze was nooit eerder bang geweest. Ze had zich met de laptop in haar bezit zelfs veiliger gevoeld. Want zolang ze die had, zou hij misschien contact met haar opnemen. Nu pas besefte ze dat ze de computer om die reden had gehouden; die vormde haar laatste band met hem. Vier maanden lang was het een troost geweest om te weten dat ze in elk geval de laptop nog bezat, als een tastbare herinnering aan wat ze samen hadden gehad.

Maar nu was alles opeens heel anders. Ze kon zichzelf niet langer voorspiegelen dat Don niets had geweten van wat er allemaal was gebeurd. Dat hij op de een of andere manier was meegesleurd in de plannen van zijn schoonvader. Dat er een heel onschuldige verklaring was.

Nu ze de laptop had geopend, kon ze zichzelf niet langer voor de gek houden. Het begon haar te dagen dat Don Richardson er tot over zijn nek in zat. Voor het eerst besefte ze dat ze waarschijnlijk werkelijk gevaar liep, en ze had geen idee wat ze moest doen. Ze was zo moe, dat ze niet meer kon denken.

Vanavond zou ze in elk geval niets doen. Dat was niet nodig. Tenslotte had ze het koffertje met de laptop al meer dan vier maanden in haar bezit. Misschien ging hij ervan uit dat als ze hem had willen aangeven, ze dat inmiddels wel gedaan zou hebben. Hij zou denken dat ze er niet in had kunnen komen en had besloten om de computer niet te overhandigen aan mensen die wel de inhoud konden controleren. Hij zou zich inmiddels wel veilig voelen. Maar waarom deed hij dan opeens zo schrikachtig en wilde hij weten waar ze was? Misschien wilde hij haar echt terugzien.

Een man liep over het laantje achter Tara Road en stopte een brief in wat ze de dependance noemden van wat vroeger het huis van de Brady's was geweest. De brief zat niet in een envelop, maar was gewoon dubbelgevouwen. Het was een geprinte e-mail, maar zonder naam of verdere herkenningstekens boven of onder.

Barbara en Tim Brady hoorden hem niet door de brievenbus vallen omdat ze lagen te slapen. Ze zagen hem pas de volgende ochtend om acht uur, toen Barbara naar haar werk ging. En ze kon hem niet lezen omdat het donker was in de gang en omdat ze de bus moest halen. Ze ging naar buiten door de houten deur naar het laantje achter het huis. De tuin was niet meer van hen. En zou dat ook nooit meer worden.

In New York lag Ella in bed. Niet in slaap, maar ze rustte toch. Maak je niet druk, hield ze zichzelf steeds weer voor.

Ze moest de volgende ochtend om negen uur op het kantoor van Derry en Kimberly zijn, dus moest ze voor een goede nachtrust zorgen.

Je kon overschakelen op de voicemail. Dat deed ze. Dat hield in dat je midden in de nacht gebeld kon worden, maar dat je er niet wakker voor werd gemaakt. Niet dat ze een telefoontje verwachtte. Hij wist immers niet dat ze achter het wachtwoord was gekomen.

Ze nam een warm bad, ging naar bed, en viel in slaap terwijl de televisie nog aanstond.

Dus miste ze de telefoontjes die om drie uur in de ochtend kwamen, niet lang nadat iedereen in Ierland het nieuws had weten te verwerken. Ze keek pas naar het knipperende lichtje toen ze helemaal aangekleed was en klaar stond om weg te gaan. Ella draaide het nummer, in de hoop dat het geen boodschap van Derry of Kimberly was.

Ze zakte vol ontzetting neer op haar bed toen ze Nick, Deirdre en haar vader hoorde vertellen wat er was gebeurd.

Zij waren de enigen die wisten waar ze was. Hun woorden leken zo verschillend, alsof ze geen zinnen konden vormen. Slechts één andere persoon kende haar adres, en dat was haar nieuwe vriendin Harriet, de inkoopster die haar de hondenhalsband had verkocht. Ook zij had gebeld. En omdat Harriet minder geschokt en meer meelevend klonk dan de anderen, was dat de enige boodschap die Ella wilde horen.

'Luister, Ella. Voor het geval je het nog niet hebt gehoord, hij heeft zelfmoord gepleegd. Hij was tuig. Hij wilde niet eens onder ogen zien wat hij iedereen had aangedaan. Dat weet bijna iedereen al, maar ik wilde je toch waarschuwen. Je bent duizend keer meer waard dan hij, Ella, dus huil niet om hem. Hij is het gewoon niet waard.'

Toen ze weer op adem was gekomen, spoelde ze de eerste drie boodschappen terug. Nu begreep ze pas wat ze zeiden. Het moest wel waar zijn, dit kon niemand zich hebben verbeeld. Wie moest ze eerst bellen? Ella wilde niemand van hen spreken.

Ze keek naar de computer. Die deed er niet meer toe. Hij was met een boot tegen de rotsen gevaren, en hij had zelfmoord gepleegd. Ze vroeg zich af of hij was gestikt of dat zijn lichaam te pletter was geslagen tegen de rotsen. Had hij op het laatst nog spijt gehad en geprobeerd om het er levend af te brengen? Don, dood. Vanwege het geld van anderen? Omdat hij had gefaald? Omdat hij dat koffertje met de laptop niet terug had kunnen krijgen? Waarom had ze het hem niet gegeven? Ze wist niet eens wat ze er zelf mee aan had gemoeten. Als ze hem had gebeld en had gezegd dat hij hem kon terugkrijgen, dan zou hij misschien nog in leven zijn. Ze zou via internet de Ierse kranten lezen en zien wat die te melden hadden. Ze moest meer te weten komen voor ze iets tegenover iemand losliet.

Don Richardsons knappe gezicht staarde haar aan uit alle Ierse en sommige Engelse kranten. Hij werd beschreven als een uit de gratie gevallen financieel expert. De kranten meldden vergenoegd dat hij zich inderdaad schuil had gehouden in Spanje. Zijn boot zou te pletter zijn geslagen op de rotsen van een gevaarlijke Spaanse kaap, waar niemand zich met wat voor schip dan ook ooit zou wagen. Een ervaren zeiler als Don Richardson zou zich zeker bewust zijn geweest van de gevaren. Zijn lichaam was niet gevonden. Door de stroming kon zijn lichaam wel helemaal naar de Atlantische Oceaan zijn meegevoerd.

Hij had zijn auto achtergelaten op een havenhoofd in de buurt, met een paar brieven op de voorbank. De inhoud werd niet bekendgemaakt, maar men ging ervan uit dat ze een verontschuldiging behelsden en een soort verklaring. Er was al medeleven betuigd door het overgrote deel van de zakenwereld in Ierland, en ongeloof door de familie en vrienden die benaderd waren. De naaste familie gaf niets prijs. Volgens sommige kranten werkten ze mee met de autoriteiten. Volgens andere waren ze spoorloos verdwenen. In een van de kranten werd onder de kop LIEFSTE MAR-

GERY beweerd dat hij een brief aan zijn vrouw had gestuurd met de wens dat zij hun kinderen een goede opvoeding zou geven. Maar omdat die krant in het verleden ook had beweerd dat deze buitenaardse wezens had geïnterviewd en vrouwen die met vier benen waren geboren, werd er weinig geloof aan gehecht.

Ze belde om te beginnen naar haar vader, maar de lijn was bezet. Daarom belde ze via haar mobiele telefoon naar Deirdre.

'Ik weet dat het rot voor je is, en dat het een vreselijke schok voor je moet zijn,' zei Dee. 'Maar eerlijk gezegd is het misschien wel het beste.'

'Dat iemand zelfmoord pleegt, dat is dus gewoon het beste?'

'Ik denk alleen maar aan jou, Ella. Nu kun je verder met je leven.'

'Daar mankeert niets aan, sinds hij me maanden geleden in de steek heeft gelaten. Hij is degene die niet verder kon, die niet meer vrijuit kon praten en niet meer wist welke dag het was.'

'Ik probeer het echt niet af te schuiven. Ik dacht alleen dat het alle spanning zou wegnemen.' Deirdre krabbelde terug.

'Welke spanning? Ik weet heus wel dat hij niet echt van me heeft gehouden. Ik moet me nog steeds rot werken om de schulden af te betalen waarmee hij mijn familie heeft opgezadeld. Wat heeft het dan voor nut dat hij op de bodem van de oceaan ligt?'

'Sorry, Ella, het spijt me echt,' zei Deirdre.

'Dat weet ik, Dee. Doe alleen niet alsof het allemaal eigenlijk het beste is.'

Deirdre belde vlug naar Nick. 'Ze zal waarschijnlijk proberen om jou te bellen. Wees heel voorzichtig. Zij vindt het niet net als wij een grote opluchting. Ik heb mijn mond even opengetrokken, en ik werd meteen op mijn nummer gezet.'

'Bedankt, Dee. Ik zal Sandy waarschuwen.'

'Veel medeleven betonen, daarin ben ik tekortgeschoten,' zei Deirdre spijtig.

'Je bent een goede vriendin. Dat weet ze heus wel.'

'Dat hoop ik.'

'Hallo, Nick.'

'Ella, mijn arme Ella.'

'Hoezo, Nick? Hij heeft nooit van me gehouden. Hij heeft van iedereen geld gestolen. Ik zei zonet nog tegen Dee dat er niets is veranderd. Hij is alleen dood, dat is het enige verschil. Ik bel je eigenlijk alleen over die vergadering van vandaag.'

'Ga je daar dan naartoe?' Hij klonk verbaasd.

'Ja, natuurlijk, daar ben ik hier toch voor?'

'Maar misschien kun je dat vandaag beter niet doen, Ella. Ik kan ze wel bellen om een en ander uit te leggen.'

'Dit is míjn opdracht. Bemoei je er niet mee. Ik wilde je alleen even spreken over al die vergunningen waar ze het hier steeds over hebben. Onze gewone formulieren die mensen tekenen om ons toestemming te geven om het interview te gebruiken, die zijn toch voldoende?'

'Die zijn prima in orde. Je kunt hun verzekeren dat ik dat allemaal heb gecheckt,' zei Nick, die tot de conclusie kwam dat vrouwen zo onvoorspelbaar waren, dat het geen zin had om ook maar een poging te doen om hen te begrijpen.

'Pap?'

'O, Ella, goddank dat je belt.'

'Maak je niet druk, pap. Hij was een volwassen man. Hij moet hebben geweten waar hij mee bezig was.'

'Nee, dat is het niet.'

'En ze zeggen dat je moet denken aan het goede, en dat was er wel, pap. Het kostte me enige moeite om dat naar boven te halen, maar het is me gelukt, dus...'

'Ella, zwijg. Laat mij even aan het woord.' Hij klonk wanhopig.

Ze zweeg.

'Hij heeft je een brief gestuurd.'

'Wat?'

'Gisteravond is hier persoonlijk een brief bezorgd.'

'Nee, pap, die kan niet van hem zijn. Hij is verdronken in Spanje. Dan kan hij toch niet...'

'Het was een e-mail, die onder de deur door is geschoven door iemand toen wij lagen te slapen.'

'Maar hoe weet je dan dat die van hem is?'

'Hij zat niet in een envelop.'

'Die kan niet van Don zijn, dat is een vergissing.'

'Ik weet niet wat ik ermee moet, Ella. Ik heb het je moeder verteld. Ze heeft hem niet gelezen toen ze wegging... Ze zei dat ik hem maar naar haar kantoor moest brengen en dan zou ze hem naar je faxen.'

'Is het een lange brief, pap?'

'Nee, vrij kort.'

'Kun je hem dan voorlezen?'

'Maar misschien wil je niet dat ik...'

'Je hebt hem al gelezen, pap, en je hebt hem ook aan moeder voorgelezen. Doe het dan nog één keer, alsjeblieft.'

Het was even stil terwijl hij zijn bril opzette. Daarna hoorde ze hem met papier ritselen.

'Lieve engel van me,' las hij. 'Tegen de tijd dat je deze brief krijgt, is alles voorbij. Misschien kan het je niets schelen. Je wilde geen contact met me opnemen, ondanks de vele berichten die ik je heb gestuurd, dus misschien heeft het je nooit iets kunnen schelen. Maar dat wil ik niet geloven. Ik kan niet geloven dat al die uren van liefde niets voor je hebben betekend. Dus wil ik speciaal afscheid van je nemen en je bedanken dat je me zo gelukkig hebt gemaakt, en je drie dingen vertellen.

Ik hield van jullie allemaal, van jou en van mijn gezin. Ik kon hen niet in de steek laten toen de crisis toesloeg. Ik heb steeds geprobeerd om contact met je op te nemen, maar je wilde niet luisteren. Dat koffertje doet er niet meer toe. Ik zal er niet meer zijn als de inhoud bekend wordt. Als je het kunt opbrengen om het weg te gooien om de redenen waarom ik het jou heb toevertrouwd, dan zou dat heel fijn zijn. Maar dat moet je zelf weten. En tot slot wil ik je laten weten dat ik je vader graag mag en dat ik weet dat hij door mijn adviezen geld van cliënten is kwijtgeraakt. Ik heb wat bankcheques geregeld, die hij makkelijk kan verzilveren. Dit is het nummer van de kluis. Ik had graag iedereen alles willen teruggeven. Maar ik wil zoveel, en het liefst dat jij en ik nog jaren samen hadden kunnen zijn, engel van me. Door jou voelde ik me weer jong en gelukkig. Weet dat ik van je heb gehouden. Don.' Haar vaders stem beefde toen hij de laatste woorden uitsprak. Er viel een stilte.

'Bedankt, pap.'

'Ik wou dat je niet zo ver weg was, Ella. We hadden je zo graag thuis willen hebben nu.'

228

'Het is beter voor me om hard te werken, pap. Het gaat echt goed, en wil je dat ook tegen mam zeggen?'

'Hij heeft echt van je gehouden, Ella.'

'Natuurlijk, pap.'

Ze bleef even zitten en keek in de spiegel naar zichzelf. Dit kon niet waar zijn. Dadelijk zou ze wakker worden op een tijdstip dat ze Don Richardson nog niet eens had leren kennen. Toen gesprekken als die van vanmorgen volslagen onmogelijk waren geweest. Maar intussen moest ze het hoofd bieden aan wat haar nog te wachten stond.

Ze ging naar de hal beneden en bestelde een taxi naar het kantoor van Derry en Kimberly. Ze werd naar hun vergaderkamer gebracht. Ze zaten naast elkaar aan het uiteinde van de tafel. Ze sprongen op toen ze binnenkwam.

'Ella!' zei Kimberly, alsof ze verbaasd was.

'Jij hier?' Derry was echt verbaasd.

'We hadden toch om negen uur afgesproken?' Ella werd opeens ongerust. Misschien had ze een black-out gekregen door de schok. Ze verzekerden haar dat ze dat inderdaad hadden afgesproken. Maar er was iets vreemds in de manier waarop ze naar haar keken, alsof ze niet hadden verwacht dat ze het had kunnen opbrengen om te komen. Had Nick zijn belofte verbroken en het hun verteld? Nee, dat zou hij niet durven.

Ze ging aan de tafel zitten, en Kimberly schonk koffie voor hen in.

'Heb je... eh... nog contact gehad met Dublin vanmorgen?' begon Derry.

'We zaten ons net af te vragen of je al met iemand daar hebt kunnen spreken,' zei Kimberly.

Ze wisten iets. Maar hoe kon dat?

Ella was vastbesloten om niet te verslappen of haar hoofd op tafel te leggen en tegen deze mensen te jammeren over haar gestorven geliefde. Over de man die haar per e-mail een afscheidsbrief had gestuurd voor hij zelfmoord ging plegen.

'Ik heb Nick gesproken,' zei ze op opgewekte toon. 'Ik moest jullie zeggen dat die formulieren gewoon standaardprocedures zijn.' Ze keek van de een naar de ander. Ze leken niet naar haar te luisteren. 'Dus als alles in orde is...' Ze wachtte tot ze de vergadering zouden voortzetten.

'Als je vandaag liever niet wilt werken, dan vinden wij dat helemaal niet erg. Er komen nog genoeg dagen.' Derry keek heel vriendelijk en hij gaf zelfs een klopje op haar hand, in een gebaar dat je zelfs zelden in een film zou kunnen zien.

Kimberly deed al net zo meelevend. 'Je moet jezelf niet dwingen,' zei ze overredend. 'Het kan wel wachten tot je je weer goed voelt.'

'Jullie weten het,' zei Ella langzaam. 'Iemand heeft jullie verteld over mij en Don en wat er is gebeurd.'

'We wisten vanaf het begin al over Don en jou,' zei Derry. 'We hebben alleen vanmorgen gelezen wat er met hem is gebeurd.'

'Waar dan? Hoe wisten jullie het?' Er trok een koude rilling door haar heen.

'Net zoals jij wist dat ik een hondenliefhebber ben. We hebben je dossier gelezen.'

'Dat is anders. Jij bent een bekend persoon. Over mij is toch geen dossier,' wierp Ella tegen.

'Maar informatie genoeg. We gaan toch niet zomaar in zee met zo'n klein bedrijfje als Firefly Films en een documentaire maken over een restaurant waar we nog nooit van hebben gehoord, zonder advies in te winnen.'

'En bij wie hebben jullie advies ingewonnen?'

'Bij een advocaat. Aardige kerel. Hij heeft alles gecheckt wat je hebt gezegd. En dat was vier maanden geleden, toen jij even in het nieuws stond.'

'En hij vond dat soort roddels belangrijk!' Ella was gepikeerd.

'Hij bracht ons gewoon op de hoogte van alles. Dat had geen enkele invloed op wat dan ook. We vroegen ons vandaag alleen af...' Derry's stem stierf weg.

'Je weet dat Don blijkbaar tot het laatste moment heel grondig is geweest,' zei Kimberly.

Ella vroeg zich af hoe ze na een lang huwelijk zo vriendschappelijk konden samenwerken. Ze moesten toch ooit hebben gehoopt dat ze nog jaren bij elkaar zouden blijven... en, om met Don te spreken, zich jong en gelukkig zouden blijven voelen.

Ella wilde haar koffiekopje optillen, maar haar hand beefde zo dat ze het weer neerzette. Ze moest zich beheersen, het geluid van zijn stem uit haar hoofd bannen. Dat moest! Maar nu kon ze Don bijna horen zeggen: ik wil speciaal afscheid van je nemen. Speciaal afscheid, speciaal afscheid... Het galmde door haar hoofd.

Ze greep de tafel beet, maar ze voelde dat ze viel. Ze tuimelde in een diepe, zwarte put terwijl zijn stem nog in haar oren klonk. Toen ze iets kon onderscheiden, zag ze vage vormen, en die vage vormen gingen over in benen, en poten van stoelen. Kimberly's verbazend slanke enkels boven donkere schoenen met hoge hakken, benen in bruine broekspijpen, en ten slotte zag ze het gezicht van Derry King op enkele centimeters van het hare. Dat vierkante, doorgroefde gezicht waarop nooit iets te lezen viel. Maar nu sprak er een en al ongerustheid uit.

'Ze komt bij, Kim,' zei hij vol opluchting.

'Hou haar hoofd omlaag. Je moet het bloed naar de hersens laten stromen,' gebood Kimberly.

'Dan moeten we haar op een stoel tillen om haar hoofd omlaag te krijgen.'

Dat deden ze heel voorzichtig, en ze kreeg echt het gevoel dat alles in haar hoofd weer op zijn plaats gleed.

'Wat is er gebeurd?' begon ze, maar hoewel ze de vraag amper had gesteld, wist ze het antwoord al. Ze was flauwgevallen. Ze probeerde overeind te komen, maar voelde Derry's hand in haar nek en hoorde zijn stem dringend zeggen: 'Alles is in orde. Hou je hoofd naar beneden. Haal diep adem, dan voel je je over tien seconden weer stukken beter.'

Ella telde tot tien en kwam overeind. Ze keken haar ongerust aan. Ze wist een flauw glimlachje op haar gezicht te toveren. 'Regel één hoe je niet je zaak moet bepleiten,' bracht ze uit.

'We hebben alle tijd van de wereld. Maak je geen zorgen,' zei Derry.

'Je hebt een flinke schok te verwerken gehad,' zei Kimberly.

'Maar alles ging goed, tot ik opeens duizelig werd.'

'Je bent toch niet zwanger?' vroeg Kimberley.

Derry leek verbaasd, maar Ella liet zich niet uit het veld slaan door de vraag. 'Nee, alle rampen in aanmerking genomen die zijn gebeurd... Nee, daar hoort zwangerschap niet bij.'

'Je hebt zeker nog niet ontbeten,' opperde Derry.

'Dat weet ik eigenlijk niet meer, maar dat kan niet de oorzaak zijn geweest.'

'Je krijgt al meer kleur op je wangen,' merkte Kimberly op. 'Drink wat water.'

'Jullie zijn zo aardig.' Ze nam een slokje water.

'Zullen we een dokter bellen?'

'Nee, Derry, dank je. Het gaat wel weer. Gewoon zenuwen, denk ik. En dit alles erbij. Wat er allemaal niet van mij afhangt.'

'Jij hebt geen last van zenuwen, Ella. Dat zeiden we net toen je binnenkwam. Je hebt geen enkele ervaring met films maken, maar je bent zo kalm en zelfverzekerd...' Kimberly klonk vol bewondering.

'Ik hoop dat ik me niet beter heb voorgedaan dan ik ben...' begon Ella.

'Nee, helemaal niet. Je bent heel eerlijk geweest. En ik heb niets gemerkt van zenuwen,' zei Derry.

'Gisteren ging alles goed,' zei ze zonder het te willen.

Ze keken elkaar vragend aan. 'En nu?'

'Als jullie me willen vergeven dat ik bij jullie even buiten westen ben geraakt... Ik zal proberen om het nooit meer te doen. Zullen we nu even teruggaan naar waar we zijn gebleven?' Er lag een onnatuurlijke glans in Ella's ogen.

'Dat hoeven we nu niet...'

'Maar dat moeten we wel, Derry. Ik wel, in elk geval. Dit is mijn enige kans. Anderen zullen hun tijd misschien beter gebruiken en niet voor jullie neus flauwvallen. Dus ik wil het gewoon zeggen.'

'Rustig aan, Ella. Neem de tijd,' glimlachte Kimberly.

Ella was echter niet te stuiten. 'Nee, ik kan niet de tijd nemen. Ik heb met Nick gesproken over die vergunningen en ontheffingen. Dat heeft hij allemaal uitgezocht. Daar gelden blijkbaar dezelfde wetten als hier. En ik heb mijn aantekeningen bij me.' Ze sloeg haar boekje met bevende handen open. Ze zag hoe ze keken toen ze het juiste papier eruit wilde trekken. Het stak tussen de andere papieren uit, maar ze kon er geen grip op krijgen.

Uiteindelijk boog Derry zich voorover en pakte het papier er voor haar uit. Hij legde het op de tafel. 'Het is al goed, Ella.' Hij klonk heel vriendelijk.

En Kimberly ook, toen ze zei: 'Ella, je hebt het. Je hebt ons overtuigd.'

'Wat?' Ze wist niet hoe ze het had.

'Het is goed,' zei Derry. 'Je hoeft niet meer te lobbyen, jullie krijgen de toelage. We moeten alleen nog bespreken hoe we de film zullen maken.'

Ze keek hen verbijsterd aan. Uit de verschrikkelijke nachtmerrie was iets voortgekomen waar ze nauwelijks op had durven hopen. 'Meen je dat echt?' vroeg ze, alsof ze aan zijn woorden twijfelde.

'Heel echt,' zei hij glimlachend.

Die glimlach deed het hem. Ze legde haar hoofd op de tafel en begon zo hard te huilen, dat iedereen dacht dat haar hart zou breken.

10

Ella wist amper hoe ze terug was gekomen in haar hotel. Ze herinnerde zich dat Derry en Kimberly haar samen uitzwaaiden in de
foyer toen de gele taxi zich in het New Yorkse verkeer mengde.
Ergens hoorde ze een klok luiden. Het was pas tien uur in de ochtend. Ze ging naar haar kamer en belde naar Firefly Films.

'Hoe is het gegaan?' Ze kon de ongerustheid in Sandy's stem
horen.

'Het is voorbij, Sandy,' zei ze. 'Het is klaar. Kun je het geloven?'

Er viel een stilte, en toen hoorde ze Sandy tegen Nick zeggen:
'Ze heeft haar uiterste best gedaan, Nick, maar het is niet gelukt.
Ze zegt dat het voorbij is. Nick, ze heeft er alles voor gedaan wat
ze kon.'

Die lieve Sandy, zo loyaal en bemoedigend. Ze probeerde de teleurstelling bij de man van wie ze hield te verzachten.

'Nee, Sandy, néé... We hebben het. Ze geven het aan ons. We
hebben de toelage gekregen!'

Ella hoorde dat Sandy naar adem hapte; toen werd de telefoon
overgegeven.

'Is het echt waar?' Nicks stem beefde.

'Maak over een halfuurtje je e-mail maar open. Ze sturen je een
bevestiging, Nick.'

'Ik kan gewoon niet geloven dat je vandaag naar die bespreking
hebt kunnen gaan, na alles wat je hebt meegemaakt. Je bent een
wonder, Ella. Hoe heb je dat voor elkaar gekregen?'

'Vraag daar maar niet naar. Laten we gewoon God of wie dan
ook danken dat het is gelukt.'

'Wat heb je tegen ze gezegd, Ella? Vertel, we willen er geen
woord van missen.'

'Dat wil je niet weten.'

234

'Wel waar. We hebben hier wel een uur als verstijfd zitten wachten... Nu gaat ze naar binnen. Nu zegt ze vast dit, of dat...'

'Ja.'

'Toe, Ella, wij zaten hier in hevige ongerustheid te wachten, en jij was daar. Het is je gelukt! Vertel!'

'Eerst ben ik flauwgevallen, toen hesen ze me terug op mijn stoel, en toen ik eindelijk van wal wilde steken, zeiden ze dat we de toelage hadden gekregen, en toen heb ik wel een uur zitten huilen. Misschien was het maar een kwartier, maar het leek een uur.'

'Ze is helemaal de kluts kwijt,' zei Nick tegen Sandy. 'En waarschijnlijk ook nog dronken. We krijgen nu toch geen zinnig woord uit haar.'

'Brenda?'

'Ben jij dat, Ella? Is alles in orde?'

'Ja, best. Ik wilde alleen even bellen.'

'Ik vind het zo erg, van Don. Het moet een enorme klap voor je zijn geweest.'

'Ja, dat was het ook.'

'En mensen die dergelijke afschuwelijke dingen doen, weten natuurlijk niet waar ze mee bezig zijn...'

'Nee, hij wist precies wat hij deed, maar daar bel ik niet over.'

'Ben je in... nou ja, waar je naartoe bent gegaan?'

'Ja, ik ben in New York. Het maakt niet meer uit wie het weet. Hij kan nu toch niet meer iemand achter me aan sturen. Niet dat hij dat ooit gedaan zou hebben.'

'Nee, natuurlijk niet,' zei Brenda meelevend.

'We hebben de toelage toegewezen gekregen. We kunnen nu door met het project,' vertelde Ella trots.

Brenda leek verbijsterd dat ze over zulke dingen kon praten. 'Nee maar. Dat is fantastisch. Goed gedaan. En goddank dat je het achter de rug had voor je al dat andere over je heen kreeg.'

'Nou, dat was eigenlijk niet zo. Ik heb het vanmorgen gedaan nadat ik dat over Don had gehoord. Ik had je beloofd dat ik zou bellen zodra ik iets wist.'

'Je bent niet te geloven, Ella. Ik sta werkelijk versteld.'

'Nee, om eerlijk te zijn sta ik op het punt van instorten.'

'Niemand kan weten wat er precies in anderen omgaat.'

'Nee, het gaat wel, want ik weet wat er in hem omging. Hij hield van me. Echt waar. Hij heeft me een brief geschreven vlak voor hij stierf. Moet je nagaan, Brenda!'

'Dat... dat is buitengewoon,' stamelde Brenda.

'Het is fantastisch,' zei Ella, en ze hing op.

'Volgens mij heeft ze een zenuwinzinking,' zei Brenda op zachte toon.

'Nou, wat die documentaire betreft heeft ze gelijk,' vertelde Patrick. 'Sandy was een halfuur geleden hier, omdat ik wat formuleren moest ondertekenen. Het gaat allemaal door.'

'Maar ze kan toch niet nog steeds denken dat die vent van haar heeft gehouden,' zei Brenda. 'Ze is al vier maanden bezig om over hem heen te komen. Ze kan toch niet geloven dat hij twee minuten voor hij zelfmoord ging plegen, van gedachten is veranderd. Dat is te simpel, te gemakkelijk. En geen woord over wat er is gebeurd met Margery en de kinderen, om het nog maar niet te hebben over Ricky Rice.'

'Ik begin met de dag meer als mijn vader te klinken, maar het is bij lange na nog niet voorbij,' zei Patrick.

'Deirdre, ze heeft de toelage binnen weten te halen,' zei Nick. 'Ze had je uit New York willen bellen, maar dat werd wel erg duur.'

'En zo hoort het,' zei Deirdre. 'Als jullie rijke stinkerds willen worden, moet je om te beginnen zo vrekkig mogelijk zijn.'

'Ha ha, leuk hoor. Ze komt trouwens misschien eerder naar huis dan we dachten. Als die vent dood is, hoeft ze zich niet meer schuil te houden.'

'Áls hij dood is,' zei Deirdre.

Tim en Barbara Brady kregen een telefoontje van drie minuten van Ella. 'Ik kan het niet lang maken, maar ik heb goed nieuws. De film gaat door.'

'Goed gedaan, Ella!' riep haar moeder uit.

Ella's vader zat in zijn stoel. Hij had een slechte dag. De dood van Don Richardson had een einde gemaakt aan alle hoop die enkele cliënten misschien gekoesterd hadden dat ze ooit iets van hun geld terug zouden zien. Een paar hadden contact met hem opgenomen. Het waren geen gemakkelijke gesprekken geweest. Hij zag hoe blij zijn vrouw was toen ze vol trots vertelde dat Ella erin was geslaagd om de steun van de King Stichting te krijgen voor het project. En nu Don niet langer een bedreiging vormde, kwam ze meteen naar huis. Dat deed ze liever dan zich schuilhouden in New York.

'Waarom ben je niet blij, Tim? Het is toch goed nieuws?' mopperde Barbara.

'Het is fantastisch nieuws,' zei hij, terwijl hij zich dwong tot een glimlach. Veel van de mensen die hij vandaag gesproken had, hadden het vermoeden geuit dat Don Richardson zijn zelfmoord in scène had gezet. De volgende ochtend spraken dezelfde twijfels uit de kranten. Er stonden verhalen in over mensen die hun kleren opgevouwen op een strand hadden achtergelaten met afscheidsbriefjes erbij, en die jaren later in andere landen waren opgedoken met andere paspoorten. Maar de familie Richardson was al in een ander land toen Don zelfmoord pleegde. Een heleboel dingen klopten niet, en er werd van alles gesuggereerd.

Wat was er met zijn gezin gebeurd? Met de echtgenote, de zoons en de schoonvader op wie hij zo dol was? Die waren niet uit hun schuilplaats gekomen om zijn dood te betreuren. Waarom lagen Don Richardsons portefeuille en documenten zo in het zicht in een auto die hij pas die ochtend had gehuurd? Wat was er met het verdwenen geld gebeurd? Hij moest de afgelopen vier maanden een schuilnaam hebben gebruikt. Had zijn familie nog steeds een valse identiteit? En als de familie nog steeds in het bezit was van al dat verduisterde geld, wat was er dan eigenlijk bereikt met Don Richardsons zelfmoord? Daarmee kregen degenen die hun geld kwijt waren, er geen cent van terug.

Zo ging het nog een paar dagen door in de media. Het mysterie van de maanden in Spanje. Het luxe leven dat de Richardsons wellicht geleid hadden aan wat ooit de Costa del Crime werd genoemd. Waar de treurende familie zich nu bevond. Zoals altijd zeiden de Spaanse autoriteiten dat ze nauw samenwerkten met de Ierse politie om hen op te sporen. Bij pogingen om de familie te vinden werden gesprekken gevoerd met Britse en Ierse emigranten in de buurt waar de tragedie had plaatsgevonden, maar die leidden tot niets. Niemand had ooit van dat gezin gehoord. Ze waren spoorloos verdwenen sinds ze op die ochtend vier maanden geleden met hun eigen paspoorten naar Spanje waren gekomen. Niemand had hen meer gezien.

En langzamerhand, toen er ander nieuws kwam, verdwenen de verhalen en speculaties over Don Richardson uit de kranten. De mensen begonnen weer te denken dat hij werkelijk was verdronken. Brenda merkte aan de gesprekken van de gasten in het restaurant dat de publieke opinie weer helemaal was omgeslagen. Don was niet in Dublin gesignaleerd. En als hij zijn eigen zelfmoord in scène had gezet, dan zou hij dat vast gedaan hebben om weg te komen van de geestloze anonimiteit in een Spaanse badplaats, en terug te kunnen gaan naar waar hij als een prins had geleefd... naar Dublin, waar hij in elk geval iémand was geweest. Don de grote waaghals zou genoeg mensen kennen die hem een schuilplaats wilden bieden. Maar voor dat gerucht kwam geen bevestiging.

Ella had alles weer onder controle. Ze was oplettend en vol belangstelling toen Derry haar voorstelde aan een paar mensen van zijn financiële afdeling, de sectie waar Firefly Films de uiteindelijke begroting aan zou voorleggen. Ze concentreerde zich om later bij elke naam een gezicht te kunnen plaatsen.

Kimberly stelde voor dat ze een paar films zou zien die al over dergelijke thema's waren gemaakt en bracht haar in contact met een filmhuis. Het ging allemaal heel makkelijk als je door de Kings werd geïntroduceerd. Ella begon steeds beter te beseffen hoe belangrijk ze waren, en ze was blij dat ze dit in het begin niet had geweten.

Meestal ging ze 's avonds met Derry ergens eten. Hij koos allerlei restaurants voor haar uit, en leek haar gezelschap op prijs te stellen. Hij zei dat hij er een hekel aan had om alleen in een restaurant te eten en daarom meestal thuis iets liet bezorgen; haar gezelschap bespaarde hem een indigestie. Het was niet moeilijk om een gesprek te voeren. Ze vroeg nooit waarom de vrouwen hem nog niet hadden weten te strikken terwijl hij toch zo'n goede partij moest zijn. Ze vertelde over haar jeugd, en hoewel ze terloops liet vallen dat ze woonden in wat vroeger het tuinhuis naast hun huis was geweest, zei ze nooit waarom.

Derry vertelde over vakanties in Alberta toen hij nog een kind was. De drie kinderen gingen de hele zomer naar hun Canadese grootouders. Dat hadden ze vijf jaar achtereen gedaan, en het was altijd fantastisch geweest. Hij zei nooit waarom zijn moeder niet mee was gegaan, en ze vroeg er ook niet naar.

Ze vertelde hem over Deirdre, die al sinds haar tiende jaar haar vriendin was, en zei dat Nick en Sandy gingen trouwen. Ze gaf toe dat ze het lesgeven miste, maar deze zomer haar vrije dagen moest gebruiken om geld te verdienen.

Hij leek dat heel normaal te vinden. Zelf was hij van school gegaan toen hij vijftien was, en hij had allerlei verschillende baantjes gehad. Toen hij twintig werd, besefte hij dat hij diploma's nodig had als hij zijn broers een beetje op weg wilde helpen. Dus had hij een baan als schoonmaker en conciërge genomen op een universiteit en de uren zo weten in te delen dat hij ook bedrijfskunde kon studeren. Het viel natuurlijk niet mee om vloeren te dweilen en prullenbakken te legen terwijl andere studenten gingen bowlen of naar honkbalwedstrijden gingen. Maar ja, niet iedereen had het even makkelijk. Hij wist ook een mooi baantje als nachtwaker te krijgen, waardoor hij altijd genoeg tijd had om te studeren. Dus had hij goede tentamencijfers gehaald en beurzen gewonnen. En hij kon zijn broers ook laten studeren.

Ella stelde geen vragen. Ze zei dat ze graag broers en zussen had willen hebben, maar dat dat volgens Deirdre schromelijk overschat werd en dat je beter konijnen kon nemen.

Hij moest lachen. 'Wat een portret moet dat zijn, die Deirdre.'

'Je zult haar wel ontmoeten als je in Dublin bent.'

'Ik ga niet naar Dublin, Ella,' zei hij.

'Sorry, dat was ik vergeten.'

Ella besloot niet aan te dringen. En misschien was het wel beter als hij niet kwam. Dan waren ze vrij om de dingen op hun manier te doen.

Hij had het zelden over zijn werk als hoofd van een heel succesvol bedrijf in kantoorbenodigdheden, een van de grootste in de Verenigde Staten. Het was teamwerk, zei hij, en hij had het geluk dat hij een gat in de markt had gezien voor iets wat niet om de haverklap veranderde, zoals computersoftware. Kimberly deed het uitstekend op Marketing, en bijna iedereen werkte er al vanaf het begin, dus in veel opzichten liep het bedrijf vanzelf, zonder dat hij elke dag aanwezig hoefde te zijn. Daarom kon hij zoveel tijd besteden aan de stichting, wat hij het liefste deed.

Ja, natuurlijk moest hij soms meedogenloos zijn op het werk en besluiten nemen die hij eigenlijk haatte. Toen hij een divisie van het bedrijf moest sluiten, had hij gezorgd dat het personeel werd aangehouden of met vervroegd pensioen kon.

Hij was inderdaad prettig gezelschap. Kimberly moest wel iets heel speciaals in Larry hebben gezien dat ze Derry King voor hem in de steek had willen laten.

Elke avond als ze terugkwam van haar diner met Derry King, ging Ella achter de computer zitten en keek ze wat de Ierse kranten van die dag te melden hadden. Ze las met afschuw dat Don volgens sommige mensen niet dood was. Was het maar waar. Kon dat maar. Ze had naar de andere kant van de wereld willen gaan om hem te zeggen dat ze van hem hield. Dat ze begreep waarom hij had moeten doen wat hij had gedaan. Maar ze wist dat hij dood was. Hij had haar toch een afscheidsbrief geschreven?

Toen las ze over Margery en de kinderen. En waar ze zich schuil konden houden. Alleen Ella wist waar ze waren: in Playa de los Angeles, waar ze haar naam hadden aangenomen. Ze noemden zichzelf Brady. Wat een vreemd idee dat ze de telefoon kon pakken om de politie te vertellen waar ze zaten. Maar dat zou ze nooit doen. Don verdiende beter dan een vriendin die alles zou verraden. Hij had gezorgd voor degenen die verzorgd moesten worden. Zijn kinderen, hun moeder en hun grootvader.

En Ella. Hij had haar die bankcheques gestuurd die ze kon verzilveren om haar vader uit de problemen te helpen. O, leefde hij nog maar, al was het voor één middag, dan zou ze hem vertellen hoe blij ze was dat hij toch van haar had gehouden.

De leegte van de afgelopen vier maanden had plaatsgemaakt voor een vreemd gevoel van vredigheid.

Ten slotte waren alle formaliteiten achter de rug. Ella had de terugvlucht van donderdagnacht geboekt. 'Ik zal onze etentjes missen,' zei Derry.

'Ik ook, maar daar valt niets aan te doen als je niet naar Ierland wilt komen,' zei ze.

'Dus als vanavond onze laatste avond is, laten we dan bij mij thuis eten,' stelde hij voor.

'Ja, leuk.' Ella was benieuwd naar zijn maisonnette, waar ze al over had gelezen voor ze hem ontmoette. Vol schilderijen van jonge kunstenaars, vele ervan inmiddels waardevol doordat de makers naam hadden gemaakt, sommige van mensen die nooit succes hadden gehad. Maar Derry King kocht wat hij mooi vond, niet wat hij dacht dat in waarde zou stijgen.

Kimberley leek het jammer te vinden dat ze wegging, en nodigde haar uit voor een laatste lunch.

'Je krijgt zelfs Larry te zien,' beloofde Kimberly. 'En dat is niet elke mooie vrouw vergund die mijn pad kruist.'

Ella lachte. 'Ach, ik ben helemaal niet mooi.' Ze meende het. Sinds ze in New York was besefte ze hoe onaantrekkelijk ze eruitzag, zo sjofel en onverzorgd.

'O, maar dat ben je wel, Ella Brady,' zei Kimberly, en ook zij meende het. Zelfs zo, dat Larry alleen maar een cocktail met hen mocht drinken.

Hij was knap, met tamelijk lang, donker haar, en hij droeg een designerpak. Hij had een donkere zonnebril op die hij meteen afdeed, en hij kwam heel zelfverzekerd over. En een beetje uitsloverig. Hij hield Kimberly op armlengte van zich af, opdat hij en iedereen haar grijze, zijden pakje konden bewonderen. Vervolgens wierp hij Ella een lange, bewonderende blik toe en streek even langs haar blonde haren.

'Perfect,' zei hij, alsof zijn mening was gevraagd door een jurypanel. 'Gewoonweg perfect.' En toen tegen de ober: 'Wat bof ik toch, dat niet één maar twee mooie vrouwen cocktails met me willen drinken.'

'Ja zeker,' zei de Chinese ober, die in één oogopslag de situatie doorhad en wist dat de dame in grijze zijde degene was met de creditcard.

Larry bracht een hectisch halfuurtje met hen door. Hij vertelde over diverse drama's en schreeuwende ruzies achter de schermen. Dat een klant had gedreigd de boel in brand te steken als ze niet kreeg wat ze wilde, en dat een ontwerper had gezegd dat hij naar de eilanden zou gaan voor zijn lentecollectie klaar was.

'Welke eilanden?' informeerde Ella belangstellend.

'Ach, wat doet dat ertoe, Ella. Hij gaat toch niet, hij wil alleen maar aandacht,' legde Larry uit.

Hij vroeg niet hoe Kimberly's ochtend was geweest, die ze had doorgebracht op hun reclamebureau. Hij informeerde niet naar wat Ella met haar lange blonde haren en Ierse accent in New York deed. Maar hij was heel opgewonden over een receptie waar ze straks naartoe zouden gaan. Het was een kunsttentoonstelling, en zo ver de stad in dat het bijna niet te doen was. Maar ze móésten er gewoonweg heen, en Kimberly moest op tijd naar huis om zich te verkleden, en als ze in de verleiding kwam om pasta carbonara te eten als lunch, dan moest ze niet vergeten dat de ritssluiting van haar nieuwe jurk heel stroef was en dichtgetrokken moest worden, dus misschien kon ze zich beter bedenken wat de carbonara betrof!

Toen ging hij weg, na luidruchtig afscheid te hebben genomen, ervan verzekerd dat iedereen in de bar hem zag vertrekken.

'Wat een man, hè?' zei Kimberly trots.

Ella probeerde instemmend te klinken. 'Ja. Nou.'

'Heel anders dan Derry, zoals je ziet,' ging Kimberly verder.

'O ja, totaal anders.'

Ella had zich net afgevraagd wat Kimberly in godsnaam had bezield om verliefd te worden op Larry. Misschien wilde ze graag bij de modewereld horen. Maar om Derry King op te geven, met zijn glimlach vol rimpels en zijn gave om al te begrijpen wat je dacht voor je het had gezegd... voor deze kerel. Een man die in spiegels keek om een glimp van zichzelf op te vangen! Niet te geloven.

'Door Larry voel ik me weer jong,' beantwoordde Kimberly de vraag die Ella niet hardop had gesteld.

'Hij is heel enthousiast, en hij ziet er fantastisch uit.' Ella hoopte dat ze oprecht genoeg klonk om de aanbiddende blik in Kimberly's ogen te evenaren.

'Hij houdt me in elk geval alert. Ik zat er inderdaad aan te denken om pasta te nemen, tot hij me aan de nieuwe jurk herinnerde.' Kimberly giechelde even, pakte het menu en koos een salade zonder dressing.

'Voor mij hetzelfde,' zei Ella.

'Nee, je moet nemen waar je trek in hebt,' protesteerde Kimberly.

'Ik ga vanavond met Derry eten. Dan krijg ik meer dan genoeg,' legde Ella uit.

'Waar gaan jullie heen?' Kimberly was geïnteresseerd in goede restaurants, al had ze waarschijnlijk nergens meer dan driehonderd calorieën tot zich genomen.

'Bij hem thuis. Ik verheug me er al op om het te zien.'

'Nou bereid je dan maar voor op een rondleiding langs kinderkunst. Hij heeft behalve wat waardevolle dingen ook alle troep gehouden. O, en help hem onthouden dat hij bijtijds het afhaalrestaurant moet bellen. Daar wacht hij vaak te lang mee.'

'Jij en hij kunnen zo goed met elkaar overweg. Jullie plagen elkaar, maar jullie klinken helemaal niet verbitterd.'

'Waarom zouden we verbitterd zijn? Derry is een fantastische man. Hij heeft me de helft van zijn vermogen gegeven. Daardoor heb ik het bedrijf met Larry kunnen opzetten. En hij is zo praktisch, hij zei dat het geen zin had om me tegen te houden als ik weg wilde. Dat zou ik voor hem ook hebben gedaan als hij op een ander verliefd was geworden. Het is idioot om nog leven in iets te willen blazen wat toch al dood is.'

Ella dacht aan Margery Rice. Als zij er ook eens zo over had gedacht? Zou alles dan anders zijn geweest? Ze had de helft kunnen krijgen van wat Don had. Meer. Ze had hem laten gaan. Dan had Don niet al die risico's genomen. Dan had hij nu nog geleefd. En Ella en hij zouden bij elkaar zijn geweest. Heel even kwam Ella in de verleiding om Kimberly het hele verhaal te vertellen.

Ze kon goed luisteren. Er lag een aandachtige en belangstellende uitdrukking op haar gezicht, maar meer niet. Als Ella wilde praten, dan zou ze luisteren. Heel even kwam Ella in de verleiding. Toen bedacht ze zich. Het was haar laatste dag in New York. Morgen ging ze terug naar Ierland en wat haar verder te wachten stond: alle beslissingen die ze zou moeten nemen, over de cheques in een kluis en over het feit dat ze wist waar Dons familie woonde... Ze zou goed moeten nadenken. Dus een emotionele lunch kon ze er niet ook nog eens bij hebben.

'Ik ben zo blij met jullie hulp. Dat was precies wat ik nodig had.'

Kimberly begreep het. 'Ach, we waren er toen je ons nodig had, en dat zijn we nog steeds.'

'Ik wil nog wel iets met je bespreken, als het niet te opdringerig is. Is Derry er echt zo tegen om naar Ierland te gaan? Het zou voor ons fantastisch zijn als hij wel kwam.'

'Absoluut. Zijn vader was een dronkaard, een slechte vent die zijn vrouw sloeg. En volgens Derry kwam dat doordat hij Iers was.'

'Dus het zit heel diep. Dan zal ik maar niet aandringen.'

'Ik heb liever dat je het wel doet. Het is precies wat hij nodig heeft, om eindelijk eens over zijn wraakgevoelens heen te komen.'

'Zou het helpen, denk je?'

'Misschien wordt hij dan normaal. Dat is zijn probleem namelijk, die ideeën die hij over Ierland heeft. Dat was een van de redenen waarom het niet meer ging tussen ons. Hij vervloekt een heel land om wat zijn vader heeft gedaan.'

'Maar waarom wilde hij dan wel een Iers project steunen?'

'Hij dacht dat het Ierland belachelijk zou maken.'

'Maar nu niet meer. Dat heb ik allemaal tijdens de eerste bijeenkomst uitgelegd.'

'Hij is zo fatsoenlijk om door te gaan met iets waar hij eenmaal aan begonnen is. Hij had jullie echt geen hoop willen geven, je helemaal hier laten komen, om er dan opeens de stop uit te trekken vanwege zijn vooroordelen. Maar je vroeg waarom hij het wilde steunen, en ik heb je antwoord gegeven. Hij dacht dat het een satire zou zijn.'

'Hij lijkt zo kalm en beheerst.'

'Dat is hij ook. Hij heeft voor zijn familie gezorgd. Hij heeft zijn broers opgevoed. Ze zijn dol op hem. Hij wilde zijn moeder een leuk huis in Canada geven, waar ze is opgegroeid, en hij kon maar niet begrijpen dat ze zo lang in New York had gewoond dat ze een echte New Yorkse is geworden.'

'Dus ze is niet weggegaan?' begreep Ella.

'Nee, ze had al haar vriendinnen in de buurt, en ze had zelfs wat gelukkige herinneringen aan haar man. Dat wilde Derry niet inzien. Zijn vader is zijn blinde vlek. Hij gaat nooit naar een Ierse pub en hij kan geen Ierse muziek aanhoren, want die verheerlijken volgens hem drank en geweld. Hij zal nooit veranderen als hij niet naar Ierland gaat en ziet dat iedereen daar heel normaal is en gewoon zijn eigen leven leidt.'

'Ben jij wel in Ierland geweest, Kimberly?' vroeg Ella opeens.

'Waarom vraag je dat?'

'Ik kreeg het vermoeden door de manier waarop je praatte.'

'Je hebt gelijk. Ik ben ernaartoe gegaan toen we voor het eerst problemen kregen. Ik heb zelfs zijn familie opgezocht. Heel normale mensen. Ik heb niets over Derry verteld, alleen hier en daar wat geïnformeerd. Hij heeft twee neven die begonnen zijn als huisschilders en nu een eigen bedrijf hebben. Ze lijken in een heleboel opzichten op hem. Maar hij zal ze nooit leren kennen.'

'Heb je het hem verteld?'

'Ja, maar het had geen zin. Toen kwam ik Larry tegen, dus kreeg ik andere dingen aan mijn hoofd.'

'Hoe lang zijn Larry en jij getrouwd?' vroeg Ella.

'Achttien maanden. Ik hoop dat het nog een poos duurt.' Ze liet een hol lachje horen.

'Je eist te veel van jezelf, Kimberly. Hij is dol op je. Dat ziet iedereen.'

'Ik wou dat ik jouw vertrouwen en optimisme had.'

'Maar het is zo. Je hebt het toch gezien? En Derry ook. Hij kijkt naar je alsof hij nog steeds heel veel van je houdt.'

'Nee, Derry houdt niet van me. Hij is een heel goede vriend. Hij houdt me in de gaten. Hij houdt een oogje in het zeil als Larry te veel geld over de balk smijt. Hij denkt dat ik het niet weet. En ik geef ook veel om hem, als vriend. Waren jij en Don Richardson vrienden?'

'Wat?'

'Ik weet dat je van hem hebt gehouden, maar waren jullie vrienden?'

'Nee. Nee, hij heeft me in de steek gelaten. In dat opzicht was hij geen vriend. Maar hij hield nog steeds van me, dat schreef hij op de avond voor – voor het gebeurde.'

Kimberly keek of ze naar woorden zocht. Ella kwam haar te hulp. 'Het is wel goed. Sindsdien is alles anders geworden. Ik kan alles aan nu ik weet dat hij echt van me hield.'

'Ik zie aan je gezicht dat het zo is,' zei Kimberly naar waarheid. Ella zag er inderdaad sereen en kalm uit. Wat die vent ook tegen haar had gezegd, ze geloofde het en het deed haar goed.

Ze liepen op hun gemak met een glas wijn in hun hand langs de kunstwerken, terwijl Derry King vertelde over de jonge makers en hun visie. Sommige kunstenaars waren afkomstig van projecten in de binnenstad, waar hun broers en buren hoofdzakelijk in de criminaliteit en de drugs zaten, maar toch wisten zij schoonheid te bespeuren in het dagelijkse leven.

En Derry King liet ook geen maaltijd bezorgen. Hij nam Ella mee naar zijn keuken, die van de nieuwste snufjes was voorzien, en zei dat hij een roerbakschotel zou maken. Hij had de slager gevraagd om het vlees in dunne reepjes te snijden. De groenten lagen ook klaar, gesneden en al. 'Eigenlijk máak ik het niet, ik gooi het alleen maar bij elkaar,' zei hij verontschuldigend.

'Natuurlijk maak je het wel,' verzekerde Ella hem. 'Je bent zelf naar de slager gegaan, en je hebt geen leger personeel dat alles opdient.'

'Had je dat dan verwacht?' Derry had nog steeds de gewoonte die haar was opgevallen toen ze hem pas had ontmoet, om simpele, directe vragen te stellen, waardoor je veel meer over jezelf onthulde dan je van plan was.

'Nou ja, ik weet heus wel dat je heel rijk bent. Dit is een heel chic appartementengebouw. Ik dacht dat de deur voor je open zou worden gedaan en dat je personeel zou hebben dat voor je kookte,' gaf ze toe.

'Zou jij dat willen?'

'Nee! Dat lijkt me vreselijk. Als ik zo'n appartement had, hield ik het helemaal zelf bij, hoeveel ik ook zou verdienen.' Ze keek bewonderend om zich heen.

'Ik heb wel een paar mensen die drie keer per week komen schoonmaken en strijken als ik er niet ben. En ik moet toegeven dat ik ze vandaag heb gebeld om te vragen of zij de groenten wilden snijden. Heb ik nu vals gespeeld?' Hij had een ontwapenende glimlach.

'Ze zijn vast dol op je,' plaagde ze.

'O, dat betwijfel ik. Ik ben gewoon een van de vele adressen waar ze hun schoonmaakspullen naartoe moeten slepen.'

'Je bent waarschijnlijk de enige cliënt die zo'n inzicht toont.'

'En ik heb bewondering voor ze. Ze zagen een gat in de markt en daar hebben ze op ingespeeld.'

'Heb jij hen gevonden, of Kimberly?'

'Ik. Kim had liever inwonend personeel. Dat was een heel ander leven, een heel ander huis.'

'Dus jullie hebben hier niet gewoond?'

'Mijn hemel, nee. Kim vindt dit geen huis, maar een studie-ruimte van een school. Nee, in haar huis, en inderdaad ons huis toen we nog samen waren, kwam de ene salon uit in de andere, prima om gasten te ontvangen. Dat doe ik niet vaak, zoals je kunt zien, dus dit past allemaal beter bij me.'

Toen leek het of hij heel beleefd een gordijn liet zakken. Alsof hij zei: tot hier en niet verder vandaag, Ella Brady. Geen persoon-lijke vragen meer.

Ze begreep de boodschap. Ze vertelde hem wat ze de volgende dag wilde doen. Ze had wat geld apart gehouden om cadeautjes te kopen als haar missie was geslaagd, en nu dat zo was kon ze gaan winkelen.

'Daar zijn vrouwen dol op,' zei hij bijna afgunstig. 'Ik vind er niets aan, voor mij dienen kleren alleen om je warm te houden en er netjes uit te zien.'

'O, maar ik ga geen kleren kopen. Ik had het over aardigheidjes. Je weet wel, een namaak klapbordje voor Nick en Sandy omdat ze het nu helemaal gaan maken; wat papieren zonnebloemen voor mijn moeder, een honkbalpetje voor mijn vader, een nachthemd vol ruches voor Deirdre, en een boek over tafeldecoraties voor Thanksgiving voor Brenda en Patrick van Quentins. O ja, en ik heb nog een hondenhalsband voor Simon en Maud, dezelfde als die ik aan jou heb gegeven, die je zo afschuwelijk vond.'

'Ik vond hem niet afschuwelijk. Ik was diep ontroerd,' wierp hij tegen.

'Derry, ik wil graag dit land verlaten zonder mijn respect voor je eerlijkheid te hebben verloren!'

'Kijk hier dan eens naar.' Hij opende zijn portefeuille en pakte een polaroidfoto van een jong hondje met een hopeloze grijns om zijn bek en de schitterende, met steentjes bezette halsband om.

'Je hebt hem echt omgedaan bij een hond! Hoe is het mogelijk!' riep ze uit.

'Dat is geen gewone hond. Je staat nu naar Fennel te kijken.'

'Nou, en wat ziet Fennel er mooi uit met zijn nieuwe halsband!'

'Hij is er blijkbaar dol op. Bij de kennel zeggen ze dat hij hem niet af wil. Dan zit hij te janken tot ze hem weer omdoen. Misschien heb jij meer verstand van honden dan ik.'

'Zit hij in een kennel?'

'Hij moet ergens wonen. Hier kan het niet. Hij is op een avond achter me aan gelopen. Ik kon hem niet in de steek laten.'

'Misschien is hij wel van iemand.'

'Fennel is nooit van iemand geweest. Hij is in een of ander achterafsteegje geboren. Zijn moeder is misschien dood. Hij heeft zijn kost bij elkaar weten te scharrelen tot hij mij vond. Fennel is een echte doordouwer. Hij heeft een van de weinige mensen in New York gevonden die aandacht voor hem konden opbrengen, iemand die zorgde dat hij de rest van zijn leven in luxe kan doorbrengen. Ik ga wel eens met hem wandelen in het park. We krijgen vreemde blikken, vanwege die halsband. Maar wie weet? Misschien zijn de andere honden wel stinkend jaloers.'

'Je bent een aardige man, Derry King,' merkte Ella op.

'En jij bent een aardig meisje, Ella Brady, dat je cadeautjes voor al je vrienden gaat kopen, terwijl je hart gebroken is,' zei hij.

Daarna leek het of ze altijd al vrienden waren geweest.

Ze hielp hem de salade te maken en vertelde hem over Don, heel kalm, over de dag dat ze hem ontmoette tot en met de brief die bij het huis van haar ouders was bezorgd.

Hij stelde vragen die nooit opdringerig leken, maar die haar hielpen het verhaal verder te vertellen. 'Leek hij verdrietig toen jullie samen in Spanje waren?'

'Ja, soms wel. Ik wist niet dat het kwam omdat hij een schuilplaats aan het voorbereiden was. Ik dacht dat hij het naar vond omdat hij had gewild dat wij tweeën daar altijd hadden kunnen blijven.'

'Misschien kwam het wel daardoor,' opperde Derry.

Naderhand vertelde ze over de schok toen ze in de kranten had gelezen dat hij mensen van hun spaargeld had beroofd. Het ene verhaal na het andere over verlies en bedrog.

'Wat was het ergste?' vroeg Derry.

'In het begin dat in de kranten stond dat hij en zijn vrouw een hecht paar waren, terwijl ik wist dat het niet zo was. Dat deed pijn. Maar het ergste was dat mijn vader zo flink probeerde te zijn. Die arme, dappere vader van me die altijd zo hard heeft gewerkt, die nooit iemand zou bedriegen, moest zijn loopbaan oneervol beëindigen omdat míjn vriend hem met opzet op een dwaalspoor had gebracht. Het was al erg genoeg dat ik een verhouding had met een getrouwde man, voor hem en mijn moeder, maar dat andere was ondraaglijk. Ik kon het letterlijk niet opbrengen om eraan te denken, en daarom hebben Nick en anderen me bij dit project betrokken, want dan hoefde ik er niet meer aan te denken.'

'En moet je zien wat je ervan gemaakt hebt!' zei hij vol bewondering.

'Ach, dat was dankzij de anderen, en nu dankzij jou. En wat krijg jij als dank? Een halsband voor Fennel. En ik zit maar aan een stuk door te klagen.'

'Dat is niet waar. Je bent zelf opmerkelijk kalm.'

'Omdat hij van me heeft gehouden. Dat weet ik nu. Ik heb een paar maanden gedacht dat ik me het maar had verbeeld. Dat ik het zelf had verzonnen.'

'Maar hij is dood, Ella. Je zult hem nooit meer zien. Is dat geen triest vooruitzicht voor je?'

'Het is jammer, ontzettend jammer. Maar het is nu eenmaal gebeurd, en we moeten verder met ons leven.'

'En als je terug bent...'

'Dan zal ik het heel druk hebben met het project, dat beloof ik.' Ze keek hem glimlachend aan.

'Nee, dat bedoel ik niet. Dan zul je vier heel belangrijke beslissingen moeten nemen, en snel.'

'Vier?' Het verbaasde haar dat hij zo precies was.

'Een: of je de cheques gaat verzilveren voor je vader. Twee: of je de laptop aan de politie zult geven. Drie: of je, áls je hem geeft, de informatie over waar zijn vrouw en familie wonen, eerst zult wissen. Vier: wat je ermee gaat doen als je de laptop niet aan de politie geeft. Ga je hem weggooien of hou je hem?'

'Geen wonder dat je zo goed bent in zaken, Derry. Je bent heel scherpzinnig. Je weet binnen een paar seconden tot de kern van de zaak te komen.'

'Ja, maar dat is, zoals je zegt, alleen maar de kern. Je zult over een heleboel andere dingen moeten nadenken. Je hebt blijkbaar goede vrienden. Die zullen je wel helpen.'

'Ik zal je op de hoogte houden, Derry.'

'Dat hoeft niet. Vertrouwelijke gesprekken hebben iets onaantastbaars, en dat houdt in dat je je niet aan iets hoeft te houden, tenzij je het werkelijk zelf wilt.'

'Dat is zo, maar dan moet een vertrouwelijk gesprek wel van beide kanten komen.'

'Wat bedoel je?'

'Ik heb je mijn levensverhaal verteld,' zei ze.

'Dat van mij ken je al.' Hij probeerde luchtig te doen.

'Nee, niet echt. Wat is er zo vreselijk in Ierland dat je er niet aan moet denken om ook maar een stap te zetten in het land waar je vader is geboren? Hij is dood, en je zult hem nooit meer zien. Dat is precies wat je tegen mij over Don zei.'

'We hebben het over heel andere dingen, Ella.'

'Ik weet dat het voor jou geen triest vooruitzicht is, zoals voor mij. Voor jou is het waarschijnlijk alleen maar goed, want je kunt hem en wat hij gedaan heeft alleen achteraf haten. Maar hij is ergens geboren, en dat was toevallig in mijn land, en daardoor ben je, of je het wilt of niet, half Iers.'

'Je begrijpt het niet.'

'Vertel het me dan!'

En hij vertelde het, langzaam. Over het leven vol teleurstellingen van die grote man. Dat hij alles en iedereen de schuld had gegeven. Zijn geboorteland, omdat hij daar in de jaren zestig geen bestaan kon opbouwen. Zijn nieuwe vaderland, omdat het goud daar niet voor het oprapen lag, zoals ze hem hadden doen geloven. Zijn zachtaardige, hardwerkende Canadese vrouw, omdat ze zo weemoedig terugkeek op haar vredige leven van vroeger. Zijn drie zoons, die eerst niet goed genoeg waren en naderhand te goed. Derry vertelde dat zijn vader hen allemaal sloeg, en dat zijn moeder niet bij hem weg wilde en hem ook niet wilde aangeven. Zijn moeder vond dat als je eenmaal 'in voor- en tegenspoed' had gezegd, het makkelijker was om te blijven tijdens voorspoed, en dat je tijdens tegenspoed op de proef werd gesteld. En dat je juist dan moest blijven.

Zijn gezicht stond droevig toen hij over zijn moeder vertelde. 'Ze bleef liever in dat vervallen huis, het huis waar hij dagen wegbleef, waar hij haar had verbrand met een pan hete soep.'

'Misschien was ze bang om terug te gaan naar haar geboortestad in Canada.'

'Daar had ze niets te vrezen. Daar kwam ze vandaan. Ze zou er rust hebben gekregen, respect, ver weg van alles wat ze door hem heeft moeten meemaken.'

Het was Ella duidelijk dat die vrouw gelukkige tijden moest hebben gekend met haar man. Het was niet een en al ellende geweest. Ze moest hoop hebben gekoesterd, hoop dat alles beter zou worden. Was ze maar zo scherp van geest als Derry, dat ze het allemaal kon terugbrengen tot vier hoofdpunten. Maar zo makkelijk was het niet. Hier ging een leven vol haat en wrok aan vooraf.

'Dus ik heb geen zin om ook maar een voet te zetten op Jim Kennedy's geboortegrond, en alle fantastische dingen te zien waar hij het over had als hij dronken was.'

'Jim Kennedy?' zei ze.

'Mijn vader. Je denkt toch niet dat ik zijn naam heb gehouden? Hij heeft me verder niets gegeven. Dus waarom zou ik zijn naam houden? Die heb ik veranderd zodra ik oud genoeg was, en dat kun je blijkbaar al op heel jonge leeftijd doen. Op mijn vijftiende heb ik mijn naam veranderd in Derry King. De dag dat ik ging werken.'

'We hebben Ella gevraagd hoe je de baby gaat noemen,' zei Maud tegen Cathy Scarlet.

'O ja? En wist ze het?' Cathy glimlachte.

'Ze zei dat we haar probeerden af te leiden van de vergelijkingen,' zei Simon.

'En was dat zo?'

'Een beetje wel, maar we waren echt benieuwd. We hebben zelf al een heleboel mooie namen bedacht.'

'Dat geloof ik, maar het is iets heel persoonlijks, Simon. Tom en ik zullen er wel over nadenken als het bijna zover is.'

'Nou, dan moet je wel opschieten,' zei Maud afkeurend. 'Je weet toch nooit precies wanneer het zover is?'

'We hebben een vaag idee over de dag en het uur, en dat duurt nog twee maanden,' zei Cathy. 'Maar Ella komt al over twee dagen terug, dus ik hoop dat jullie al die opgaven hebben gemaakt die ze jullie heeft gegeven.'

'Ze heeft haar gedachten wel heel vlug weer op een rijtje gekregen,' mopperde Simon.

'Volgens mij was ze helemaal niet in de war,' dacht Maud hardop.

Cathy vroeg zich af of ze moest zeggen dat ze aardig moesten zijn als ze weer terug was. Het meisje had vreselijk nieuws te horen gekregen in New York. Maar dat soort dingen kon je beter nooit tegen Maud en Simon zeggen. Ella zou het alleen maar zwaarder te verduren krijgen als de tweeling was gewaarschuwd dat ze aardig voor haar moesten zijn.

Ella's moeder kon niet slapen. En ze kon er niet met Tim over praten. Alleen zij drieën kenden de inhoud van de brief. Ella had door de telefoon niets gezegd over Dons aanbod om hun terug te geven wat hij had genomen. Tim zei dat hij die cheques niet kon aannemen om zijn schulden en die van zijn cliënten af te lossen; dat zou niet eerlijk zijn: er waren te veel andere aanspraken op de activa van Rice en Richardson. Maar als Ella de cheques zou verzilveren en hem het geld zou geven, dan moest hij het wel aannemen. Barbara Brady hoopte dat ze zich erbuiten zou kunnen houden, zoals haar man haar had verzocht. Het was alleen zo moeilijk om te zien hoe broos hij was, en te beseffen dat Ella in staat was om dat allemaal goed te maken.

'Ik wou dat hij met haar meekwam. Je gelooft toch niet dat hij niet in de buurt van een vliegtuig durft te komen,' klaagde Nick.

'Ella zei dat ze bladzijden vol aantekeningen heeft,' troostte Sandy.

'En over die vent hoor je niets meer,' zei Nick peinzend.

'Gelukkig was het mijn vent niet,' zei Sandy.

Ze zaten in het grote appartement uit te kijken over de lichtjes van New York. Ze hadden nog nooit zo'n diepgaand gesprek gevoerd, maar geen van beiden was van streek of had tranen in de ogen. Ze staken niet één keer een hand uit naar de ander om te troosten. En geen enkel moment hadden ze het gevoel dat ze hun woorden moesten terugnemen, iets moesten uitleggen of zich moesten verontschuldigen.

'Ik heb verse vijgen als dessert, lust je die?' vroeg Derry.

'Heerlijk,' zei Ella.

Ze hadden weinig wijn gedronken. Het was haar opgevallen dat hij zelden meer dan één glas dronk. Die reactie op zijn vader moest wel heel diep zitten.

'Wil je er room bij?' riep hij uit de keuken.

'Graag.'

Ze dacht opeens aan Larry, die tegen Kimberly zei dat ze beter geen pasta kon eten. Derry had waarschijnlijk nooit vijgen met room opgediend aan zijn mooie vrouw. Ze vroeg zich af of hij ooit met Kimberly had kunnen praten zoals zij vanavond. Maar ze kon hem alles vragen.

'Heeft Kimberly je kunnen helpen met die dingen?'

'Heel veel,' zei hij. 'Je hebt gezien hoe goed ze met mensen kan omgaan en hoe intelligent ze is. Ze zei dat het mij als persoon belemmerde, en ze heeft natuurlijk gelijk. Ze is zelfs naar Ierland gegaan om mijn familie op te zoeken, maar daar wilde ik niets van weten. Ik blijf liever op een afstand. Ik wil niet dat Jim Kennedy een gewone, fatsoenlijke man was die aan de drank is geraakt. Ik heb gedaan wat ik heb gedaan en mezelf van alles ontzegd omdat hij een monster was.'

Ze luisterde en bleef even stil. Toen zei ze: 'Ik begrijp het. Je wilt niet dat hij normaal is, met normale familieleden die net zo hard werken als jij. Je wilt niet dat hij een normale achtergrond had. Je hebt liever dat hij een geboren schoft was.'

'Zoiets,' gaf hij toe.

Ze aten de laatste vijgen op.

'Eigenlijk zouden we jouw verhaal moeten vertellen in de documentaire,' zei ze met een glimlach.

'O nee, dat soort films maken ze niet. Ze maken films waarin de zoon naar huis komt en iedereen hem vol liefde verwelkomt en zich een stuk in de kraag drinkt, terwijl ze allemaal beginnen te dansen. Dan gaat die zoon naar de geboorteplaats van zijn vader, barst in tranen uit en smeekt zijn overleden vader om hem te vergeven dat hij niet meer met hem heeft gepraat. Dat soort dingen verkoopt.'

'Ik wou dat je morgen met me meeging naar Dublin. Niet voor jou, maar voor mij,' zei Ella opeens.

'Ja? Waarom?' Hij klonk net zo vriendelijk als anders; belangstellend, maar niet opdringerig.

'Het is zo gek. Ik ken je nog maar iets langer dan een week en ik kan zo makkelijk met je praten. Als ik in Ierland uit het vliegtuig stap, ben ik terug in een land waar van alles kan gebeuren, waar van alles ís gebeurd. Ik moet terug naar een stad waar Don Richardson nooit meer zal lopen. Dat is moeilijk. Al die beslissingen die je hebt genoemd... die zal ik moeten nemen, maar misschien doe ik het helemaal verkeerd. Het zou zoveel makkelijker zijn als jij er was. Dat bedoel ik, geloof ik.'

'Goed,' zei hij.

'Wat?'

'Ik ga met je mee,' zei Derry King.

'Dat kan toch niet, zomaar?'

'Maar je hebt het me toch net gevraagd?' Hij klonk verbaasd.

'Ja, maar waarom?'

'Als jij dat alles onder ogen moet zien en je erdoorheen moet zien te slaan, dan kan ik wel een paar herinneringen aan vroeger onder ogen zien,' zei hij.

En hij pakte het bord waarop de vijgen met room hadden gelegen uit haar handen voor het op de grond zou vallen.

11

Het was geen moment bij Ella opgekomen dat Derry Kings kantoor een eersteklasvlucht naar Dublin zou hebben geboekt, en ze kwamen er pas achter toen ze op Kennedy Airport in New York waren. 'Wat stom dat ze het niet hebben gecheckt,' zei hij, en hij ging naar de balie om het te veranderen.

'Nee, hou die plaats nu maar, die is veel ruimer,' smeekte Ella. Het was al heel wat dat hij in een opwelling meeging naar Ierland; hij hoefde er niet ook nog eens rugpijn en verkrampte benen aan over te houden.

Maar hij wilde er niet van horen. 'De vlucht duurt maar een paar uur. Het zou heel asociaal van me zijn. De eersteklas zit helaas vol, anders hadden we jouw plaats wel veranderd,' zei hij.

Ella begon ongerust te worden. Wat moest ze zes uur lang tegen hem zeggen, als ze al die tijd wist dat hij zijn benen lekker had kunnen strekken en naar de film van zijn keuze had kunnen kijken?

Ze hoorden een groep aan de andere kant van de vertrekhal luidruchtig lachen. Hun gezichten zagen rood, en ze hadden waarschijnlijk het nodige gedronken om de reis wat te veraangenamen. Ella luisterde aandachtig en hoorde toen een Amerikaans in plaats van een Iers accent.

'Jouw mensen, denk ik,' zei ze tegen Derry.

'Wat bedoel je?'

'Ik ben nu zo overgevoelig voor het feit dat Ieren altijd luidruchtig en dronken zijn, dat ik tot mijn grote opluchting kan melden dat die mensen daar geen landgenoten van mij zijn, maar van jou.'

'O, wat jammer nou. Ik dacht dat het leuk zou zijn om de score bij te houden,' plaagde hij.

Hij was in het vliegtuig net zo makkelijk in de omgang als altijd. Af en toe praatte hij wat, las een tijdschrift of ging zelfs even slapen. Toen het karretje met taxfree goederen langskwam, vroeg de stewardess: 'Wil uw man misschien nog iets kopen?'

Ella verbeterde haar niet. 'Nee, hij wil niets en ik ook niet, dank u.'

Normaal gesproken zou ze taxfree een fles gin hebben gekocht voor Deirdre. Maar dit waren geen normale omstandigheden.

Waarom had ze in vredesnaam gezegd dat ze wilde dat hij meeging naar Dublin? Nu moest ze aandacht aan hem besteden, zorgen dat hij het leuk vond in Ierland. Bewijzen dat hij er goed aan had gedaan om hun project te steunen. Ze zou hem bij haar doen en laten moeten betrekken en hem voorstellen aan haar vrienden en familie. Ja, het zou haar beslist afleiden van de gedachte dat Dublin nu een stad zonder Don was, maar ze wilde tijd om daar in haar eentje aan te wennen. Tijd om te rouwen, zonder dit allemaal aan haar hoofd te moeten hebben. En tijd om te besluiten wat ze moest doen.

Maar om eerlijk te zijn had hij haar niet gevraagd om iets voor hem te regelen. Zijn kantoor had een hotel voor hem besproken, en een limousine zou hen van het vliegveld halen. Hij zei dat hij wist dat ze weer aan het werk zou moeten. Hij wist dat ze niet elke avond met hem uit eten kon, omdat ze dan waarschijnlijk in dezelfde restaurants aan het werk was waar hij misschien ging eten. In Quentins natuurlijk, en in Colms restaurant op Tara Road. Het zou heel anders zijn dan het luxe leventje dat ze in New York had geleid.

Ze sloeg hem gade terwijl hij sliep. Deze man had zijn hele leven gewerkt. Hij zou begrijpen dat ze de kost moest verdienen.

Ze viel zelf ook in slaap. En ze droomde dat Don Richardson haar op het vliegveld opwachtte en zei dat hij voor vierentwintig uur was teruggekeerd uit het hiernamaals om haar een boodschap door te geven, maar dat hij niet meer wist wat het was. In haar droom klemde Ella de laptop steeds dichter tegen zich aan.

Ze werd wakker toen ze de landing inzetten in de roze Ierse dageraad. Ze hoorde dat de stewardess aan Derry King vroeg of hij wilde controleren of de riem van zijn vrouw goed vastzat, en ook hij nam niet de moeite om haar interpretatie van hun relatie te verbeteren.

Ze besefte dat er geen Don zou staan op het vliegveld of waar dan ook, nooit meer. Ze beet op haar lip om niet te laten merken dat ze van streek was. Als Derry het al had gemerkt, dan liet hij dat niet blijken. Hij keek uit het raampje naar al het groen. Ze kon geen hoogte krijgen van de uitdrukking op zijn gezicht.

Toen landde het vliegtuig en was er geen tijd meer om iets te bespreken.

Ze was nooit anders de stad in gereden dan in een bus. Het was vreemd om nu alles vanuit een grote, zwarte Mercedes te zien. De chauffeur vroeg aan Derry hoe hij moest rijden. Ella merkte op dat ze haar gewoon bij Derry's hotel in Stephen's Green moesten afzetten, dan zou zij daarvandaan wel op eigen gelegenheid naar huis gaan.

Derry negeerde haar. 'Eerst naar Tara Road, graag,' zei hij, en hij werd niet tegengesproken.

Ze maakten geen van beiden opmerkingen over de stad die ze allebei met nieuwe ogen zagen. Ella was blij dat het mooi weer was. Het was een frisse dag, laat in de herfst. De ochtendspits was nog niet begonnen. Het leek of de straten waren schoongespoeld door een recente regenbui.

Zo op het eerste gezicht kon hij het niet lelijk vinden. Hij moest erkennen dat het een mooie stad was.

Derry was blij dat ze weer wat kleur op haar wangen had; vlak na de landing had ze zo witjes gezien. Het meisje had in vier maanden tijd veel te verduren gehad. Ze was de man kwijt die ze als haar grote liefde beschouwde, haar familie was financieel kapotgemaakt, en toen kwam ook nog het bericht over de zelfmoord. Het viel niet mee voor haar om terug te gaan, maar ze had hier in elk geval vrienden. Ze zou eroverheen komen.

Ze spraken af dat ze hem die avond vroeg bij zijn hotel zou afhalen om ergens te gaan eten.

'Wat een mooie straat,' zei hij toen ze over Tara Road reden.

'Ja, maar ik neem tegenwoordig de dienstingang,' merkte ze met een lachje op.

'Niet voor altijd, Ella,' zei hij bemoedigend.

'Zal ik het laantje inslaan, mevrouw?' vroeg de chauffeur.

'Nee, dan komt de auto vast te zitten. Zet me maar op de hoek af, graag.'

De chauffeur wilde haar koffer dragen, maar daar wilde ze niet van horen.

'Tot vanavond zes uur, Derry.' Ze haastte zich weg voor iemand nog iets kon zeggen, door het steegje achter de grote huizen van Tara Road, naar waar haar ouders vast al uren op de uitkijk zaten achter de ramen van wat vroeger het tuinhuis was geweest.

Ella kon de slaap niet vatten. Ze probeerde het, maar het ging niet. Haar moeder was naar haar werk en haar vader zat aan de keukentafel met allerlei papieren voor zich. De grote, papieren zonnebloemen zagen er vrolijk uit in de vensterbank, zoals ze al had gedacht. Ze herinnerde zich dat Derry King had gezegd dat deze situatie niet voor altijd zou zijn. Misschien zag een man het anders, en zou hij zich afbeulen en al het mogelijke verzinnen om alles terug te krijgen. Terwijl Ella alles en nog meer had willen verliezen als ze daarvoor in de plaats Don nog één keer zou kunnen zien. Kon ze maar slapen, want ze was zo moe. Ze had het gevoel dat haar leven voortaan leeg zou zijn, dus niets deed er meer toe.

Derry King liep rusteloos heen en weer door zijn hotelkamer. Hij had een stijve nek overgehouden aan de vlucht. Zijn oogleden voelden zwaar aan. In theorie had hij moeten slapen. Voorheen, toen hij de Verenigde Staten had doorkruist naar conventies, bijeenkomsten en verkoopvergaderingen, had hij een legendarisch vermogen om hazenslaapjes te doen. Dan werd hij verfrist wakker en kon hij alles weer aan.

Maar hier was het anders. Hier waren de straten waar Jim Kennedy had gelopen in zijn jonge jaren. Dit was het land dat hem geen bestaan of begrip had geboden, de stad die hij was ontvlucht, op zoek naar een beter leven. Jim Kennedy zou niet welkom zijn geweest in een hotel van dit niveau. Hij zou niet eens binnen zijn gelaten. Maar de kleine bars waar ze langs waren gereden vanaf het vliegveld, bars met familienamen boven de deur, dat zou zijn terrein zijn geweest. En in het telefoonboek zou Derry mensen vinden die hem er alles over konden vertellen.

Maar hij wilde niet uitzoeken hoe het zat. Hij wist niet wat hij wilde. Hij had zich jaren gewapend tegen spijt en tijdverspilling, en gewenst dat hij ergens anders was. Er kwam te vaak 'als' voor in wat zijn vader zei. Daar wilde Derry King niets mee te maken hebben. Hij was niet van plan om zich af te vragen waarom hij had besloten naar Ierland te gaan. En waarom hij niet was gebleven waar hij was, want dan had hij elke dag drie uur met Fennel kunnen wandelen in het park. Hij was er nu eenmaal, en hij zou er het beste van maken. En als de slaap niet wilde komen, dan moest hij maar in dat park tegenover het hotel gaan wandelen.

Brenda Brennans vriendin Nora werkte in de keuken. Ze wist dat de Amerikaan in de stad was. De man die het geld zou geven om de film over Quentins te maken.

'Denk je dat hij stiekem een kijkje komt nemen?' vroeg Signora, terwijl ze vaardig de groenten schoonmaakte en sneed die Blouse Brennan triomfantelijk bracht in manden die steeds dikker onder het zand zaten.

'Nee, daar is hij te slim voor,' antwoordde Brenda peinzend. 'Hij zal vroeg of laat met ons kennis moeten maken, dus hij wil vast niet ontmaskerd worden als iemand die stiekem van tevoren heeft lopen gluren.'

'Dat is zo, maar ik durf te wedden dat hij vandaag wel een keer komt kijken, denk je ook niet?' vroeg Signora.

'O, vast!' Brenda lachte.

Patrick Brennan wierp een blik op hen. Vrouwenvriendschappen waren niet te geloven. Brenda en Nora O'Donoghue waren dikke vriendinnen sinds ze elkaar hadden leren kennen op de cateringcursus. En zelfs de jaren die Nora in Sicilië had doorgebracht, hadden daar geen afbreuk aan gedaan. Ze schreven elkaar dikke brieven. Het maakte niet uit dat de een het restaurant beheerde en dat de ander er groenten in schoonmaakte. Ze waren nog steeds gelijken. Die als jonge meisjes liepen te giechelen of een rijke Amerikaan door een raam naar binnen zou gluren. Konden mannen ook maar zulke vriendschappen hebben, dacht Patrick, zonder geheimen, zonder dat er iets te verbergen viel.

'Denk je dat iemand als hij op mij kan vallen?' wilde Deirdre weten toen ze tussen de middag in de cafetaria zaten.

Ella had gevraagd of ze ergens even snel een hapje konden eten, en ze aten een broodje in de buurt van Deirdres werk.

'Nee, dat denk ik niet. Hij heeft het te druk met werk, meer werk en kunst, piekeren, en nog meer werk en zwerfhonden, om nog tijd voor jou te kunnen opbrengen,' zei Ella.

'Nou, ik kan best belangstelling hebben voor al die dingen,' protesteerde Deirdre.

'Je hebt inderdaad bijzondere eigenschappen, Dee, dat weten we allemaal. Misschien gaan jullie wel spontaan aria's zingen als jullie elkaar tegenkomen.'

'En gebeurt dat ook?'

'Natuurlijk. Ik probeer alleen te bedenken waar. Bij Quentins kan niet, dat is te formeel en tenslotte werk ik daar. En thuis kunnen we, om zo te zeggen, onze kont niet keren, anders had ik hem wel uitgenodigd voor de lunch op zondag om hem kennis te laten maken met mijn vrienden.'

'Ik wil best bij mij een zondaglunch organiseren,' bood Deirdre aan.

'Meen je dat, Dee? En kunnen Nick en Sandy dan ook komen?' Ella klonk verheugd.

'En je ouders, en Tom en Cathy,' vulde Deirdre aan.

'O Dee, wat zou ik zonder jou moeten?'

'Nuala is weer in de stad, maar we zullen haar maar niet vragen, denk ik?'

'Nee, lijkt me niet.' Ella klonk afwezig.

'Sorry dat ik haar naam heb genoemd,' zei Deirdre, 'maar je hebt toch wel kans dat je haar of die Frank met zijn eenzijdige visie nog eens tegen het lijf loopt.'

'Maar nu Don dood is, zal hij toch liever alles willen vergeten?'

'Wil je een eerlijk antwoord van me?'

'Natuurlijk.'

'Ik denk niet dat Frank en zijn broers iemand rust zullen gunnen zolang ze het idee hebben dat die persoon hun geld schuldig is.'

'Nou, welkom in de werkelijkheid, Ella,' zei ze sarcastisch.

'Je hebt de werkelijkheid nooit achter je gelaten, Ella. Je bent uitstekend omgegaan met alles wat je voor je kiezen hebt gekregen. Echt waar.'

'Je hebt gelijk. Ik kom het wel te boven.'

'Ik zit alleen maar te kletsen omdat ik je gewoon niet kan zeggen hoe erg ik het vind wat Don heeft gedaan. Het moet een nachtmerrie voor je zijn geweest, en ik wil je alleen laten weten dat ik echt met je meeleef.' Deirdres ogen stonden vol tranen.

'Zullen we even bespreken wat we gaan maken voor de lunch op zondag?' zei Ella. Aan medeleven had ze op dit moment echt geen behoefte.

Ze waren blij met de uitnodiging. Nu hoefden ze een keer niet zelf alles te koken en op te dienen. Heerlijk. Maar er was wel een probleem.

'Deirdre, we willen heel graag komen lunchen, dan nemen wij een lekker dessert mee uit onze vriezer,' bood Tom aan.

'Dat hoeft niet. Ik zou het fijn vinden, maar jullie hoeven echt niet...'

'Maar dat willen we juist.'

'Waarom?' Deirdre klonk argwanend.

'Omdat we willen vragen of we de tweeling mogen meenemen. We hadden namelijk afgesproken om die dag op hen te passen. Muttie en Lizzie gingen uit en wij zeiden dat wij dan wel op de kinderen zouden passen. Ze zijn op zijn minst een opgerolde taart en een schuimtaart waard.'

'Wat is er mis met de tweeling?' wilde Deirdre weten.

'Ze zijn heel nieuwsgierig. Ze stellen allerlei persoonlijke vragen zonder het te beseffen. Misschien bieden ze wel aan om te dansen – maar dat kunnen we tegenhouden.'

'Nee, dat hebben we misschien juist nodig. Volgens Ella zijn ze fantastisch. En natuurlijk mogen ze komen, dan kunnen we uit twee toetjes kiezen.' Deirdre klonk opgetogen.

'Wat zouden Maud en Simon tegen die rijke Amerikaan zeggen, denk je?' vroeg Cathy aan Tom.

'Tegenwoordig zijn ze erg geïnteresseerd in seks. Misschien vragen ze hem wel naar zijn seksuele voorkeur,' opperde Tom.

'O ja, en ze willen weten met wie hij naar bed gaat. Ik vroeg me al af of ze niet mee willen doen in de film. Je weet hoe graag ze erbij willen horen,' zei Cathy.

'Nou, dan zal hij heus zijn woordje wel klaar hebben.' Tom hoopte dat hij gelijk had.

Ella ging langs bij Firefly Films. Ze hadden haar niet verwacht. Ze hadden geen antwoord klaar.

'Het is zo oneerlijk,' begon Sandy.

'Ze hebben hem te veel onder druk gezet,' zei Nick, die voorheen altijd had gezegd dat Don Richardson het ergste verdiende wat hem kon overkomen.

'Ja, als Derry King terug is naar New York, wil ik best op je schouder komen uithuilen, maar nu moeten we er het beste van zien te maken. En vanavond moeten we er het beste uit zien te halen. Dus werk ik toe naar vanavond. Ik heb mijn vragenlijstje al klaar.'

Ze zag hun gezichten oplichten. Daar hadden ze op gehoopt, maar ze wilden niet ongevoelig lijken door net te doen alsof ze niet wisten dat haar grote liefde haar in de steek had gelaten en vervolgens zelfmoord had gepleegd. Ze gingen om de tafel zitten om hun strategie te bepalen.

Nick en Sandy keken vol bewondering naar haar, terwijl ze het haar uit haar ogen streek. Ze pakte een armvol dossiers met hier en daar gekleurde stickers erop.

'We willen op allerlei manieren te werk gaan. Het hangt eigenlijk af van wie de beste praatjes weet te verkopen. Maar vooruit, laten we ons maar eens verdiepen in die verhalen.'

Voorafjes

Derek Barry zou een paar rijke cliënten, een echtpaar, op een lunch trakteren. Hij kende hen wel niet, maar zijn zakenpartner Bob O'Neill was heel vasthoudend geweest.

Ze bezorgden het accountantskantoor Barry en O'Neill veel inkomsten, en nu dreigden ze naar een ander te gaan.

Hij hoefde hen alleen wat te paaien en gerust te stellen. Bob had hen zelf mee uit eten willen nemen, maar zijn vliegtuig had vertraging in Londen en hij kon niet op tijd terug zijn. Derek moest de boel waarnemen.

Hij had nauwelijks tijd om iets over de klanten te weten te komen; hij kende alleen hun banksaldo, en het feit dat Bob O'Neill, de *senior partner* van de firma, zei dat het noodzakelijk was hen te behouden.

Dus besprak Derek zuchtend een tafel bij Quentins.

Dat was het voordeel als je de vader was van de restauranteigenaar: hij kreeg altijd een tafel. Hij kwam vroeg.

'Waar wilt u zitten, meneer Barry?' Brenda Brennan was uiterlijk altijd beleefd, maar hij voelde dat ze hem niet mocht.

'Het maakt niet uit, Brenda. Ik heb afgesproken met twee cliënten van Bob, niet van mij. Het gaat om een hoop geld, omhooggevallen miljonairs of zo. Niets bijzonders.' Hij trok een gezicht.

'Ik hoop dat ze een aangename lunch zullen hebben, meneer Barry.'

Ze was te zelfverzekerd. Dat stond hem niet aan. Tenslotte was ze een werknemer van zijn zoon Quentin, net als haar man, die kok Patrick. Derek Barry, klein en vol eigendunk, ging aan een tafel zitten met het nijdige gevoel dat hij niet met gepast respect werd behandeld.

Het echtpaar werd naar zijn tafel gebracht. Ze waren achter in de dertig, allebei gezet, en verre van elegant gekleed in goedkope, slechtzittende kleren. De vrouw had een sjofele handtas bij zich en de man droeg een opzichtig colbert. Ze vielen uit de toon in dit mooie, rustige restaurant dat al stijlvol versierd was voor Kerstmis. Er stonden kleine kerstboompjes met witte lichtjes.

Maar Bob O'Neill was vastberaden geweest. Voor deze twee mochten kosten nog moeite gespaard worden. Ze betaalden flink voor de diensten van hun kantoor. Derek Barry moest zorgen dat ze tevreden waren en dat zouden blijven.

'Meneer en mevrouw Costello, aangenaam,' zei hij terwijl hij opstond. 'Mijn naam is Barry.'

'Komt Bob O'Neill niet eten?' zei de vrouw, verbaasd dat de tafel maar voor drie was gedekt.

'Eh... nee. Meneer O'Neill is opgehouden in Londen. Ik moest u zijn groeten doen. En omdat ik zelf een van de *senior partners* ben, vond ik het tijd worden eens kennis te maken.' Derek vond het vreselijk dat zij de lunch 'eten' noemde, en nog wel in een restaurant als dit.

'Ik ben Jimmy en dit is mijn vrouw Cath,' zei de man.

'Ach zo,' zei Derek.

'Wat is uw voornaam?' wilde Cath weten.

Dat was eerder dom dan onbeleefd, dacht Derek. De vrouw wist gewoon niet hoe het hoorde. Had hij maar genoeg tijd gehad om te zien in wat voor zaken zij zaten.

Hij vertelde zijn voornaam.

'Dus je hebt aan het kortste eind getrokken, Derek,' zei Jimmy, terwijl hij zich installeerde en het menu oppakte.

Derek kromp ineen toen hij zo zonder plichtplegingen bij zijn voornaam werd genoemd, en hij vroeg nerveus wat de man bedoelde.

'Nou, dat Bob O'Neill jou met deze lunch heeft opgezadeld om voor hem het vuile werk op te knappen,' legde Jimmy opgewekt uit.

'Opdat jij de schuld kunt krijgen als we onze zaken niet meer door jullie laten afhandelen,' viel Cath hem bij. 'Hebben ze hier een tap? Ik snak naar een biertje.'

Het duizelde Derek Barry. Hij begon de grip op de dingen te

verliezen. Mensen die een lunch 'eten' noemden en om tapbier vroegen bij Quentins. En achteloos lieten vallen dat ze hun financiën door een ander wilden laten doen.

'Kom, laten we niet te hard van stapel lopen,' zei hij.

'Natuurlijk niet, Derek,' zei Jimmy inschikkelijk. 'Na het eten gaan we wel met je mee naar kantoor om onze papieren te halen.'

Derek Barry begon langzaam kwaad te worden. Had Bob O'Neill geweten hoe ernstig de zaken ervoor stonden met deze mensen? Waarschijnlijk niet. Jimmy en Cath Costello waren niet het soort mensen waar Bob sociale contacten mee had. Maar hij moest hebben geweten dat er iets mis was, daarom had hij Derek als zondebok laten opdraven.

Cath was verdiept in het menu. 'Nemen we allemaal een voorafje?' vroeg ze, bijna kinderlijk in haar enthousiasme.

'Ik heb geen idee wat al die namen betekenen,' zei Jimmy, terwijl hij de voorgerechten bekeek.

Ze stonden op het punt om rijke cliënten te verliezen, en deze vrouw met haar stijve permanentje en nylon sjaaltje om haar hals gedroeg zich veel te vrijpostig in een restaurant van dit niveau.

De serveerster zei dat ze Monica heette, afgekort Mon, en ze wilde hen graag helpen. Dit waren kwarteleitjes, heel klein, op een bedje van deeg en met een heerlijke saus ernaast. Dat daar waren niertjes met mosterdsaus op een geroosterd broodje.

'Ik heb nog nooit kwarteleitjes gegeten,' zei Jimmy. 'Maar ik ben dol op niertjes in mosterdsaus. Ik weet gewoon niet wat ik moet kiezen.'

'Ik ook niet, Jimmy. Weet je wat, dan nemen we gewoon twee voorafjes.'

'Ik denk niet dat...' begon Derek. Maar hij zweeg. Iets in de uitdrukking op het gezicht van Cath stond hem niet aan. Het leek wel of ze dwars door hem heen kon kijken, en zag hoe opgelaten en vol minachting hij zich voelde omdat hij vond dat ze zich niet wist te gedragen.

'Neem jij ook een voorafje?' vroeg ze belangstellend aan Derek.

Hij probeerde een rilling te onderdrukken en niet te laten merken hoe vreselijk hij elke zin vond die ze uitkraamde. Deze ordinaire mensen waren belangrijk voor zijn kantoor. Bob had vanmorgen nog gezegd dat ze het zich niet konden veroorloven hen als cliënten te verliezen. Derek begreep dat hij de voorkomendheid zelf moest zijn.

'Voor ik een keuze uit het menu maak, zal ik eerst iets te drinken bestellen, Cath en... eh... Jimmy, en dan moeten jullie me vertellen wat jullie precies doen.'

'Maar dat weet je toch,' zei Cath. 'Jullie zijn onze accountants. Dan weten jullie toch wat we doen?'

'Nou ja, zoals je al zei is Bob O'Neill eigenlijk jullie contactpersoon. Ons bedrijf is groot en we hebben tegenwoordig te maken met veel cliënten, verschillende aspecten, dat krijg je met al die uitbreidingen...' Hij keek hen hulpeloos aan.

'Waarom heb je ons dan uitgenodigd voor het eten?' wilde Jimmy weten, terwijl hij zijn broodje aan stukken scheurde alsof het een gevaarlijk beest was dat hij eerst onschadelijk moest maken.

'Bob kon deze keer niet op tijd zijn. Dus vroeg hij op het laatste moment of ik voor hem wilde invallen...'

'En je hebt nooit ons dossier ingekeken?' vroeg Jimmy. 'Allemachtig, ik zou het nog geen dag redden als ik niet wist met wie ik allemaal te maken had.'

Derek keek opgelaten. 'Het spijt me, meneer Costello... Jimmy. Je hebt gelijk. Het zou wel zo beleefd zijn geweest, maar ik had er geen tijd voor. Neem me niet kwalijk. Willen jullie me wat over jezelf vertellen?'

'Wat wil je weten, Derek?' vroeg Jimmy.

Derek vroeg zich af wat hij zou vragen. 'Hebben jullie kinderen?' hoorde hij zichzelf opeens vragen. Hij vroeg zich af waarom hij dat gezegd had. Gewoonlijk informeerde hij nooit naar de familie van cliënten.

'Jij?' vroeg Cath op effen toon.

'Ja, een zoon. Hij is niet in de zaak gekomen, waar ik op had gehoopt. Ik had zelfs al een kantoor voor hem klaar, maar hij zag het helaas niet zitten om accountant te worden.'

'Hoe is het mogelijk!' zei Cath. 'En heeft hij het zelf wel kunnen redden?'

'Ja, heel goed zelfs. Dit restaurant is toevallig van hem.'

'Nou, dan ben je zeker heel trots op hem,' zei Cath met een afwezige blik in haar ogen.

'En jullie kinderen?' vroeg Derek. 'Zijn zij wel bij jullie in de zaak gekomen?' Opnieuw begreep hij niet waarom hij dat wilde weten. Hij had juist een hekel aan persoonlijke vragen.

'Nee, wij zijn er eigenlijk voor hen in gegaan,' zei Jimmy.

Er viel een stilte. Derek wist dat hij moest glimlachen en de volmaakte gastheer moest uithangen. Morgen kon hij tekeergaan tegen Bob O'Neill omdat hij hem onvoorbereid voor de leeuwen had gegooid. Maar vandaag moest hij deze mensen aan zijn kant zien te krijgen.

'En? Hoe zit het dan met jullie werk?' vroeg hij met een glimlach die hem bijna kramp in zijn kaken bezorgde.

'Daar zijn we zestien of zeventien van de vierentwintig uur per dag mee bezig,' zei Cath op zakelijke toon.

'Vanaf zes uur 's morgens tot een uur of tien, elf, 's avonds, en dan nemen we een pint voor we de boel sluiten,' legde Jimmy uit.

'Maar zo hard hoeven jullie toch niet te werken?' zei hij verbijsterd.

'Toch wel,' zei Cath.

'Maar Bob O'Neill zei dat jullie je financieel helemaal geen zorgen meer hoeven te maken.' Derek was verbijsterd. 'Waarom werken jullie dan zo hard?'

'Om te vergeten,' zei Cath eenvoudig. 'Om niet aan de kinderen te denken.'

'De kinderen?' Hij keek van de een naar de ander.

'Heeft Bob het je niet verteld?' Ze konden het niet geloven.

'Nee, hij heeft me niets verteld.' Derek schaamde zich.

'We hadden drie kinderen. Ze zijn tien jaar geleden bij een brand om het leven gekomen. We zijn bijna gek geworden, maar iemand zei dat het beter te dragen zou zijn als we heel hard werkten.'

Derek keek hen aan. Hij wist niets te zeggen.

'Dus dat hebben we gedaan,' zei Jimmy.

'Uur na uur, jaar in jaar uit,' zei Cath. 'Het viel natuurlijk niet mee, maar ik denk dat we er veel erger aan toe waren geweest als we het niet hadden gedaan. Zeker weten zullen we het nooit, maar ik denk dat ik het niet had gered als ik tijd had gehad om te denken.'

'Tja, jullie kunnen er nu in elk geval goed van leven,' zei Derek. Hij wist niet hoe hij moest meeleven. Je kon maar beter optimistisch blijven.

Ze keken hem met stomheid geslagen aan.

'Wat doen jullie eigenlijk voor werk?' vroeg Derek ten slotte.

'Geld inzamelen,' zei Cath. 'Wist je dat niet? Vertelt Bob je dan helemaal niets?'

'Dat begin ik inderdaad te geloven,' zei Derek. 'Hij zei alleen dat jullie heel welgestelde mensen waren.'

'Die de moeite waard waren om mee uit eten te nemen?' merkte Jimmy op.

'Ja, inderdaad,' gaf Derek beschaamd toe.

'En je wist niet eens dat we bij jullie firma weggaan?' vroeg Cath.

'Nee, pas toen jullie het zeiden. En het is natuurlijk nog niet definitief...'

'Je hebt maar een rare partner, Derek,' vond Cath.

'Ik ken niet het hele verhaal,' zei Derek, die zich eruit probeerde te bluffen.

'We hebben jullie kantoor genomen omdat jullie een goede naam hadden. Als we die aan de onderkant van ons briefpapier konden zetten, zouden we een beetje status krijgen. Dan zouden de mensen niet denken dat we maar een ordinair stel waren...'

'Dat zouden ze echt niet hebben gedacht...' begon Derek.

Jimmy viel hem in de rede: 'Natuurlijk wel. Twee doodgewone, onbemiddelde mensen, die zijn doorgedraaid door wat ze hebben meegemaakt. Waarom zou iemand ons geld geven en geloven dat we het op de juiste manier zouden besteden? Daarom hadden we mensen als jullie nodig. Dat dachten we tenminste.'

'O, maar dat is ook zo,' begon Derek weer.

'Nee. Daar zijn we achter gekomen. We zeiden namelijk tegen Bob dat we jullie tarief nogal hoog vonden,' zei Cath.

'Niet dat we vonden dat jullie het gratis of zo moesten doen omdat wij toevallig aan liefdadigheid doen...' zei Jimmy.

'Maar het bleek hem totaal niet te interesseren wat we deden. Hij keek alleen in een dossier en zei dat de winstcijfers heel gezond waren en dat hij niet snapte wat we te klagen hadden.' Cath was verontwaardigd.

'Hij zei dat er een vast uurtarief was.'

'En dat is ook wel zo,' zei Derek vlug, 'maar daar valt heus wel over te praten...'

'Nee, daar gaat het niet om. Het kon hem niet schelen dat we voor een liefdadig doel werken,' legde Cath uit.

'Och, kom, natuurlijk wel. De firma weet heus wel dat jullie een liefdadigheidsinstelling zijn, maar...' merkte Derek met een lachje op.

'Nee hoor,' zei ze.

Hij wist er niets op te zeggen.

Brenda Brennan kwam naar hun tafel om te zien hoe het tweede voorgerecht werd opgediend. Ze overhandigde Cath ook een envelop.

'Mevrouw Costello, iedereen in de keuken was zo onder de indruk toen ze hoorden dat u en uw man hier waren, dat ze meteen een inzameling hebben gehouden voor uw kinderfonds. Iedereen heeft een bijdrage gegeven.'

'Hoe wisten ze dat we hier waren?' vroeg Jimmy zich af.

'Ik moet bekennen dat we u herkenden van de televisie. Meneer Barry is heel discreet geweest. Hij heeft niet verteld wie u was.' Haar blik was hard en koud.

Derek herinnerde zich wat hij over zijn gasten had gezegd en bloosde diep.

Jimmy pakte een briefkaart en schreef er een bedankje op voor de mensen uit de keuken. Cathy haalde een kwitantieboekje uit haar grote, sjofele handtas. Ze telden het geld en schreven een kwitantie uit voor het keukenpersoneel.

Twee oprechte mensen, gek van verdriet om het verlies van hun kinderen, mensen die genegeerd waren en neerbuigend behandeld door zijn eigen accountantskantoor. Hij wilde hen aanraken, hun handen vasthouden en vragen of ze alsjeblieft wilden vertellen wat er was gebeurd toen hun kinderen om het leven kwamen. Hij wilde zijn chequeboek pakken en een donatie doen zoals ze zelden hadden gekregen. Hij had tegen hen kunnen zeggen dat niet iedereen het gemakkelijk had. Kijk naar hem, Derek. Zijn vrouw was een paar jaar weggeweest. Ze was teruggekomen, maar sindsdien deed ze heel afstandelijk en afwerend. Zijn zoon woonde in het buitenland en liet nauwelijks iets van zich horen. Hij voelde dat hij er met deze vreemde mensen over kon praten, en hij zou ervoor zorgen dat ze niet alleen een flinke reductie zouden krijgen, maar dat ze hen ook zouden sponsoren.

Die gedachten kwamen allemaal bij hem op, maar Derek was gewend om eerst lang en goed na te denken voor hij iets zei, dus zei hij niets. En hij miste het moment waarop Cath een zachte blik in zijn ogen had gezien, en waarop Jimmy heel even had gedacht dat Derek misschien toch niet zo'n kwaaie vent was.

Maar in plaats van zijn hart te laten spreken, liet Derek zich leiden door het verstand van een accountant.

Toen ze Quentins verlieten om terug te gaan naar het kantoor waar zij hun papieren zouden terughalen en hij de woede van Bob O'Neill over zich heen zou krijgen, zag Derek dat mensen aan andere tafels naar hen glimlachten en zelfs handen gaven toen de Costello's langskwamen.

Niemand groette Derek Barry, partner van het accountantskantoor en vader van de eigenaar van Quentins.

De wereld was veranderd, en er niet beter op geworden.

Onafhankelijkheid

Laura Lynch was veertig toen haar man bij haar wegging. Er was geen ruzie geweest. Hij zei alleen dat het een lege, oppervlakkige, eenrichtingsrelatie was geweest. Zij had zich niet ontwikkeld in hun huwelijk, terwijl hij zich had opgewerkt.

Laura was zo afhankelijk geweest, zo zonder enig eigen initiatief, dus hij kon zich niet langer schikken in een situatie die hen geen van beiden gelukkig maakte. Hij ruilde haar in voor een veel jongere collega, die er geen probleem mee had om eigen initiatieven te tonen. Hij was koel en klinisch eerlijk geweest wat de verdeling van hun bezittingen betrof, en had haar zelfs ongevraagd advies gegeven.

'Als ik jou was, Laura, zou ik eens wat onafhankelijker worden,' zei hij ernstig, alsof hij niet degene was geweest die erop had aangedrongen dat zij voortaan thuis zou blijven om voor hun kinderen te zorgen.

En in de twintig jaar sinds zijn vertrek was Laura Lynch inderdaad onafhankelijk geworden. Dat was wel nodig, want het was hard werken om van hun vroegere thuis een pension te maken. De kinderen waren vijftien, veertien en dertien geweest toen ze uit elkaar gingen. Ze leken qua karakter allemaal het meest op hun vader. Overdreven onafhankelijk, vond Laura soms.

Ze waren geen kinderen die je omhelsden of een spontaan gebaar maakten. Ze hadden blijkbaar geen behoefte aan vertrouwelijke gesprekken of het tonen van emoties. Dus leerde Laura onafhankelijk te worden. Ze leerde om niets van hen te verlangen en stond zichzelf niet toe om teleurgesteld te zijn of zich in de steek gelaten te voelen.

Ze had gehoopt dat ze iemand zou ontmoeten en zou hertrouwen, maar dat leek niet erg waarschijnlijk. Ze kon goed met haar geld omgaan, en toen ze eenmaal het pension had verkocht en een parterreflatje had gekocht, bouwde ze een sociaal leven op met vrienden en vriendinnen die ze zelf had gekozen. Ze ging bridgen, sloot zich aan bij groepjes die theaters bezochten, en volgde een cursus creatief schrijven. Zo hoefde ze geen avond meer alleen te zitten en zich af te vragen waarom ze zo weinig hoorde van haar twee dochters, zoon en vier kleinkinderen van wie ze zoveel hield. Ze moest vroeger echt saai en afhankelijk zijn geweest, zoals haar ex-man had gezegd.

En dan te bedenken dat ze hem die kille opmerking toen hij wegging niet eens had verweten, maar het achterliggende advies zelfs ter harte had genomen.

Wat fijn dat moeder zo onafhankelijk was, zeiden ze tegen elkaar. Ze kenden een heleboel mensen die vreselijke problemen hadden met moeders die klitten, zich overal mee bemoeiden en overal kritiek op leverden. Ze boften maar met hun eigen moeder.

Dat zeiden de Lynches vaak als ze elkaar eens per maand zagen bij de zaterdagse lunch in Quentins. Die traditie hielden ze in ere, Harry Lynch en zijn zussen Lil en Kate. Zonder aanhang, alleen zij drieën. Twaalf keer per jaar kwamen zij bij elkaar om bij te praten, terwijl ze een heleboel mensen kenden die geen contact meer hadden met hun familie.

Lil verheugde zich altijd op die zaterdagen. Dan ging ze naar de kapper en naar de winkel met tweedehands kleding. Lils man Bob was heel zuinig. Hij zei dat je er de mooiste koopjes kon halen als je goed keek. En hij had gelijk, moest Lil vaak verdedigend zeggen. Haar zoons hadden zaterdagbaantjes, want hun vader vond het maar niets als jongelui liepen rond te lummelen.

Kate verheugde zich ook altijd op de familielunch. Ze voelde zich vaak eenzaam in de weekends, als Charlie naar zijn vrouw en kinderen was om het gezinsleven stabiel te houden. Charlie was zo aardig tegen haar broer en zus. Hij bewonderde Lils belachelijke jasjes uit de jaren tachtig, en informeerde altijd belangstellend naar Harry's eindeloze gerommel in de tuin.

Harry verheugde zich ook altijd op de familielunch. Hij vond Lils man Bob nogal vermoeiend, omdat die hem steeds vertelde hoe hij op telefoongesprekken kon bezuinigen, en hij vond die Charlie van Kate een huichelaar, met zijn twee gezinnen. Hij genoot ervan om zijn twee zussen even voor zichzelf te hebben en hun te vertellen hoe de nieuwe pergola was geworden en hoe de azalea's waren opgebloeid nadat hij ze verpot had. Hij praatte ook graag over Jan en de meisjes, die hun zaterdagen altijd op de sportschool doorbrachten en geen idee hadden waar en of Harry de lunch gebruikte.

Brenda Brennan vroeg zich af hoe lang ze hier nu al kwamen, die Lynches. Zeker al een jaar of vijftien, misschien wel langer. Af en toe had ze Kate hier gezien met Charlie, de playboy die hier meestal met zijn vrouw kwam als er een verjaardag of bijzondere gelegenheid te vieren viel. Maar ja, de mensen moesten maar doen wat ze niet konden laten, bedacht Brenda. Ze haalde vaak haar schouders op over de wijze waarop haar klanten hun leven leidden. Ze wist dat Lil was getrouwd met iemand die een uitstekende baan had.

Bob kwam vaak met grote groepen naar Quentins om er heel duur te eten. Hij liep altijd de rekening na en had soms commentaar. Misschien liep zijn vrouw daarom altijd rond in afdankertjes van anderen. Harry Lynch was een saaie man. Hij kwam alleen tot leven als hij haar vertelde over de groenten die hij kweekte. Daar kon Brenda makkelijk over meepraten, want Quentins ging prat op de zelfgekweekte biologisch geteelde groenten. Maar hoe zouden zijn collega's op de bank reageren? vroeg ze zich wel eens af. Nou ja, dat waren haar zaken niet.

Haar man zei dat ze zich te veel in anderen verdiepte. 'Dien nou alleen maar hun eten op, Brenda,' smeekte Patrick steeds.

Maar dat vond ze saai, en het succes van Quentins was trouwens ook te danken aan het feit dat ze mensen herkende en alles van hen wist. Ze wist dat de familie Lynch altijd pasta wilde eten, dus kwam ze met informatie over een heel goede pesto. Daar zaten natuurlijk wel pijnboompitten in, voor het geval dat iemand daar allergisch voor was, maar ze gaven een heerlijke smaak aan het gerecht. Ze bestelden altijd elk een glas huiswijn, en Kate bleef meestal achter om haar krant te lezen als de anderen weggingen, en dan nam ze een tweede en een derde glas. Er was weinig wat Brenda ontging.

'Ik zag dat er op moederdag een tafel voor twaalf personen is gereserveerd op de naam Lynch. Zijn jullie dat?' informeerde Brenda opgewekt. Ze kreeg meteen spijt dat ze het had gevraagd.

Ze keken elkaar verbaasd aan.

'Moederdag. Nee, daar doen we nooit aan. Wij geven Jan meestal een bos bloemen uit de tuin,' antwoordde Harry.

'Mijn zoons zouden het zich nooit kunnen veroorloven, en Bob... ach, die houdt niet van grote bijeenkomsten,' peinsde Lil.

'Moederdag en dat soort dingen zijn gewoon voor de commercie,' zei Kate met gefronste wenkbrauwen. Charlies vrouw zou ongetwijfeld in de watten worden gelegd.

Brenda herstelde zich. 'Je hebt gelijk, Kate. Alleen wij en de bloemisten en natuurlijk de kaartenverkopers profiteren ervan. Maar we zijn er maar wat blij mee! Tja, dat is nu eenmaal commercie.' Ze lachte opgewekt en ging terug naar de keuken, waar ze haar voorhoofd afveegde.

'Soms, Patrick, maar niet altijd, denk ik dat je gelijk hebt als je zegt dat ik me niet met hun leven moet bemoeien,' zei ze spijtig.

'Wat heb je nu weer gedaan?' Hij lachte goedmoedig.

'Ik dacht dat de Lynches van tafel 9 op het idee waren gekomen om morgen over een week hun moeder op een etentje te trakteren, maar dat idee is niet eens bij hen opgekomen.'

Patrick begreep er niets van. 'We kunnen er geen boeking meer bij hebben. We zitten vol.'

'Daar gaat het niet om. Ze hebben een moeder, en ze hebben niets voor haar geregeld.'

'Hou je erbuiten, Brenda,' zei Patrick, terwijl hij dreigend met een lepel naar haar zwaaide.

'Meende ze het, toen ze dacht dat we iets voor moeder hadden georganiseerd?' vroeg Kate.

'Dat hebben we toch nog nooit gedaan? Dat zou moeder niet eens verwachten. Of willen,' zei Harry. Het zou hem een hoop moeite kosten om Jan en de meisjes tot zoiets over te halen. Op zondagen maakte je lange wandelingen, en dan ging je niet ergens calorieën naar binnen zitten werken.

'En ook al zouden we moeder uitnodigen voor een lunch, dan toch niet hier,' zei Kate. Kate verafschuwde vrouwen en moeders die verwend wilden worden met dure etentjes, alleen om hun status te benadrukken.

'En ze is zo onafhankelijk,' voegde Lil eraan toe. 'Ze heeft altijd iets anders te doen als je op bezoek wilt komen.'

274

'Ja, dat is zo,' zei Kate.

'Ik zie haar heel vaak,' wierp Harry tegen. 'Wij gaan heel vaak samen koffiedrinken.'

'Alleen maar omdat ze op koopavond naar het tuincentrum gaat en jullie daar afspreken,' liet Kate zich ontvallen.

Het bleef even stil. Harry was beledigd. 'In elk geval zie ik haar wel, en ze is heel onafhankelijk, zoals Lil zei. Wanneer zien jullie haar eigenlijk?'

'Ik bel haar vaak en dan vraag ik of ze zin heeft om naar de film te gaan. Maar meestal heeft ze al wat anders,' zei Kate. Ze wist dat de anderen doorhadden dat ze haar moeder alleen belde op de avonden dat Charlie onverwacht niet kon komen.

'Het is een heel eind voor haar om naar jou te moeten komen,' zei Lil.

'En wanneer zie jij haar dan, Lil?' vroeg Kate gepikeerd.

Lil dacht even na. 'Als we naar de markt gaan om in het groot in te kopen, gaan we vaak langs. Je kunt er alleen spullen in grote hoeveelheden kopen, en zo is het goedkoper voor moeder...' Haar stem stierf weg.

'Ze heeft een heleboel vriendinnen,' zei Harry verdedigend.

'En ze houdt er niet van om geld te verspillen.' Lil was daar heel zeker van.

'Maar vindt ze dat wel verspilling?' Kate had het onvergeeflijke gedaan, ze had haar twijfel uitgesproken over moeders onafhankelijkheid, de enige zekerheid die hun allemaal de vrijheid had gegeven om hun eigen complexe levens te leiden zonder rekening te hoeven houden met een vrouw van zestig, wier man haar twintig jaar geleden in de steek had gelaten.

Lil en Harry voelden zich niet op hun gemak. Kate had spijt dat ze het had gezegd. Hun gezellige lunch dreigde verpest te worden, en dat was haar schuld. Kate had haar broer en zus meer nodig dan zij haar. Tenslotte hadden zij Bob en Jan, en natuurlijk hun kinderen. Kate had niets anders dan de parttime aandacht van Charlie.

'Zal ik haar dan bellen en haar ergens uitnodigen? Dan zitten we altijd goed.'

'We willen jou niet met alles opzadelen,' protesteerde Lil zwakjes.

'Misschien kunnen we... Ik bedoel...' mompelde Harry niet erg overtuigend.

275

'Nee, echt, ik doe het wel. Ik weet dat die draak, Brenda Brennan, een hekel heeft aan mobiele telefoons, maar als ik heel zachtjes praat kan ze er geen bezwaar tegen hebben.' Kate had hun lunch gered.

Moeder bedankte haar en zei dat het heel lief was, maar dat zij en een paar vriendinnen die dag zouden uitgaan. Maar ze wilde Kate hartelijk bedanken voor haar uitnodiging. Ze keken elkaar opgelucht aan. Moederdag en het ritueel van hun maandelijkse lunch waren weer veilig. Wat dom van Kate om te denken dat moeder, die zo onafhankelijk was, misschien niets te doen zou hebben.

Laura Lynch bleef een poos heel stil zitten. Dit was de eerste keer dat een van haar kinderen had aangeboden om iets met moederdag te doen. Ze had nooit meer dan een plichtmatig kaartje gekregen.

Wat vreemd dat ze niet eens in de verleiding was gekomen om Kates aanbod aan te nemen. Maar daar was geen sprake van: ze gaf beslist de voorkeur aan haar eerdere afspraak.

Als onderdeel van haar onafhankelijkheid had Laura een jaarlijks uitje in het leven geroepen. Voor de Moeders zonder Jongen. Vrouwen zoals zij, die geen liefdevolle, aanhankelijke kinderen hadden. Vrouwen die geen ontbijt op bed kregen of op andere wijze verwend werden. Ze wisten wat een jong zonder moeder was. Maar het tegenovergestelde bestond ook. En daar hadden ze geen moeite mee. De enige regels die aan hun uitje werden gesteld waren dat ze zich moesten amuseren en niet geringschattend over hun zelfzuchtige kinderen mochten praten, maar hun desinteresse evenmin mochten goedpraten. Dat had de afgelopen jaren uitstekend gewerkt, en elke keer kozen ze een ander restaurant uit.

Dit jaar gingen ze naar Quentins.

En de twaalf Moeders zonder Jongen zouden het beslist naar hun zin hebben.

Schelpdieren

Patrick Brennan was heel geïrriteerd toen het bericht kwam. Uit zijn prostaatonderzoek was gebleken dat hij naar het ziekenhuis moest voor nader onderzoek.

Waarschijnlijk niets om u zorgen over te maken, zei de opgewekte, jonge verpleegster tegen hem, een vrouw die zeker vijftien jaar jonger was dan hij en die trouwens toch nooit zelf een prostaatonderzoek hoefde te ondergaan.

'Allemaal jouw schuld, omdat ik me van jou moest laten nakijken,' mopperde hij tegen Brenda. 'Tijdens een van de drukste weken van het jaar moet ik aan me laten morrelen en doodsangsten uitstaan.'

Brenda negeerde hem. Ze was haar boek met belangrijke contacten aan het raadplegen. Ze moest iemand vinden die hem in het restaurant kon vervangen. Dat wist Patrick.

'Als ik doodga, kijk jij alleen in je boek en dan heb je me binnen zes maanden vervangen,' foeterde hij.

'Waarom zou ik zes maanden wachten?' vroeg Brenda afwezig. 'We zullen Cathy Scarlet of Tom Feather vragen. Een van hen zal ons wel willen helpen.'

Hij zou tegen iedereen bezwaar hebben, en dat wisten ze allebei.

'Ze hebben hun eigen zaak,' klaagde Patrick. 'Ze kunnen die niet in de steek laten en naar onze keuken komen rennen omdat de een of andere idioot in het ziekenhuis niet meteen de juiste testen heeft gedaan.'

'Wij hebben hen vroeger ook geholpen, Patrick, en ze willen het heus wel doen. Tenslotte ben je maar drie dagen uit de running.'

'Dat zeggen ze,' zei Patrick somber.

'O, hou toch eens op met jezelf zo van streek maken. En mij. Er zal heus niets aan de hand zijn, en die twee willen maar wat graag bijspringen. Ze kunnen alles aan.'

'Niet zeggen wat... wat er met me aan de hand is,' zei Patrick.

'Nee, Patrick, ik zeg gewoon dat het een geheimzinnige ziekte is die je in onze keuken hebt opgelopen. Ben je nu tevreden?'

Hij glimlachte, voor het eerst, en stak zijn hand naar haar uit. 'Ik was gewoon ongerust, als je begrijpt wat ik bedoel,' zei hij aarzelend.

Ze kneep hard in zijn hand. 'Ja, Patrick, maar het is waanzin om ons ongerust te maken. We zouden blij moeten zijn dat we in een tijd leven dat de medische wetenschap zo ver ontwikkeld is.' Brenda snoot haar neus. 'Zo, zal ik dan nu maar meteen bellen?' zei ze kordaat.

'Je hebt toch geen ja gezegd? Niet deze week. We hebben het al zo druk!' Cathy Scarlets mond vormde een ronde O van ontzetting en verbijstering.

'Wat kon ik anders zeggen? Die arme kerel moet nog meer testen ondergaan. Hij denkt natuurlijk dat hij iets verschrikkelijks onder de leden heeft.'

'Het zal wel gewoon routine zijn.'

'Ja, voor jou en mij lijkt het zo omdat het bij een ander gebeurt. Maar stel dat het ons overkwam?' Tom Feathers knappe gezicht stond ongerust.

'Ik weet het.' Cathy wist dat hij gelijk had; en zij zou precies zo hebben gereageerd.

'Dus we doen het?' wilde Tom weten.

'Natuurlijk. Ik was gewoon even aan het mopperen. Maar vergeet niet dat we die vreselijke familie hebben met hun examenfeest.'

'Ik weet het, maar we kunnen er in de keuken van Quentins aan werken. Brenda zei dat we die als onze eigen keuken kunnen beschouwen.'

Tom had geleerd dat het vaak verstandiger was om Cathy direct te confronteren met goed nieuws en slecht nieuws langzaam te laten uitlekken. Dus vertelde hij niet dat Brenda had gezegd dat er een schaaldierenbanket georganiseerd werd voor een gezelschap dat werkelijk onuitstaanbaar was. Dat kwam later wel.

278

Blouse Brennan reed zijn broer naar het ziekenhuis. 'Zal ik zeggen dat we het zonder jou wel zullen redden, of dat we ons geen raad weten?' informeerde hij onschuldig.

Patrick wist een flauw glimlachje op zijn gezicht te toveren. 'Zeg maar dat je het drie dagen zonder me redt, maar dat jullie absoluut niet langer zonder me kunnen.'

'Ik zal zorgen dat de groenten van topkwaliteit zijn,' beloofde Blouse.

'Deze week had ik liever gehad dat je oesters, sint-jakobsschelpen, venusschelpen en mosselen had gekweekt in die tuin van je,' zei Patrick.

'Schelpdieren,' begreep Blouse.

'Inderdaad.' Patrick was verbaasd. Zijn jongere broer had slecht kunnen leren op school en nog steeds las hij de instructies op een pakje door met zijn vinger de woorden te volgen. Wat wist hij van schelpdieren?

'Zo is het, Blouse.' Patrick probeerde de verbazing uit zijn stem te houden.

'Ik vind ze interessant. Ze hebben geen enkele inbreng, wist je dat, Paddy? Ze worden gewoon meegevoerd door het tij en hechten zich aan rotsen. Ze nemen nooit zelf een besluit. Wat een raar leven, hè?'

'Ja, dat wel, maar dat geldt voor een heleboel zeedieren,' zei Patrick, in de war gebracht.

'Niet waar, Paddy, een schaaldier heeft poten, of klauwen, en een heleboel hebben zelfs een gelede schaal. Zij kunnen kiezen waar ze naartoe willen lopen. Die arme schelpdieren niet.'

Patrick Brennan pakte zijn koffertje uit de auto en liep het ziekenhuis in. Terwijl hij bij de balie wachtte om zich te melden, dacht hij aan het gesprek met Blouse.

Hij zou het aan Brenda vertellen als ze vanavond kwam.

Brenda had bewondering voor de manier waarop Tom en Cathy de boel aanpakten en hoe goed ze overweg konden met het bedienend personeel. Monica, het Australische meisje, Yan, de Bretonse ober, en Harry, een nieuweling uit Belfast, luisterden aandachtig toen Tom uitlegde hoe de gerechten bereid zouden worden.

'Blijf toch wat langer in het ziekenhuis, Brenda,' drong Cathy aan. 'Ik kan voor vanavond wel de ontvangst van je overnemen, dat heb ik je vaak genoeg zien doen. Neem alleen even de reserveringen met me door en vertel of er iets is wat ik moet weten.'

Aan Brenda's gezicht te zien wilde ze dat wel.

Tenslotte stond er al een gedegen team klaar.

Mon was een goede, opgewekte serveerster. Aan haar tafels zou niets misgaan.

Yan, de knappe Breton, was de voorkomendheid zelve.

Zelfs Harry gaf er blijk van dat hij een betrouwbare kracht was. Hij had de goede eigenschap zelf te beseffen dat hij niet alles wist, en hij zag er niet tegenop om iets te vragen als hij twijfelde.

Maar al kwam ze in de verleiding, Brenda zei dat Patrick nooit beter zou worden als hij dacht dat er niemand op de zaak lette. Dus wachtte ze tot het diner goed en wel aan de gang was en trok toen pas haar jas aan om naar Patrick te gaan. 'Spaar je krachten maar voor de verschrikkingen van woensdag,' zei ze toen ze wegging.

'Wat voor verschrikkingen?' vroeg Cathy aan Tom toen Brenda weg was.

'O, je weet wel, de gewone gasten van de woensdag,' stamelde de arme Tom.

'Tom, je bent de slechtste leugenaar die er bestaat. Zeg wat er woensdag staat te gebeuren, anders steek ik allebei je ogen uit met de bolletjessteker.'

Hij vertelde haar over het schaaldierenbanket voor het gehate pr-bedrijf.

'Een zeevruchtenbanket?' vroeg ze.

'Nee, speciaal schaaldieren, zeiden ze. Geen verse zalm, geen gerookte zalm, geen forel. Niets wat niet in een schaal zit.' Tom probeerde luchtig te doen.

'Dat gaat niet,' zei Cathy grimmig.

'Wat bedoel je? Het moet.'

'Luister, Tom, ik heb de afgelopen paar weken vis ingekocht. De vangst is heel beperkt. Er waren bijna geen garnalen, kreeft kost een vermogen, en de oesters zijn allemaal aan Frankrijk verkocht.'

'Maar ze zullen toch wel hun contacten hebben... Ik bedoel, dit is Quentins. Geen kleine jongens, zoals wij. Ze besteden vast een vermogen aan vis...'

280

'Nou, laten we dat maar hopen,' zei Cathy.

'We hebben nog een heleboel in de diepvriezer zitten. Dat kunnen we wel aan hen geven.'

'Nee, dat kan niet. We hebben het vandaag ontdooid voor het examenfeest.'

'O God, lieve God, wilt U alstublieft zorgen dat we wat schaaldieren te pakken krijgen?' bad Tom.

'Vertel eens wat meer over dat banket op woensdag,' vroeg Cathy aan Brenda toen Quentins dicht was. Ze zaten in de keuken bekers thee te drinken en over hun vermoeide enkels te wrijven.

'We hadden het nooit moeten aannemen. Hij is een walgelijke vent. Hij is het nooit eens met de rekening en hij zoekt ruzie met de bediening... Maar het is de laatste tijd nogal rustig geweest, dus ik dacht dat het de moeite waard zou zijn. Maar ik ben bang dat we een paar problemen hebben.'

'Zoals?' vroeg Cathy, hoewel ze maar al te goed wist wat het grootste probleem was.

'Een groot tekort aan schaaldieren. Ook bij onze vaste leveranciers. Ik heb ze allemaal gesproken.'

'Dan zal hij het met zalm moeten doen, zoals iedereen. We zullen hem zeggen, Brenda, dat hij niet kan verwachten dat iemand wonderen verricht. Die tijden zijn al heel lang voorbij.' Cathy sprak vastberaden, alsof ze zichzelf moed wilde inspreken.

Brenda keek op. Haar gezicht was wit en strak. 'Ik wou dat je dat niet had gezegd. Ik hoopte eigenlijk dat er misschien toch nog iets als een wonder bestond.'

Dinsdag leek voor iedereen wel negentig uur te duren. Voor Patrick in het ziekenhuis kroop de tijd. Hij dwong zich om niet steeds op zijn horloge te kijken. Ze zouden hem dadelijk komen halen.

In de keuken van Scarlet Feather was Tom de kreeft aan het dresseren voor de examenlunch. Hij durfde niet op de klok te kijken, bang dat hij in paniek zou raken omdat ze zo achterliepen. Ze hadden Cathy nodig, maar die was in Quentins.

Cathy probeerde met een rood aangelopen gezicht een roomsaus te redden die op onverklaarbare wijze was gaan schiften. Brenda bracht met haar gewone beleefde, verwelkomende glimlach gasten naar hun tafel. Inwendig had ze het echter niet meer van de zenuwen. Het was lunchtijd; de artsen zouden Patrick inmiddels onderzocht hebben. Waarom had ze dan nog niets gehoord? Haar vriendin de verpleegster had beloofd te bellen zodra de uitslagen van de testen er waren. Laat het alsjeblieft geen slecht nieuws zijn!

Tom belde toen het op zijn drukst was in Quentins. Sorry, sorry, hij wist dat hij geen slechter tijdstip had kunnen kiezen, maar er ging weer iets mis met het examenfeest. Kon iemand alsjeblieft met een grote schaal tomatensalade komen? De moeder van het feestvarken raakte helemaal over de rooie en zat te huilen om iets wat helemaal niet besteld was. Kon er alsjeblieft iemand komen? Als ze eens wisten hoe het hier was!

'Als jij eens wist hoe het hier is!' zei Cathy. Ze hield de telefoon tegen haar oor geklemd, terwijl ze in de saus roerde en instructies gaf aan het bedienend personeel. Brenda liep met een gespannen gezicht de eetzaal in en uit. Ze kon niet nog een crisis gebruiken.

'Ik stuur Blouse wel,' zei Cathy. 'Geef hem het adres, en hang dan vlug op voor het geval dat het ziekenhuis belt.'

Om halfdrie kreeg Patrick te horen dat alles in orde was. Kon hij terug naar het restaurant? vroeg hij. Helaas niet, er moesten nog wat formaliteiten afgehandeld worden. En hij moest rusten. Maar morgen mocht hij naar huis.

Drie minuten later had hij Brenda aan de telefoon. Cathy reikte haar een papieren handdoek aan om de tranen van haar onberispelijk opgemaakte gezicht te vegen. Het personeel keek de andere kant op om niet te zien hoe mevrouw Brennan haar zelfbeheersing had verloren.

'Waar is Blouse?' wilde ze weten.

'Niet vragen,' smeekte Cathy. Maar ze vroeg zich af waar hij in vredesnaam bleef. Hij was al anderhalf uur geleden in een taxi vertrokken. Er zou toch niet nog een ramp zijn gebeurd? Had hij het juiste adres wel gevonden? Als ze heel even tijd had, zou ze Tom bellen.

Maar Tom was haar voor. 'Heb je even?'

'Ja. Goed nieuws. Alles is goed met Patrick. Morgen komt hij terug.'

'Ik heb ook goed nieuws...' begon Tom.

'Sorry dat ik je in de rede val, maar heb jij enig idee waar Blouse is?'

'Hij is hier ons leven aan het redden.'

'Door de tomatensalade?' vroeg ze verbaasd.

'Nee, daar eet niemand van, zoals ik ze al had voorspeld.'

'Wat doet hij dan?' Inmiddels zou Cathy nergens meer van op- kijken.

'Er zijn een stuk of veertien vreselijke kinderen; echt monsters zijn het, stuk voor stuk. Ze waren stomvervelend, ze maakten din- gen kapot en ze zaten te mokken. Blouse heeft ze allemaal mee naar de tuin genomen. Hij houdt een kruidenwedstrijd.'

'Wat?'

'Je houdt het niet voor mogelijk. Ze zijn helemaal gefascineerd. Ze lopen allemaal met yoghurt- of roombekertjes. En hij vertelt over maggikruid en verbena.'

'En de moeder van het feestvarken?'

'Met mevrouw Dracula is alles in orde. Ze is trouwens mijn beste vriendin geworden.'

'Vertel mij wat. Je hebt je charme op haar losgelaten. Misschien kun je die morgen ook loslaten op wat schaaldieren tussen de rotsen?'

'Is dat nog niet geregeld?'

'Nee, maar we zijn er druk mee bezig.'

In zijn ziekenhuisbed tobde Patrick Brennan met hetzelfde pro- bleem. De vooruitzichten waren slecht, geen garnaal of kreeft te krijgen. Patrick belde de pr-man.

'Waarom moeten het schaaldieren zijn, wilt u me dat vertellen?'

'Dat is een concept, een beeld van iets wat zich snel hecht. We gebruikten het in onze brochure om deze cliënt te trekken. U wilt toch niet zeggen dat jullie terugkomen op het menu...'

'Ik zeg helemaal niets. Waarmee adverteren jullie?'

'Dat zijn uw zaken niet...'

'Wat moet zich aan wat hechten? Waar gaat dat concept over? Dat kunt u me toch wel vertellen? Wij moeten verdomme die pre- sentatie verzorgen!' schreeuwde Patrick.

'We hebben u alleen gevraagd om een schaaldierenbuffet te ver- zorgen.'

'Het is in uw eigen belang om het me te vertellen.' Patrick liet dreigend zijn stem dalen.

De pr-man gaf eindelijk toe en vertelde dat het om een nieuwe verzekeringsmaatschappij ging die de cliënten door dik en dun trouw zou blijven.

'Maar dan moet je geen schaaldieren hebben, sukkel, maar schelpdieren.'

'Wat?'

'Garnalen en kreeften hechten zich niet aan dingen! Die lopen alle kanten uit over de bodem van de oceaan. Jullie cliënten zouden je meteen laten vallen. Nee, schelpdieren moeten we hebben. Had dat toch eerder gezegd!'

Hij hing op en belde het restaurant. 'Ik moet Blouse hebben,' zei Patrick dringend. Hij kreeg te horen dat hij niet de enige was. 'We moeten hem zo vlug mogelijk zien te vinden, Cathy. Morgen gaan we schelpdieren doen.'

'Wat?'

'Hebben ze je dan niets geleerd op dat cateringcollege? Schelpdieren. Daar zijn er duizenden van, vastgehecht aan rotsen. We moeten ze alleen maar op tafel zien te krijgen.'

'Bedoel je mosselen of wulken of kokkels?' Het duizelde Cathy.

'Ja, die allemaal, plus allerlei andere... Venusschelpen, scheermesjes, zeeslakken, en ga zo maar door. Blouse weet wel waar ze te vinden zijn. Waar is hij trouwens?'

'Ik zal hem naar je laten bellen, Patrick.' Cathy zuchtte. Het moest wel slecht gaan met het restaurant als Blouse Brennan eruit werd gestuurd om schelpen van rotsen te krabben.

Tom belde weer. 'Het feest is voorbij, maar de kinderen willen niet weg. Ze wilden niet eens binnenkomen voor de groepsfoto met het feestvarken. Blouse heeft ze helemaal gehypnotiseerd, hij lijkt de rattenvanger van Hameln wel. Het zou me niets verbazen als ze achter hem aan lopen naar Quentins.'

'Nou, vraag maar of hij onderweg dan even naar zijn broer in het ziekenhuis gaat. Patrick wil dat hij morgen langs de kust voor schelpenvanger speelt om zeeslakken en dat soort dingen te vangen.'

'Wat een idioot wereldje is dit toch, hè?' zei Tom op de toon van iemand die in geen ander wereldje zou willen leven.

Zo dacht Cathy er ook over. Maar onder één voorbehoud. Dat

morgenavond maar eenmaal voorbij was. Ze wist niets te bedenken wat hen nog zou kunnen redden. Maar ze had niet gerekend op Blouse en zijn nieuwe zelfvertrouwen.

En de volgende avond stonden ze allemaal verbijsterd toe te kijken terwijl de jongen die ze allemaal als traag van begrip hadden beschouwd, vol zelfvertrouwen met een stokje de verschillende schelpdieren aanwees die hij op een grote schaal had gerangschikt. De zeeslak, de kokkel, de wulk, de alikruik... allemaal befaamd om hun bestendigheid. Dat gold ook voor de oester, de sint-jakobsschelp en de mossel. Loyale, ongewervelde dieren, hield Blouse de groep ernstig voor. Net als het verzekeringsbedrijf dat hier werd onthaald, stonden deze prachtige schelpdieren bekend om hun vasthoudendheid, een eigenschap waar je tegenwoordig helaas niet altijd meer van op aan kon.

Patrick Brennan slaakte een lange, diepe zucht. Het was maar goed dat hij eerder uit het ziekenhuis was gegaan. De pr-man was al net zo verrukt als de draculamoeder van het feestvarken. Zijn pr-bedrijf was van plan nog meer spectaculaire presentaties te organiseren, maar alleen als Blouse meedeed.

'Hij is natuurlijk niet goedkoop,' hoorde Patrick zichzelf zeggen. Zijn stem klonk zwak. Het had hem uren gekost om Blouse over te halen om zijn mond te houden over het eenzame, futiele en pathetische leven van het schelpdier. Hij was er tot op het laatste moment niet zeker van geweest of dat wel tot Blouse was doorgedrongen. Maar hij was van een heleboel dingen niet zeker meer. Zoals waar Blouse al die kinderen vandaan had gehaald die hem hielpen om emmers vol van die vreselijke dingen naar het restaurant te dragen. Ze liepen de hele middag af en aan en hoefden alleen maar beloond te worden met een ijsje.

Je kon maar beter niet twijfelen aan goed nieuws, dat was Patrick altijd van mening, net zomin als hij twijfelde aan de blik vol liefde en enorme opluchting in Brenda's ogen toen ze zijn hand pakte en die streelde tijdens de vreemdste – en meest succesvolle – avond die Quentins tot dusver had gekend.

Carissima

Toen Brenda's goede vriendin Nora al die jaren in Italië woonde, had ze heel lange brieven geschreven. Ze begon die altijd met *Carissima*. Het klonk een beetje overdreven, vond Brenda, maar Nora had volgehouden. Ze sprak nu immers Italiaans, ze droomde zelfs in het Italiaans, en 'Beste Brenda' klonk veel te saai.

Carissima – liefste – was een veel betere aanhef.

En Brenda schreef trouw terug. Ze beschreef een veranderend Ierland voor haar vriendin, die in het tijdloze Siciliaanse dorp Anninziata woonde. Brenda schreef dat de emigratiegolf voorbij was, dat er langzamerhand meer welvaart in de steden kwam, dat de macht van de Kerk leek te verdwijnen en in iets heel anders veranderde.

Brenda schreef dat jonge mensen uit verschillende landen nu werk kwamen zoeken in Ierland; dat meisjes die zwanger waren geraakt hun baby's hielden en ze niet meer ter adoptie afstonden; dat jonge stellen zes maanden of een jaar samenwoonden voor ze gingen trouwen.

Die dingen waren ongehoord toen Brenda en Nora jong waren.

Nora schreef over haar vrienden in het dorp. Het jonge echtpaar dat de winkel van de pottenbakkerij huurde. Signora Leone. En natuurlijk Mario.

Mario, die het hotel bestierde.

Nora schreef nooit over Mario's vrouw Gabriella of hun kinderen. Maar dat gaf niet. Sommige dingen waren te moeilijk om over te schrijven.

Brenda schreef over een heleboel dingen: dat ze die jongen had ontmoet die ze vroeger de Kussensloop noemden, maar die tegenwoordig niet anders dan Patrick Brennan heette; dat ze verliefd op elkaar waren geworden en in een heleboel restaurants werkten. Ze vertelde dat hun het geluk ten deel was gevallen om managers te worden van Quentins, en dat ze al een goede naam begonnen te krijgen. Ze schreef over de mensen die kwamen en gingen, over het personeel, en over mensen als Patricks broer Blouse, die was gebleven en helemaal was opgebloeid.

Brenda liet echter maar één keer iets los over de diepste geheimen van haar ziel, hun grote wens om kinderen te krijgen, de lange, vaak vernederende en uiteindelijk teleurstellende weg van de vruchtbaarheidsbehandelingen. Het viel haar te zwaar om daarover te schrijven.

Brenda was heel behulpzaam door voor Nora te spioneren en Nora's familie op te zoeken. Het waren hardvochtige, onverzoenlijke mensen die haar beschouwden als een zondares en een dwaas, die hun een slechte naam had bezorgd door achter een getrouwde man aan te lopen.

Ze waren zo onverschillig voor Nora, dat Brenda er bij haar vriendin op aandrong hen te vergeten. 'Ze denken nooit aan je, behalve als het hun uitkomt,' had ze naar Sicilië geschreven. 'Luister alsjeblieft nooit als ze later willen dat je terugkomt om hun verpleegster te worden.'

'*Carissima*,' had Nora teruggeschreven, 'ik ga hier nooit weg zolang ik mijn dierbare Mario kan zien. Ik wou dat ze mijn geluk konden delen. Maar misschien zal dat ooit gebeuren.'

Nora's Mario kwam om het leven bij een auto-ongeluk op de bergwegen, waar hij altijd te hard reed. Het dorp liet doorschemeren dat de Signora Irlandese nu beter terug naar huis kon gaan.

Brenda zou nooit de dag vergeten dat Nora bij Quentins kwam, in een lange jurk, met slordige haren en een gezicht dat vertrokken was van verdriet om de enige man van wie ze ooit had gehouden. Ze noemde Brenda nog steeds *Carissima*. Ze waren nog steeds de beste vriendinnen. De lange jaren van afwezigheid, bijna twee decennia, hadden niets tussen hen veranderd.

En toen Nora een nieuwe liefde vond, Aidan, de leraar op de Mountainviewschool, omhelsden zij en Brenda elkaar als tieners. 'Ik zal dansen op je bruiloft,' beloofde Brenda.

'Dat denk ik niet. Zijn eerste vrouw vormt nog een probleempje,' had Nora gegiecheld.

'Toe, Nora, ga eens met je tijd mee. Sinds 1995 zijn echtscheidingen toegestaan in Ierland.'

'Ik heb het de eerste keer twintig jaar kunnen volhouden zonder huwelijk, dat kan ik een tweede keer ook.' Nora wilde niet het onmogelijke vragen.

'Je moet doen wat je wilt, maar ik blijf hopen,' dreigde Brenda.

Patrick zei dat hij niet begreep dat ze zoveel hadden om over te praten. Hij was geen moment jaloers op hun vriendschap, maar hij zei vaak dat mannen gewoon niet zulke gesprekken voerden over alle aspecten van het leven.

'Dan missen jullie iets,' vond Brenda.

'Precies, dat zeg ik ook,' zei Patrick onverwacht.

Nora ging iedere week naar het ziekenhuis waar haar bejaarde vader op de geriatrische afdeling was opgenomen. Bij weer en wind nam ze hem in zijn rolstoel mee naar buiten. Soms glimlachte hij tegen haar en leek hij verheugd, andere keren staarde hij alleen voor zich uit. Ze vertelde hem over gelukkige momenten die ze zich uit haar jeugd herinnerde. Het was vaak moeilijk om die te vinden. Ze vertelde hem niet over Sicilië, omdat dat al in haar gedachten vervaagde als een kleurenfoto die te lang in het zonlicht had gestaan. Dus vertelde ze hem over Aidan Dunne en Mountainview en de Italiaanse lessen. En ze praatte vriendelijk over haar zussen Rita en Helen en haar meestal zwijgzame broers, al zag ze die bijna nooit.

Het nieuws dat ze met een getrouwde leraar Latijn was gaan samenwonen in een zitslaapkamer, had hen weer diep geschokt. Nora leek wel een plaag die over hen heen was gekomen.

Elke week ging Nora bij haar moeder langs. Het humeur en de houding van haar moeder waren er met de ouderdom niet beter op geworden, maar Nora was vastbesloten om zich niet op te winden. Ze was er na al die jaren heel goed in geworden om zich passief op te stellen. En het was niet zo erg om een uurtje op bezoek te komen en te luisteren naar haar moeders geklaag, als ze daarna met de bus terug kon naar die goede, vriendelijke Aidan, die zo anders was en nergens kwaad in zag.

Het was een gure, natte dag toen haar vader werd begraven. Brenda en Patrick kwamen, maar ze besloten dat Aidan beter weg kon blijven: hij zou misschien als de bekende rode lap op de stier werken.

Een paar leerlingen van haar Italiaanse les kwamen naar de kerk, en daardoor nam het aantal aanwezigen aanzienlijk toe.

'Ik had jullie graag mee naar huis willen vragen, maar ik denk niet dat mijn moeder...'

Nee, nee, zeiden ze. Ze hadden alleen de laatste eer willen bewijzen, dat was alles.

Nora's moeder had op alles wat aan te merken. De pastoor was te jong, te gehaast, te onpersoonlijk. De mensen waren niet in het zwart gekleed. Het hotel waar ze, met alleen de familie, koffie gingen drinken, was totaal ongeschikt.

Ze duldde niet dat er ook maar een woord over vader werd gezegd. Ze hoefde niet te horen dat hij een lieve man was geweest en dat het goed was dat hij nu rust had. In plaats daarvan kwam er een hele litanie over zijn kennelijk ontelbare fouten, waarvan de grootste was dat hij nooit een goede verzekering had afgesloten.

'En nu gaan jullie natuurlijk allemaal naar je eigen huis en dan laat je mij mijn verdere leven aan mijn lot over,' besloot ze.

Nora wachtte tot de anderen iets zouden zeggen. Dat deden ze, een voor een. Ze zeiden tegen moeder dat ze een goede gezondheid had en dat een vrouw van in de zeventig tegenwoordig niet oud was. Ze wezen haar erop dat haar flat in de buurt van bushaltes, winkels en de kerk lag. Ze zeiden dat ze haar regelmatig zouden opzoeken en haar, nu ze niet langer naar vader hoefden, mee zouden nemen op diverse uitjes.

Hun moeder zuchtte, alsof dat bij lange na niet genoeg was. 'Jullie komen maar eens per maand,' klaagde ze.

Dat was nieuw voor Nora. Haar werd altijd te kennen gegeven dat haar zussen en schoonzussen veel vaker op bezoek gingen. Dat hield in dat zij met haar wekelijkse bezoek nog de trouwste van hen allemaal was.

Ze maakte er een opmerking over zonder haar gezicht van uitdrukking te laten veranderen.

Rita en Helen haastten zich om het uit te leggen. Ze hadden het zo druk en – echt waar – de anderen moesten niet vergeten hoe zwaar het was als je een gezin had en een huishouden moest voeren.

Met andere woorden, dat Nora alle tijd van de wereld had en geen verantwoordelijkheden, dus dat ze blij mocht zijn dat zij de oppas kon spelen. Nora, die harder werkte dan zij allemaal. Nora, de enige van hen die geen auto had, maar wel met boodschappen sjouwde en vier keer zo vaak op bezoek ging als de rest, en die altijd iets meenam wat ze voor haar moeder had gekookt.

Het was vreselijk oneerlijk dat ze uitgerekend haar een schuldgevoel probeerden aan te praten. En ze had Brenda Brennan beloofd dat ze zich niet op de kast zou laten jagen. Maar Nora had zichzelf ook beloofd dat ze beleefd en voorkomend zou zijn tegen de familie, dat ze zich niet zou verlagen tot hun vijandige, ongemanierde houding.

Dus keek ze hen allemaal vriendelijk aan, alsof ze niet had begrepen in welke richting het gesprek ging. Ze kon zien dat het hen mateloos irriteerde. Maar ze vertikte het om haar waardigheid te verliezen op de dag dat haar vader werd begraven.

En tenslotte kon ze straks terug naar Aidan. Aidan, die haar een kop sterke thee zou geven, wat mooie aria's op de achtergrond zou spelen terwijl ze praatten, en die alles wilde horen wat er die dag gebeurd was.

En morgen zou ze *Carissima* Brenda weer zien en het verhaal opnieuw vertellen.

Ze keek naar haar zussen en broers en hun wederhelften. Bij geen van hen was ook maar een fractie te bespeuren van het geluk dat zij voelde.

Dat gaf Nora kracht en zelfvertrouwen, en daardoor kon ze hun hatelijkheden verdragen en de openlijke suggesties dat zij alles maar in de steek moest laten en fulltime voor hun moeder moest komen zorgen.

'Ik kom morgen langs,' beloofde Nora toen ze wegging. Ze gaf haar moeder een kus op de wang, die aanvoelde als koud perkament.

Miste deze vrouw de man die ze vandaag hadden begraven? Kon ze terugkijken op tijden van passie en liefde? Misschien was er nooit sprake geweest van passie of liefde.

Ze huiverde bij de gedachte. Zij, die dat al voor de tweede keer in haar leven had gevonden.

Ze zag dat Rita en Helen haar een bevreemde blik toewierpen.

Ze wist dat haar zussen vaak over haar roddelden met hun schoonzussen. Het maakte niet uit.

'Komen jullie morgen ook naar moeder?' informeerde ze op vriendelijke toon.

Helen haalde haar schouders op. 'Als jij al gaat, Nora, dan heeft het weinig zin om allemaal te komen,' zei ze.

'En ik kom volgende week al,' snauwde Rita.

Maar toen ze wegging, hoorde ze hoe ze sussend tegen hun moeder zeiden: 'Nora komt morgen.'

'Je hoeft je morgen nergens druk over te maken, want Nora komt alles voor je doen.'

'Nora heeft niets om handen, mam, zij doet alle boodschappen wel.'

Zo zou het altijd gaan. Maar dat deed er niet toe. Niemand van hen had zoveel geluk gekend als Nora. Het was niet meer dan eerlijk dat ze er iets voor teruggaf.

'En jij hebt zeker betaald voor hun koffie en broodjes gisteren?' vroeg Brenda aan haar vriendin Nora.

'*Mia Carissima* Brenda, je neemt ook nooit een blad voor de mond,' zei Nora lachend.

'Dus ik heb gelijk!' riep Brenda triomfantelijk uit. 'Die vier hielden hun hand op de knip en jij hebt alles betaald, terwijl je er het geld niet voor hebt.'

'Ik heb toch geld genoeg, dankzij aardige mensen zoals jij?'

Ze was bezig met groenten wassen en snijden voor het restaurant, waarvoor ze per uur betaald werd.

'Nora, weet je wel wat je zegt? Wij betalen je een schijntje hier, omdat jij beweert dat je het opspaart om met Aidan op vakantie te gaan naar Italië, en die egoïstische hufters laten jou van dat beetje spaargeld hun broodjes betalen. Daar gaat mijn bloed nu echt van koken.'

'*Carissima*, dat mag niet. Je weet dat ze je "de ijskoningin" noemen, dus moet je koel en kalm blijven. En dan is het heel verkeerd om je bloed te laten koken.'

Brenda begon te lachen. 'Wat moet ik met je? Ik mag het niet goedmaken om mijn bloed van het kookpunt af te brengen. Je wilt niets aannemen wat volgens jou liefdadigheid is.'

'Precies.'

'Nou, dan moet je één ding zweren. Nu. Zweer ter plekke dat je niet zult luisteren als ze tegen je zeggen dat ze dag en nacht verzorging nodig heeft en dat jij die moet geven.'

'Dat doen ze heus niet!'

'Zweer het, Nora.'

'Dat kan ik niet. Ik weet niet wat de toekomst brengt.'

'Ik wel,' zei Brenda grimmig. 'En ik vind het heel jammer dat je er niet op wilt zweren.'

Het gebeurde eerder dan Brenda had kunnen denken. Slechts enkele weken na de begrafenis van haar vader kreeg Nora te horen dat haar moeder erg achteruitging.

Ze belden niet naar huis, omdat het appartementje waar ze samenwoonde met Aidan Dunne nog steeds taboe was voor haar broers en zusters. Een paar brieven werden naar de school gestuurd, en een paar per adres van haar moeder. Helen stuurde haar brief naar Quentins, vandaar dat Brenda argwaan begon te krijgen.

'Ik wil weten wat ze nu weer van je verlangen. Zeg het,' smeekte ze.

'Je bent een lastige vriendin, *Carissima*,' grinnikte Nora terwijl ze het zilver poetste, weer een karweitje dat ze op zich had genomen om voor de vakantie naar Italië te sparen.

'Nee, ik ben alleen behulpzaam, en daar heb je wat aan. Zeg wat ze van je willen.'

'Moeder is 's nachts aan het rondspoken. Zomaar opeens. Ze kan er blijkbaar niet tegen om alleen te zijn.'

'Je vader was al drie jaar opgenomen op een verpleegafdeling, dus ze moet er inmiddels wel aan gewend zijn.'

'Ze is oud en zwak, *Carissima*.'

'Ze is vijfenzeventig en zo fit als een hoentje.'

Ze keken elkaar nijdig aan.

'Hebben we nu ruzie?' vroeg Nora.

'Nee, wij kunnen nooit ruzie krijgen. Jij kent al mijn verborgen geheimen,' zei Brenda. 'Maar ik heb geprobeerd je ervan te weerhouden om achter Mario aan te gaan, en ik had ongelijk. Je hebt het leven gekregen dat jij wilde. Maar deze keer heb ik wel gelijk, en deze keer hou ik vol. Wat wilden ze van je? Zeg het voordat ik het uit je ga schudden!'

'Dat ik een paar nachten bij moeder doorbreng.' Nora klonk opstandig. 'Dat is toch niet veel gevraagd? Ik bedoel...'

'Hoeveel nachten?' vroeg Brenda ijzig.

'Nou, tot ze fulltime hulp kunnen krijgen...'

'Wat niet gebeurt.'

'O, heus wel, uiteindelijk, *Carissima*.'

'Hou dat *Carissima* voor je, Nora. Ze hebben je gevraagd om er elke nacht te blijven, hè?'

'Voor een poosje...'

'En Aidan dan?'

'Hij zal het heus wel begrijpen. Ik zou het van hem ook begrijpen als het om een van zijn ouders ging.'

'Luister. Die man heeft al een huwelijk met een kreng van een wijf achter de rug. Zorg dat zijn tweede vrouw niet stapelgek blijkt te zijn.'

'We zijn het verplicht, we zijn zo gelukkig. Het is immers net als een bank? Je moet iets weggeven als je een overschot hebt.'

'Nee, Nora, zo werkt dat niet.'

'Voor Aidan en mij wel. Dat weet ik.'

Er viel een stilte.

Toen zei Nora: 'Ik heb heus wel het lef om te weigeren. Lef genoeg. Ik weet dat mijn moeder me maar niets vindt, net als mijn broers en zusters, maar daar gaat het niet om.'

Brenda wist met afschuwelijke helderheid waar het wel om ging: deze familie wilde Nora's geluk vernietigen.

Nora had te lang onder de hete zon van Sicilië gewoond. Haar inzicht was erdoor aangetast, en haar beoordelingsvermogen. Ze zou er de liefde van die goede kerel Aidan Dunne door verliezen.

'Wil je me één ding beloven...' begon Brenda.

'Ik kan niets beloven.'

'Doe gewoon een week niets. Zeg een week lang tegen niemand iets. Dat is toch niet lang?'

'Wat heeft het voor zin als ik het toch ga doen?'

'Toe. Doe het dan om mij een plezier te doen.'

'Goed, *Carissima*, alleen om jou een plezier te doen.'

Brenda Brennan belde een vriendin die directrice was in een ziekenhuis. 'Kitty, wil je iets voor me doen? In ruil voor een diner
voor twee in het restaurant?'

'Wie moet ik vermoorden?' informeerde Kitty Doyle gretig.

'Vind je het leuk als ik hier bij je in de flat ben, moeder?' vroeg Nora.

'Wat is dat voor vraag?'

'Ik vroeg het me alleen af. Je glimlacht nooit. Je lacht nooit met
mij ergens om.'

'Wat valt er te glimlachen of te lachen?'

'Ik vertel toch af en toe een grapje?'

'Je bent toch niet gek aan het worden, hè? Dat kunnen we er
niet ook nog bij hebben!'

'Bij wat?'

'Dat weet je best.'

'Zal ik Aidan eens meebrengen, moeder? Ik heb zíjn familie wél
ontmoet.'

'Behalve zijn wettige vrouw, denk ik.'

'Jawel, die ook. Ik heb haar op school ontmoet, en in haar huis.
Je weet wel, waar Aidan vroeger heeft gewoond. Ik heb de Italiaanse kamer geschilderd, opdat ze er een eetkamer van kon maken
toen ze het huis verkocht.'

Haar moeder toonde niet de minste belangstelling.

'Zal ik de keuken hier voor je schilderen, moeder?'

'Waarom?' vroeg haar moeder.

'Nee, laat maar,' zei Nora.

'Je bent mijlen ver weg met je gedachten, Nora,' zei Aidan die
avond. 'Is er iets?'

'Nee hoor.'

'Zeg het.'

'Over een week zal ik het zeggen,' antwoordde ze.

'Er is toch niets aan de hand, Nora? Daar kan ik geen week op
wachten. Zeg het.'

'Nee, ik ben niet ziek of zo. Ik zit alleen met een probleem. Ik
heb beloofd dat ik een week zou wachten. Jij wacht ook wel eens
voor je mij iets vertelt. Het is echt niets ergs,' zei ze terwijl ze een
hand op zijn arm legde.

'Ik hou zo van je, mijn mooie Nora,' zei hij met tranen in zijn ogen. 'En over een week heb ik ook nieuws voor jou.'

'Ik ben niet mooi. Ik ben oud en niet goed bij mijn hoofd,' zei Nora serieus.

'Nee, raar mens, je bent prachtig,' zei Aidan, en hij meende het.

Nora liep door haar moeders flat en schatte in wat ze mee zou moeten nemen. Lakens, en een paar plaids die ze makkelijk kon opbergen als ze niet in gebruik waren op de bank.

Ze moest een toilettas meenemen, schoenen en wat ondergoed dat ze in de badkamerkast kon wegleggen. Ze moest een sterkere lamp kopen. Misschien kon ze wat borduren als moeder 's avonds lag te slapen.

Wat zou het eenzaam zijn zonder Aidan, en hij zou zich ook alleen voelen. Maar het had geen zin om hem mee te nemen. Daar zou iedereen tegen protesteren.

Brenda was de vorige dag op bezoek geweest bij Nora's moeder.

Zoals altijd had mevrouw O'Donoghue verzucht hoe jammer het was dat Nora niet het voorbeeld van haar vriendin was gevolgd: netjes getrouwd en een baan waar je goed mee verdiende.

'Maar het is natuurlijk wel egoïstisch dat zij en haar man geen kinderen wilden, om hogerop te komen.'

'Misschien wilden ze dat wel en heeft God hun geen kinderen geschonken,' zei Nora, die wist hoe graag ze het hadden gewild.

Haar moeder snoof minachtend.

'Ik heb gehoord dat Helen is geweest.'

'Die is hier in geen dagen geweest,' zei Nora's moeder.

Ze wist niet meer wie ze moest geloven.

Helen had gezegd dat ze een brief voor Nora op het dressoir had gelegd. Nora las hem. De gewone klaagzang dat moeder met de dag achteruitging, dat ze verzorging nodig had, dat de anderen allemaal een gezin hadden om voor te zorgen...

Er waren nog wat brieven. Ze gingen over moeders gezondheidstoestand. Nora pakte ze en begon te lezen. De eerste was een getypte brief van een mevrouw K. Doyle, directrice van een groot ziekenhuis, die reageerde op een verzoek om informatie over thuiszorg.

Nora werd helemaal blij. Zie je wel dat haar zussen iets wilden regelen om hun moeder te verzorgen. Maar het was fijn dat ze er nu eens een bewijs van zag.

Mevrouw Doyle bood meerdere opties, maar adviseerde dat eerst goed onderzoek werd gedaan naar de gezondheid van hun moeder om te kunnen bepalen welke zorg ze nodig had. En – wat vreemd – er was een kopie van de brief die Helen moest hebben teruggestuurd.

Dank u voor uw bezorgdheid. Ik heb eigenlijk geen idee wie contact met u heeft opgenomen, waarschijnlijk mijn zus Nora, die lang in het buitenland heeft gewoond en op dit moment heel onevenwichtig is. Ze beseft niet dat onze moeder een heel gezonde, sterke vrouw van vijf- enzeventig is, die heel goed voor zichzelf kan zorgen. Soms heeft ze echter, net als alle mensen van een zekere leeftijd die hun partner heb- ben verloren, behoefte aan gezelschap. Maar nu Nora – denken we – voorgoed is teruggekomen naar Ierland, kan zij 's nachts bij onze moeder blijven, waardoor ze uit een onverkwikkelijke situatie kan komen en op deze manier meerdere ongewenste kwesties opgelost kun- nen worden. Dus is er geen sprake van dat we in de nabije toekomst thuiszorg nodig zullen hebben.

Het spijt me dat u hiervoor lastig bent gevallen door mijn zuster, die het ongetwijfeld met de beste bedoelingen heeft gedaan, maar die, zoals u inmiddels zult begrijpen, weinig zicht heeft op de situatie. Het ver- baast me dat ze u heeft verzocht uw antwoord aan mij te richten, maar ik ben blij dat ik u de juiste stand van zaken heb kunnen meedelen.

Nora heeft onze familie altijd al veel hoofdbrekens bezorgd. We willen dan ook niet dat ze voorgoed intrekt bij onze moeder, omdat ze geen sociale vaardigheden heeft en niet geschikt is om wie dan ook langdurig gezelschap te bieden. Maar voorlopig is het voor beiden een goede oplossing als ze 's nachts bij onze moeder kan zijn.

Nogmaals dank voor uw behulpzaamheid en nuttige tips.

Nora bleef een hele poos zitten met de brief in haar hand. Het was vast niet de bedoeling geweest van haar zus dat zij dit zou lezen; de brief moest per vergissing zijn meegestuurd. Dat kon niet an- ders. Helen zou vast niet willen dat Nora las wat zij had geschre- ven. Dat Nora geen sociale vaardigheden had, dat ze nergens voor deugde, dat moeder sterk en gezond was en geen speciale zorg nodig had, dat de familie Nora probeerde te redden uit een on-verkwikkelijke situatie.

Maar als Helen die brief niet op de hoogste plank van het dressoir had achtergelaten, wie dan wel?

Nora dacht aan haar vriendin Brenda, die lieve *Carissima*, die door de jaren heen zo trouw was geweest en die haar had gevraagd om één week te wachten. Eén week maar. Maar zelfs Brenda had dit niet in scène kunnen zetten.

Deze persoon bestond echt. Mevrouw K. Doyle. Haar naam stond op het briefhoofd. En dit was Helens handschrift. Zelfs die slinkse Brenda had dit niet voor elkaar kunnen krijgen.

Nora ging naar huis, naar Aidan.

'Mijn week is om, dus ik wil je vertellen dat ik tot mijn dood elke avond bij jou wil zijn,' zei ze.

'Moest je daar dan over nadenken?' vroeg Aidan verbaasd.

'Ja, ik dacht dat ik voortaan elke avond bij mijn moeder op de bank moest doorbrengen.'

'Dat zou een beetje krap voor ons zijn geweest,' gaf hij toe.

'Nee, jij zou heerlijk hier hebben gelegen,' zei Nora, terwijl ze zijn gezicht streelde.

'Dat was zonder jou niet zo heerlijk geweest,' zei hij zacht.

'En wat voor nieuws had jij voor mij?' vroeg ze.

'Ik heb Nell gezegd dat ik de scheiding wil doorzetten. Ze vond het best. Ze vond het belachelijk dat we op onze leeftijd nog wilden trouwen, maar het maakte haar verder niet uit.'

'Ze heeft natuurlijk gelijk,' zei Nora peinzend.

'Ze heeft geen gelijk! We gaan trouwen, jij en ik, en al onze vrienden zullen erbij zijn om ons geluk te vieren,' zei Aidan vastberaden.

'Aidan, je bent een schat, maar daar hoeven we niet eens aan te denken. We hebben er het geld niet voor, hoe ik ook heb gespaard.'

'Maar ik zal het geld wel hebben.'

'Hoe kun jij dan sparen, Aidan?'

'Nou, die Richardson, ik geef zijn zoons toch les? Hij is financieel adviseur en heeft me verteld wat ik met mijn geld kon doen. Hij belegt mijn salaris elke week voor me, en dat is inmiddels het dubbele waard. Moet je nagaan!'

'Zeg dat wel.' Ze keek hem vol liefde aan.

'En nu jij. Was het moeilijk om een besluit te nemen over de bank bij je moeder?'

'Daar had ik uiteindelijk maar tien seconden voor nodig,' zei Nora. 'Ik moet het alleen nog tegen één persoon zeggen: *Carissima.*'

'Zal ze verbaasd zijn, denk je?'

'Dat weet je nooit met Brenda Brennan,' zei Nora. 'Ze zal blij zijn, maar ik zal nooit te weten komen of het haar wel of niet zal verbazen.'

Thuiskomst

'Waarom hebben jullie dit restaurant eigenlijk Quentins genoemd?' vroeg Mon op een ochtend tijdens de koffiepauze.

'Zo heet de eigenaar.' Het verbaasde Brenda dat het Australische meisje dat niet wist. Ze was altijd zo snel van begrip.

'O, ik dacht dat het van jullie tweeën was.' Mon raakte helemaal in de war. 'Bedoel je dat jullie ontslagen kunnen worden, net als ik?'

'Welnee,' lachte Brenda. 'Hij weet dat hij ons kan vertrouwen. En jij bent het bewijs.'

'Weet hij dan van mij?' Mon wilde bij het team horen.

'Geen details, maar hij weet inderdaad dat we jou in dienst hebben genomen, en hij is er blij mee. Goed?'

'Komt hij wel eens kijken?'

'Nee, bijna nooit, sinds wij de boel runnen. Soms stuurt hij vrienden, en dan laat hij ons achteraf weten dat ze heel tevreden waren.'

'Dan moet hij wel het volste vertrouwen in jullie hebben.'

'Ach, we sturen hem natuurlijk regelmatig de financiële overzichten, maar ik denk eigenlijk dat hij die amper inkijkt,' zei Brenda peinzend. 'En ik heb al heel lang niets van hem gehoord. Ik zal hem vandaag wel een vrolijk berichtje sturen als we tijd hebben.'

'Waarom denk je dat er vandaag misschien tijd is? Morgen bestaat niet.' Mon spoelde haar koffiebeker schoon en ging de onberispelijke tafels in het restaurant nog eens nalopen.

Toevallig kwam Quentins vader die dag lunchen. Hij was inmiddels met pensioen van het accountantskantoor waar hij ooit had gehoopt dat zijn zoon hem zou opvolgen. Hij begreep er niets van dat de jongen naar het buitenland wilde gaan om te schilderen, maar hij was blij dat zijn zoon er nooit van had gedroomd om een groot kunstenaar te worden.

'Hoort u wel eens iets uit Marokko?' vroeg Brenda zacht toen ze de oude man naar zijn tafel bracht.

'Jullie zullen vaker iets horen dan ik,' mopperde Quentins vader.

'Helemaal niet. Een betere werkgever dan hij kun je niet wensen. We krijgen met Kerstmis een loonsverhoging. Geen wonder dat Patrick en ik arrogant worden en denken dat dit restaurant van ons is.'

'En het hoort ook van jullie te zijn. Jullie hebben het toch opgebouwd?'

'Nee, dat was de droom van uw zoon. Wij hebben alleen geholpen om die waar te maken.'

Brenda en Patrick zouden nooit het geld hebben gehad om het restaurant te kopen, maar dat deed er niet toe. Zolang Quentin zijn vredige leven leidde in de heuvels van Marokko en hun de vrije teugel liet, hoefden ze zich geen zorgen te maken. Soms vroegen ze zich wel af wat er zou gebeuren als Quentin opeens kwam te overlijden. Maar met de dag bouwden ze hun reputatie op. Brenda en Patrick Brennan zouden niet lang zonder werk zitten in Dublin.

'Mijn zoon krijgt veel complimenten voor dit restaurant, maar die zouden u en uw man eigenlijk moeten krijgen,' zei de oude man bruusk.

'Maar dat gebeurt ook, meneer Barry, en u hebt ons een heleboel goede klanten gestuurd. Daar zijn we u heel dankbaar voor.' Ze liep met een glimlachje door naar de volgende tafel.

Door de jaren heen had ze geleerd hoe graag mensen herkend wilden worden en begroet door het personeel, maar zonder gemonopoliseerd te worden. Kwam Quentin maar terug, al was het maar voor een weekje, dan kon hij onopgemerkt aan een afgescheiden tafel zitten en zien hoe zijn restaurant floreerde, terwijl hij onder de hete Afrikaanse zon leefde en schilderde.

Ze zou Quentin deze middag nog bellen. Ze moest hem trouwens op de hoogte houden over de documentaire. Ze had hem schriftelijk om toestemming gevraagd, maar zoals ze al hadden verwacht, schreef hij terug dat hij alles aan hen overliet en erop vertrouwde dat ze de juiste keus zouden maken.

Ze pakte de telefoon.

Hij dronk net zijn muntthee uit een glas met een metalen houder. Een van de jongetjes uit Fatama's winkel op de hoek kwam het elke avond om halfzes brengen. Zoals andere mensen hem vaak schalen groenten kwamen brengen die al waren schoongemaakt voor de soep, of manden weelderig fruit, schoongeveegd, om zeker te zijn dat er geen insect of slecht plekje op zat. Ze waren zo goed voor hem. Quentin had zich geen vriendelijker mensen kunnen wensen, maar hij voelde de behoefte om naar huis te gaan. Gewoon om te zien of het thuis was of een ander land, een andere wereld. Op dat moment belde ze. En hoorde hij de koele, kalme stem van Brenda Brennan.

Ze hadden juist honderdtwintig spectaculaire lunches geserveerd, zijn vader was ook geweest, en Mon, een opgewekte serveerster, kon niet geloven dat het restaurant niet van henzelf was, maar dat er echt een Quentin bestond.

'Heb je haar gezegd dat ze aan mij niets heeft?' zei hij lachend, wat hij altijd deed als hij het over zijn seksuele voorkeur had.

'Nee. Dankzij jou kan ze opgeleid worden in een uitstekend restaurant. En ze wil je trouwens niet, want ze heeft een van onze meest prestigieuze klanten van de bank hiernaast aan de haak geslagen.'

Hij vroeg niet waarom Brenda belde. Ze zou er zelf wel mee komen.

'Ik zat te denken of je geen zin hebt om weer eens op bezoek te komen, Quentin? Dan kun je ons in het geheim gadeslaan. We willen ons graag voor je uitsloven.'

'Het lijkt wel telepathie. Ik zat ér net zelf aan te denken.'

Ze spraken een datum af, over een paar weken.

'Ik laat het aan jou over om je vader in te lichten,' zei Brenda diplomatiek.

'Dank je. Ik zal mijn moeder een keer meenemen om een nieuwe hoed te kopen, en ik zal vader waarschijnlijk de dag voor mijn vertrek opbellen. Hoe minder, hoe beter. Vind jij dat ook van familie?' Quentin was altijd beleefd, nooit opdringerig. Niemand vond het vervelend om op zijn directe vragen te antwoorden.

'Ach, met mijn ouders gaat het over het algemeen goed, maar ik had natuurlijk genoeg zussen, in tegenstelling tot jij. We deelden de lasten, om het zo te zeggen.'

'Ja, ik was enig kind, een grote teleurstelling voor allebei.'

'Je vader komt hier regelmatig, Quentin, dus zo teleurgesteld kan hij niet zijn. Hij schept er zelfs over op dat hij je vader is.'

'Hoe is het mogelijk.' Het klonk bitter.

'Kom je alleen?' vroeg Brenda. Ooit was er een heel aardige jongeman geweest, Katar.

'Ik kom alleen,' zei hij.

'Ik zorg ervoor dat Patrick een van onze ontoereikende imitaties van de Marokkaanse keuken zal maken,' beloofde ze. 'We hebben een lekkere salade van sinaasappel en kaneel en een kiptajine op het menu staan, maar dat is natuurlijk niet erg exotisch.'

'Waarschijnlijk exotisch genoeg voor Dublin,' schertste Quentin.

'Vergeet niet dat je heel lang weg bent gebleven,' zei ze.

Die avond sprak ze er met Patrick over.

'Je had moeten zeggen dat het couscous was,' klaagde hij. 'Dan weet hij dat we in elk geval ons best doen.'

'Hij komt niet om het eten te keuren,' zei Brenda.

'Waarom dan wel?'

'Dat weet ik niet.' Ze wist het ook echt niet, dus kon ze moeilijk zeggen dat hij misschien naar huis kwam om afscheid te nemen.

Hij kwam precies op tijd en glimlachte hartelijk toen hij aan het personeel werd voorgesteld. Hij was een lange, tengere man van in de veertig, nog steeds knap en gebruind, maar hij zag er moe uit.

'Waar haalde hij het geld vandaan om zoiets als dit te kunnen kopen?' fluisterde Mon tegen Yan.

'Ik heb gehoord dat het uit een erfenis was of zo,' zei Yan.

'Maar van wie? Vast niet van die vervelende vader van hem.' Mon schudde haar hoofd. 'Moet je zijn gezicht zien. Hij lijkt wel een soort heilige, vind je niet?'

Je kon niet zacht genoeg praten om niet betrapt te worden door Brenda Brennan, die tenslotte kon liplezen. 'Quentin is niet bepaald een heilige,' zei ze vriendelijk. 'Maar hij is op een wettige manier aan de zaak gekomen. Van een oude vriend.'

Ze zag hoe hun monden openvielen omdat ze hen had gehoord, en glimlachte in zichzelf. Dat trucje was zo handig, ze was door de jaren heen al zoveel te weten gekomen. Quentin zag haar glimlachen toen ze terugkwam naar zijn tafel.

'Wat zou ik graag willen weten wat je denkt,' zei hij.

'Misschien vertel ik het straks wel. Nu moet ik de boel op gang krijgen.'

Brenda zorgde ervoor dat Quentin twee flessen met verschillende soorten water kreeg. Ze voorvoelde dat hij geen wijn zou drinken. Ze liet een schaal met hapjes komen, zodat hij kon kiezen. Ze had zoveel mensen zien komen en gaan, dat ze wist dat hij niet veel zou eten. Quentin Barry was heel ziek.

Hij zat te eten en zag zijn moeder met drie vriendinnen binnenkomen voor de lunch. Sara Barry was oud geworden op een manier die haar niet had aangestaan als ze zichzelf goed had kunnen zien. Ze zag er pafferig en nogal dwaas uit. Hij zou haar hebben afgeraden om van die lichte pastelkleuren en overdreven sieraden te dragen.

Quentins moeder had geen idee dat ze zo aandachtig werd gadegeslagen vanaf het afgescheiden tafeltje aan de andere kant van het restaurant. Haar interesseerde alleen dat de drie vrouwen aan haar tafel wisten hoeveel geld ze uitgaf aan kleren. Ze vertelde hoe handig het was om een rekening bij Haywards te hebben, dat bespaarde je zoveel moeite. Je zwaaide gewoon met je klantenkaart en dat was dat. Ze waren er zo behulpzaam en beleefd.

Quentin had medelijden met haar. Het personeel bij Haywards zou altijd behulpzaam en beleefd zijn, of ze nu met een creditcard, een chequeboekje of een handvol bankbiljetten zwaaide. Hij had er lang genoeg gewerkt om dat te weten, al die jaren voordat het geluk opeens met hem was. Hij kende George, Harold en Lucy en hij wist dat ze juist voor klantenkaarthouders het minste respect hadden.

Hij bedacht hoe zijn toekomst veranderd was door de gulheid van Tobe Hayward, die hem nog steeds brieven stuurde uit Australië en die hem deze vreemde, onverwachte start had gegeven en een kans om een eigen restaurant te hebben.

Het was allemaal zo geheimzinnig geweest. Quentin had te horen gekregen dat hij beter maar niet te veel vragen kon stellen.

Katar had gezegd dat het restaurant door God was geschonken, een of andere vage Ierse god die wist dat Quentin niet gelukkig was, en hem een bedrijf wilde geven dat hem uiteindelijk genoeg geld zou opleveren om naar Marokko te gaan. Maar Katar was nu eenmaal de zonnigste persoon die Quentin kende.

Had gekend.

Hij kon niet geloven dat hij nooit meer die lach zou horen of die twinkelende ogen zou zien. Hij had Katar een keer naar deze zelfde tafel gebracht. Quentin glimlachte bij de herinnering.

'Ik zou naar elke tafel willen rennen om te zeggen dat dit van ons is, van ons. En dan moet er trompetgeschal klinken... ta-ra, ta-ra... En dan sta jij op en zouden wij allemaal "For Quentin, he is a jolly good fellow" zingen.'

Dat zou Katar leuk hebben gevonden, en hij zou er niets raars of onbehoorlijks in hebben gezien. Alleen een feest, zoals zijn hele gelukkige leven een feest was geweest. Zelfs in de laatste maanden van zijn ziekte.

'Dit is zo heerlijk. Ik heb jou om voor me te zorgen en me verhalen te vertellen in de donkere nacht. Wie zal dat voor jou doen?'

'Ach, er zullen mensen genoeg zijn die dat willen.' Quentin depte Katars koortsige voorhoofd met koel rozenwater.

'Dan moet je die zoeken, er klaar voor zijn om het ze te vragen, laten weten dat je hulp nodig hebt. Geen valse trots, zweer het. Ik kom het heus wel te weten, want ik zal je blijven gadeslaan.'

'Ik zweer het, Katar,' zei Quentin. 'Geen valse trots.'

Maar toen de tijd daar was, had Quentin vreemd genoeg geen behoefte aan vrienden. Hij keek alleen naar de schoonheid van het warme land dat hij als zijn eigen land was gaan beschouwen. Het bracht hem rust om daar kalm te liggen kijken. Het leven leek niet meer zo veelomvattend en belangrijk. Je was gewoon onderdeel van een proces, net als bergketens, zandstormen en bloesems in de lente. Volgende week was hij daar weer terug en dan zou hij wachten. Het zou niet angstaanjagend zijn. Maar eerst moest hij het hier afronden.

Zijn vader en moeder zouden weinig problemen geven. Ze hadden al heel lang geleden afscheid van hem genomen.

'Moeder, zullen we samen een hoed voor je gaan kopen?' vroeg Quentin door de telefoon.

'Ik ga niet naar zo'n afschuwelijke soek in Marrakesh.'

'Ik ben in Dublin, moeder.'

'Mooi.' Ze klonk niet blij of opgewonden.

'Dus?'

'Ja, natuurlijk wil ik graag een nieuwe hoed,' zei Sara Barry. Ze zei niet dat ze haar zoon graag wilde zien, maar ze wist natuurlijk ook niet dat hij stervende was.

'Wist je dat Quentin in Dublin is?' vroeg Sara die avond aan haar man.

'Nee, maar hij zal wel van het vliegveld bellen voor hij vertrekt. Dat doet hij meestal.' Derek Barry keek amper op van zijn krant.

'Dat komt omdat je niets hebt om met hem over te praten,' bekritiseerde ze hem.

'Ja, dat is zo. Jij kunt het tenminste met hem over de nieuwste kleuren lipstick hebben,' zei Derek bitter.

'Dat bedoel ik nou, altijd ruzie zoeken, terwijl er niets aan de hand is.'

'O, mijn ruzies met Quentin zijn allang verleden tijd,' zei Derek Barry met een zucht.

Quentin moest nog een besluit nemen.

Het restaurant. Dat zijn naam droeg.

Hij had Tobe Hayward gevraagd wat hij ervan vond, maar de oude man had eenvoudig gezegd: 'Als je tijd komt, zul je doen wat juist is, geloof me.'

Meer wist Tobe niet te bedenken. Maar hij had hem er ook aan herinnerd dat alles op Quentins naam stond.

Quentin was er altijd van uitgegaan dat hij wel zou weten wat hij moest doen als de tijd daar was. Maar hij had niet geweten hoe gauw die zou komen. Hoe belachelijk gauw zelfs. Toch wist hij in zijn hart dat alles nu duidelijk was, zoals Tobe had voorspeld, en het was hem duidelijk wat er moest gebeuren.

Want nu zou hij het personeel leren kennen en met hen praten.

De mooie Mon, die hem alles vertelde over haar romance met meneer Clive Harris, en dat ze er geen barst om gaf dat die Italiaan haar al haar geld had ontfutseld. Hij mocht het houden.

Hij hoorde van Yan dat zijn vader in Bretagne geld in een klein restaurant voor hem wilde investeren. En dat Yan niet wist hoe hij hem moest zeggen dat hij het veel te leuk vond in Ierland om weg te gaan.

Hij ontdekte dat Harry had gedacht dat werken in Dublin, het hart van de republiek Ierland, een en al ellende zou zijn waar hij doorheen moest om een goede opleiding te krijgen. Maar hij had het nog nooit zo fijn gehad, en al zijn vrienden kwamen nu in de weekends naar Dublin. De tijden waren veranderd, legde hij uit aan Quentin.

Quentin ontmoette vrienden van Brenda en Patrick. Die excentrieke vrouw die zichzelf Signora noemde, die groenten sneed, koper poetste en vloeiend Italiaans sprak, ging op haar leeftijd nog trouwen met een gescheiden man, en ze vertrouwde Quentin toe dat ze de gelukkigste vrouw ter wereld was.

De man met wie ze ging trouwen was blijkbaar geld kwijtgeraakt aan de een of andere zwendelaar. Ze hadden het gespaard voor een groot trouwfeest, maar bij nader inzien konden ze eigenlijk best zonder feest. En misschien waren ze er trouwens ook te oud voor.

Hij maakte kennis met Blouse Brennan, de broer van Patrick, die zo trots was op zijn roodharige vrouw Mary en hun zoontje. Blouse vertelde dat hij heel goed terecht was gekomen vergeleken bij een heleboel andere jongens met wie hij op school had gezeten, zoals Horse en Shay Harris. En dat had niemand destijds verwacht.

Quentin ontmoette allerlei verschillende mensen van wie hij niet wist dat ze bestonden in het vroegere Ierland: Ella Brady en Derry King, die een documentaire gingen maken over het restaurant. Zijn restaurant! Quentin moest niet vergeten dat hij dit aan Tobe moest schrijven.

En hun collega's bij Firefly Films, Sandy en Nick, die heel toegewijd waren aan hun werk.

Bestonden zulke mensen toen hij nog jong was, zo vol moed en vastberadenheid? vroeg Quentin zich af. Hij kon het niemand vragen. Broeder Rooney was er niet meer. Die was naar de een of andere grote tuin in de hemel gegaan.

Dan had je nog Tom en Cathy, die een cateringbedrijf hadden. Soms deden ze iets voor de gasten van het restaurant, dus ze kwamen vaak over de vloer. Ze verwachtten een baby, dus werd er regelmatig gezoend en omhelsd en het beste gewenst.

Quentin zag op een dag, toen ze net weg waren, de trieste uitdrukking op Brenda's gezicht.

'Had je dat ook graag gewild?' vroeg hij vriendelijk.

'O ja, zo graag. En Patrick zou een fantastische vader zijn geweest.'

'Waren er geen dingen die het een beetje goed hebben gemaakt?' vroeg hij hoopvol.

'Dit restaurant is onze baby,' zei Brenda, terwijl ze trots om zich heen keek.

Hij glimlachte, en opeens drong tot haar door dat ze misschien aanmatigend was geweest. 'Ik bedoel er alleen maar mee dat we het heerlijk vinden om hier te werken,' zei ze, van de wijs gebracht.

'Heb je je afgevraagd waarom ik terug ben gekomen, Brenda?' vroeg Quentin zachtjes.

'Je wilt toch wel eens zien hoe goed het allemaal gaat? Ik zei dat we ons wilden uitsloven.'

Haar ogen stonden te helder. Ze wist het.

'Ik ga dood, Brenda,' zei hij.

'Ik heb die dadels en noten naar hun tafel gebracht zoals je had gevraagd,' zei Blouse Brennan tegen zijn broer. 'Maar Brenda en Quentin zaten te huilen, dus heb ik ze verder maar niet gestoord.'

'Huilen?' zei Patrick verbaasd.

'Ja. Brenda zat met het gesteven servet haar gezicht af te vegen.'

'Dan is het menens. Je hebt gelijk dat je hen niet wilde storen,' zei Patrick. 'Gebeuren er daar nog meer drama's?'

'Ik durfde niet te kijken,' gaf Blouse toe. 'In de keuken is het veiliger.' En hij ging met Signora verder aan de groenten, die ze vaardig in stukjes hakte. Het was fijn om ver weg te zijn van al het andere leven in de eetzaal, dat zo onzeker en ongrijpbaar leek te zijn.

'En je vriend, Katar?' vroeg Brenda, zich niet bewust van haar door tranen vlekkerige gezicht.

'Hij is me het afgelopen jaar voorgegaan,' zei Quentin. 'Wat leuk dat je zijn naam nog kent.'

'Wie zou hem ooit kunnen vergeten? Hij was zo innemend, zo vol leven... En wat dom om dat te zeggen, want het is niet langer zo.'

'Hij vond het hier fijn. We zaten aan deze tafel, en Katar zei dat hij wilde dat arme en zieke mensen zulk heerlijk voedsel konden eten, dan werden ze vast beter... of in elk geval zouden ze gelukkig sterven.'

Ze moesten lachen bij de herinnering aan de knappe, vrolijke Marokkaanse jongen, niet bang voor de dood, tot het laatste toe vol filosofisch optimisme.

'Dat zou je kunnen doen, Quentin. Verkoop dit restaurant, dan kun je met het geld een soort liefdadigheidsinstelling opzetten... Eten van uitstekende kwaliteit geven aan mensen die zich dat niet kunnen veroorloven.'

'Ik kan dit niet over jullie hoofden heen verkopen. Jij en Patrick hebben het gemaakt tot wat het nu is,' protesteerde Quentin.

'Wij komen heus wel aan werk. We hebben een goede naam...'

'Maar je zei dat dit eigenlijk jullie baby is.'

'Er bestaan wel meer baby's, Quentin.'

'Maar Blouse en Signora en de anderen dan?'

'Die redden zich heus wel.'

'Levert het restaurant niet genoeg op om allebei te kunnen doen? Dit instandhouden en het andere erbij doen?'

'Natuurlijk, lees je dan nooit de verslagen van de accountants? Ze zeggen steeds dat je zou moeten uitbreiden. Maar je zult geld nodig hebben voor medicijnen, het ziekenhuis...'

'Nee, nee, ik ga terug naar het huis waar Katar en ik hebben gewoond, dat is het beste.' En zijn gezicht stond veel kalmer toen ze praktische zaken doornamen. Blouse bracht dadels, honing en noten. Ze maakten berekeningen op papier.

'Die documentaire, wil je daar niet aan meedoen?' vroeg Brenda.

Hij schudde vriendelijk zijn hoofd. Hij wilde er helemaal niets mee te maken hebben, maar hij vond het prima als het plan door zou gaan.

Nu moest ze goed naar hem luisteren.

Quentin Barry verkocht zijn onderneming aan Brenda en Patrick Brennan, die hem een klein, eenmalig bedrag zouden betalen, en vervolgens elk jaar een deel van hun winst zouden schenken aan een instelling die de Goedheid van Katar zou heten. Die zou culinaire maaltijden bereiden voor terminale patiënten.

'Daar hebben we een rechtskundig adviseur bij nodig,' zei hij. 'En die opgeprikte oude vrienden van mijn vader hoef ik niet.'

'Dan weet ik de juiste persoon. Maggie Nolan. Het is gedeeltelijk aan haar te danken dat we hier nu zijn. Dat zou een mooie manier zijn om het af te ronden.'

Hij vond het verhaal over Maggies hardwerkende familie prachtig, en hij veegde de tranen uit zijn ogen. 'Katar en ik konden al makkelijk om dingen huilen. Hij zou me nu eens moeten zien,' zei hij.

Tegen het einde van de week waren Maggie en haar collega's meerdere malen aangeschoven aan de afgezonderde tafel, en alles was ondertekend.

Quentin Barry had een elegante hoed gekocht voor zijn moeder en haar gezegd dat ze de mooiste jukbeenderen in heel Dublin had. Hij had zijn vader meegenomen voor een lange wandeling langs de zee, en gezegd hoe mooi de boten waren, en dat de Ierse economie er maar goed voor stond tegenwoordig. Hij had hun handen iets langer dan gewoonlijk vastgehouden toen hij afscheid nam, maar niet zo lang dat ze argwaan kregen.

En toen hij wegging uit het restaurant, omhelsde hij Brenda en Patrick alsof hij nooit in de taxi wilde stappen. En als iemand dicht genoeg in de buurt was geweest, dan had die persoon hem horen zeggen dat ook hij een baby had en dat hij die in goede handen achterliet.

Deel vier

12

Tim en Barbara Brady aten zoals gewoonlijk een late lunch van soep en geroosterd brood. 'Is ze helemaal niet naar bed geweest?' vroeg Barbara.

'Blijkbaar niet. Ze heeft een paar keer gebeld met haar mobiele telefoon. En toen is ze weggegaan.'

'En hebben jullie het nog ergens over gehad... je weet wel?'

'Nee, Barbara, ik heb niets gezegd over een persoonlijke brief voor haar, een brief die we nooit hadden mogen lezen.'

'Nou ja, hij was open...'

'In elk geval hebben we nergens over gesproken en ik zal het ook niet ter sprake brengen, zoals ik al heb gezegd. Ze heeft gebeld om te vragen of we zondag meegaan naar een lunch bij Deirdre, dan kunnen we kennismaken met de miljonair.'

'Nou, dat is in elk geval iets,' zei Barbara.

'Ik weet het niet,' zei Tim Brady somber. 'Eerlijk gezegd heb ik mijn buik vol van miljonairs.'

'Je vriendin Ella zat blijkbaar in Amerika, en ze heeft er binnen de kortste keren een rijke ouwe vent aan de haak geslagen,' zei Frank tegen zijn vrouw Nuala.

'Ik weet niet waar je het over hebt.'

'En je weet ook niet veel van je zogenaamde vriendinnen. Ze zijn vanmorgen gezien toen ze uit het vliegtuig kwamen en in een limousine stapten. Dus neem zo snel mogelijk contact met haar op.'

'Dat kan ik niet, Frank.'

'Waarom niet? Je gaat er toch altijd zo prat op wat een dikke vriendinnen jullie zijn?'

'Niet nadat je zei dat ik niet meer met haar moest omgaan. Dat vond ze niet leuk.'

'Bel haar vandaag op, Nuala,' zei Frank koppig.

'Hij is dood, wat maakt het verder nog uit?'

'Vandaag, Nuala.'

Ella was te vroeg, maar Derry zat al in de bar op haar te wachten. Het leek veel langer dan tien uur geleden dat ze elkaar voor het laatst hadden gezien.

'Ik heb zo'n rare, onrustige dag achter de rug. En jij?'

'Raar en onrustig, dat zijn er de juiste woorden voor,' beaamde hij.

'Heb je geslapen?'

'Ik heb geen oog dichtgedaan. En jij?'

'Ik ook niet. Dus ik denk dat we beter niet naar Quentins kunnen gaan vanavond. We zijn zo moe dat we waarschijnlijk in slaap vallen zodra we aan tafel zitten.'

'Wat stel jij dan voor?' Hij vond alles best.

Maar ze wist het niet. Als ze nog in haar flat had gewoond, had ze iets voor hem kunnen koken. 'Weet je, Derry, ik heb geen flauw idee,' antwoordde ze eerlijk.

'Een fraai stel filmmakers zijn we,' zei hij lachend. 'In New York hadden we het dag en nacht over Dublin en hoe we de geschiedenis moesten vertellen, en nu we er zijn weten we niet eens waar we moeten beginnen.'

Ze begonnen allebei te lachen, met een licht hysterische ondertoon. Ze besloten naar het restaurant van het hotel te gaan. Maar net toen ze opstonden, kwam er een man naar hen toe.

'Ella Brady? Ik ben Mike Martin. Je weet dat we het eerder over wijlen Don Richardson hebben gehad...'

'Ja, ik vond het heel erg toen ik hoorde dat hij was overleden.' Ze liep door, maar de man beende met hen mee, en Derry stuurde haar met zachte drang in de richting van de lift.

De man ging tussen hen en de deur staan, en zei: 'Ik weet dat hij heeft geprobeerd om contact met je op te nemen voor hij stierf.'

'Ik moet nu gaan.' Ze keek hulpzoekend naar Derry.

Die ging vlug met zijn grote lijf tussen hen in staan.

Mike Martin stak achter hem langs een arm naar haar uit. 'Toe, Ella. Het was belangrijk voor hem.'

314

'Wilt u me excuseren?' Ze liep vlug naar de lift.

Derry was achter haar. Hij draaide zich om naar de man, die nog steeds Ella's arm probeerde te pakken. 'U hebt de dame gehoord,' zei hij.

'Hou me niet tegen,' begon Mike Martin.

Derry King reageerde bliksemsnel. Hij stapte voor Ella in de lift en trok haar mee. Ze stond te trillen op haar benen, en hij sloeg zijn armen om haar heen om haar te kalmeren, terwijl hij op het knopje van zijn verdieping drukte. Het was een broederlijke omhelzing. Zo zou hij om iedereen zijn armen hebben geslagen die iets schokkends had meegemaakt. Het duurde maar even. Toen hield de lift stil.

In de suite haalde hij een flesje cognac uit de minibar. 'Medicijn. Ik drink met je mee,' zei hij.

Ze slikte, en het beven werd minder.

'Wie was dat?' informeerde hij.

'Een van Dons trawanten.'

'Wat een woord! Wat betekent het?'

'Dat weet je wel,' zei ze.

'Nou ja, ik denk dat het zoiets is als een aanhanger, een maat, een opportunist. Maar wat betekent "trawant" precies?'

'Laat nou maar, Derry. Het gaat al.' Ze glimlachte beverig.

'Nee, dat soort dingen wil ik weten. Ik ga het opzoeken.'

'Je zult misschien een bijbel in je nachtkastje vinden, maar ik denk niet dat er woordenboeken liggen,' zei Ella.

'Ik heb er altijd een bij me.' Derry liep naar een tafel waar hij wat boeken en kranten op had gelegd. Ze keek verbijsterd toe terwijl hij het woord opzocht.

'Het komt blijkbaar uit het Tsjechisch en het betekende vroeger gewapende begeleider van een vorst of een edelman! Nou ja, dat is toch absurd!' Hij schudde geërgerd zijn hoofd.

'Het is maar een klein woordenboek,' probeerde Ella.

'Ja, maar het is wel heel goed. Ik zoek tien woorden per dag op, dat heb ik altijd al gedaan.'

'Waarom?'

'Als je op je vijftiende van school gaat, krijg je een minderwaardigheidscomplex,' antwoordde hij.

'Dat geloof ik niet. Je bent toch teruggegaan naar school!'

'Ja, maar ze slaan altijd over wat je al hoort te weten.'

'Dit gesprek lijkt nergens naar,' zei ze opeens.

'Nee, maar het helpt ons om over de schrik heen te komen.'

Ella was het met hem eens. 'Het spijt me dat je erbij betrokken werd,' zei ze zacht.

'Daar kon jij niets aan doen,' zei Derry.

'Hij stelt niets voor. Het is niet belangrijk.'

'Dat is niet waar, en dat weet je.'

'Waarom zeg je dat, Derry?'

'Omdat hij je in een openbare ruimte benaderde en het in het bijzijn van heel Dublin over privé-zaken had waar hij niets over hoort te weten. Hij is uit zijn schulp gekropen, Ella, en het kan hem niet schelen wie het weet. Hij gaf me een duw. Hij wilde je meetrekken. Het is verdomd serieus, en dat weet je.'

Ze staarde hem aan.

'En als het niet serieus is, waarom heb je die laptop dan meegenomen in je schoudertas? Ik ben niet gek, hoor. Je was bang om hem thuis te laten, Ella. Dus je moet niet doen alsof het allemaal niets voorstelt. Je kunt me toch wel iets zeggen?' Hij keek kwaad en tegelijkertijd gekwetst.

'Goed, ik zal het je zeggen. Ik kreeg een telefoontje van Nuala. Die ken je toch van mijn verhalen?'

Hij knikte.

'Ze zei dat ze belde om te vragen hoe het met me ging, maar ik weet dat haar man en zijn broers naar me op zoek zijn. Waarom weet ik niet. Maar ik werd bang en daarom heb ik de laptop meegenomen. Ik hoopte dat je het niet zou merken, maar je hebt scherpe ogen. En ik ben je heel dankbaar dat je me uit die situatie beneden hebt gered.'

'Ja, maar morgen, en overmorgen?' wilde hij weten. 'Wie haalt je dan uit de nesten?'

'Daar zal ik over moeten nadenken, Derry.'

'Vertrouw je me?'

'Dat weet je.'

'Zullen we er dan samen naar kijken?' stelde hij voor.

'Wat?'

'Als jij eerst eens koffie en broodjes bestelt, dan bekijken we wat er in die laptop staat en dan besluiten we wat er moet gebeuren.'

Er stonden tranen van opluchting in haar ogen toen ze de telefoon pakte en roomservice belde.

'Néé, Nuala, ik weet niet waar Ella vanavond is,' zei Deirdre.

'Dat weet je wel, je bent haar vriendin.'

'En dat was jij ook, tot je opeens als de een of andere geheim agent achter haar aan ging om haar aan de praat te krijgen met Frank.'

'Niet met Frank, maar met zijn broers,' jammerde Nuala.

'Nou, wie het ook zijn, ze zijn gewoon stom bezig. Ella is er helemaal kapot van dat Don dood is, en zij hebben geen woord van medeleven voor haar. Ze lijken wel een stel speurhonden die lopen te snuffelen of ze iets van Dons zaken weet. Geen wonder dat ze je niet terugbelt of met je wil praten.'

'Ze heeft wél met me gepraat! Ze zei dat ze uitging. Ik dacht dat ze met jou zou uitgaan.' Nuala klonk heel klaaglijk.

'Dat was dus niet zo, Nuala, dus laat haar met rust, wil je?'

'Ik zeg je alleen dit: ze komen er toch wel achter waar ze is.'

'En ik zeg jou dit: je toon staat me niet aan. Probeer je soms te dreigen of zo?'

'Het is geen dreigement, ik ben alleen ongerust over wat Franks broers zullen doen.'

'Daar heb je alle reden toe, en als je weer tegen me begint over dat zootje, dan laat ik iedereen weten wat ik met Eric, een van die broertjes, heb uitgehaald op jouw trouwdag. Dus denk goed na voor je Ella nog eens lastigvalt. Is dat duidelijk?'

Deirdre hing op en pakte haar kookboek.

'Wat zijn dat allemaal voor getallen?' vroeg Ella aan Derry, en ze wees naar een verzameling cijfers op het beeldscherm.

'Dat lijkt wel een transactieoverzicht. Hier heeft iemand een huis gekocht, daar doorverkocht, toen is het weer verkocht, hier is het geld belegd, daar weer opgenomen en in iets anders gestoken.' Hij haalde zijn schouders op.

'Kun je erachter komen waar iets is gebleven? Als je dit programma laat draaien?'

'Ja, maar dat wil niet zeggen dat alles op dezelfde naam staat, dezelfde eigenaar, als in het begin. Als je begrijpt wat ik bedoel.'

'En gewone mensen houden zeker niet op deze ingewikkelde manier de boeken bij.' Ella keek hem aan.

'Nee, tenzij ze dingen willen verdoezelen.'

'En kun je zien of het vanaf het begin zo is geweest?' vroeg ze met een klein stemmetje.

'In elk geval een aantal jaren, sinds ze dit programma hebben gemaakt en op deze manier de boeken hebben bijhouden.'

'Het is dus geen gevolg van paniek op het laatste moment?'

'Ik ben bang van niet, Ella.'

'Ik wilde geloven dat ze in het begin eerlijk waren, maar jij denkt dus dat ze altijd al dingen verdoezelden.'

'Misschien deden ze het met medeweten van cliënten die ook iets te verbergen hadden.' Derry King probeerde onbevooroordeeld te zijn. 'Maar kennelijk waren de cliënten niet op de hoogte van deze werkwijze.'

'Dat denk ik ook. Dus ze waren het altijd al van plan, Don en Ricky Rice.' Ze schudde ongelovig haar hoofd.

'Wat die Ricky Rice betreft...'

'Zijn schoonvader. Die trok aan de touwtjes, die nam alle beslissingen. Hij heeft Don erin meegesleept. Don probeerde uit alle macht om van hem los te komen.'

'Ja.'

'Nee, ik weet dat het klinkt alsof ik hem verdedig. Maar Ricky Rice was het brein achter alles. Hij regeerde met ijzeren vuist. Ze moesten allemaal elke dag hun onderhandelingen op diskettes zetten en die naar Ricky persoonlijk sturen. Zoveel macht had hij.'

'O.'

'Wat bedoel je? Je zegt alleen maar ja en o, Derry. Wat is er?'

'Ricky Rice komt hier nergens in voor. Die man kan in dit land terugkomen zonder ergens bang voor te hoeven zijn. Zijn naam staat helemaal nergens.'

'Wat bedoel je?'

'Er is niets waarmee hij in verband kan worden gebracht. Alles is door Don Richardson beraamd.'

'En heb je Ella kunnen vinden, Nuala?' vroeg Frank toen hij binnenkwam.

'Nee.' Ze deed nukkig.

'Nou, wees dan maar blij dat iemand bereid was om haar te zoeken. Mike Martin heeft gebeld. Hij heeft haar gevonden. Ze was bezig de bloemetjes buiten te zetten met een Amerikaan in Stephen's Green. Ze logeert zelfs met hem in het hotel daar. Het heeft haar blijkbaar weinig moeite gekost om over haar verdriet heen te komen.'

'Frank, luister.'

'Nee, waarom zou ik? Luister jij maar. Mijn broers hebben een kleine moeite van je gevraagd en dat vertikte je. Je wéét hoeveel we hun verschuldigd zijn. Dit was een gelegenheid om iets voor hen uit te zoeken, en...'

'Dat heb ik gedaan, en ze zullen niet leuk vinden wat ik heb ontdekt. Helemaal niet zelfs. Als we niet ophouden met Ella te achtervolgen komt iedereen het te weten. Carmel ook.'

'Wat?' Frank raakte in de war.

'Wat dat lieve broertje van je heeft uitgehaald...'

'Je had het toch over Carmel?'

'Ja, omdat je broer Eric haar liefhebbende, trouwe echtgenoot is, als je dat nog niet wist. Ze zou maar wat graag willen weten wat hij heeft uitgevreten op onze trouwdag. Onze trouwdag, Frank!'

Ze zag aan zijn gezicht dat de escapade met Deirdre niet als een volslagen verrassing kwam.

'O, shit,' zei hij.

'Precies. En je wist het, hè? O, wat gezellig, kerels onder elkaar. Nou, laten we dan maar eens zien wat Carmel ervan vindt.'

'Je gaat het haar toch niet vertellen?' Nu werd Frank bang. Carmel was de meest geduchte van zijn schoonzusters.

'Ik was het niet van plan, maar Deirdre zal het zeker doen als iemand Ella te na komt.'

'Dan wordt Deirdres naam ook te grabbel gegooid,' dreigde Frank.

'Het interesseert haar geen moer of haar naam te grabbel wordt gegooid. En als ik had geweten dat jij ook meedoet met dat soort dingen, dan had ik het zelf wel tegen Carmel gezegd.'

'Nuala,' smeekte hij, 'je weet dat ik nog nooit naar een andere vrouw heb gekeken. Dat weet je toch?'

'Nee, dat weet ik niet, maar je broer zal het beslist wel weten.

En hij zal me er vast alles over vertellen als hij de volle lading krijgt van Carmel,' zei Nuala.

Ella probeerde het allemaal te bevatten. Ricky Rice werd niet genoemd in het bedrijf dat zijn naam droeg. 'Ontbreekt er iets, iets waar we geen toegang toe kunnen krijgen?'

'Zo te zien niet.'

'Maar de naam van het bedrijf dan? Er moet toch ergens aangetoond worden dat het van Rice is?'

'Dat staat hier allemaal. Kijk,' zei Derry terwijl hij op de schuifbalk klikte. 'Drie jaar geleden was er een akte van overdracht. Rice heeft alles aan Richardson gegeven. Er waren getuigen bij. Het staat geregistreerd. Het bedrijf was helemaal van Don Richardson.'

'Maar waarom is zijn schoonvader dan ook gevlucht?' Het duizelde Ella.

'Misschien was dat doorgestoken kaart. Als alles slecht afliep, kon de schoonvader met hen mee. Als de lucht weer was opgeklaard, zou hij zo vrij als een vogeltje terug kunnen komen. Hij is al op leeftijd, misschien heeft hij sterke banden met Ierland.'

'En zijn dochter, had die geen aandelen?' Ella kreeg het nauwelijks over haar lippen.

Derry schudde zijn hoofd. 'Daar blijkt hier niets van.'

'Dus ze kunnen allemaal terugkomen? Nu Don dood is?'

'Mijn hemel, Ella, ik ben geen expert op dit gebied, maar naar wat ik de laatste paar uur hier gelezen heb, zou dat kunnen. Dan worden zij niet verantwoordelijk gehouden.'

Ze bleef stil.

'Maar misschien willen ze het niet,' zei hij aarzelend.

'Derry, ik voel me niet zo goed. Ik denk niet dat ik het kan opbrengen om vanavond terug te gaan naar Tara Road. Vind je het erg als ik hier blijf?'

'Helemaal niet. Ik wilde ook al zoiets voorstellen,' zei hij.

'Ja? Mooi. Dan moet ik even mijn ouders bellen.'

Ze praatte op zakelijke toon met haar moeder. Ze bleef die nacht in het hotel. Er viel nog een hoop werk te doen.

'Had je moeder geen bezwaar?'

'De afgelopen twee jaar heeft ze bezwaar gehad tegen alles wat ik deed, maar ze liet me met rust,' zei Ella.

'Dat was Ella,' meldde Barbara. 'Ze zei dat we niet op hoefden te blijven. Ze blijft vannacht in het hotel. Ze hebben blijkbaar veel werk te doen.'

'Juist,' zei Ella's vader.

'Doe niet zo, Tim.'

'Ik doe helemaal niets. Ze is een volwassen vrouw. Ze is vrij om te doen en laten wat ze wil,' antwoordde hij gespannen.

'Ik bedoel alleen dat als jij haar had gesproken, je er net zo over zou denken als ik. Dit is heel anders dan de vorige keer. Ze hebben niets met elkaar. Dat voel ik.'

'Je zult wel gelijk hebben. De vorige keer hebben we geen van beiden iets aangevoeld.'

'Zullen we koffie en een dessert bestellen? Om ons op de been te houden, terwijl we wat dingen op een rijtje proberen te zetten?'

'Ja, best.' Ella klonk vaag, alsof ze was vergeten wat koffie was. 'Wat moeten we eigenlijk op een rijtje zetten?'

Derry liep een poosje door de kamer en probeerde de juiste woorden te vinden. Voor het eerst sinds ze hem had ontmoet leek hij onzeker. Als hij het over zijn stichting had, over Kimberly, zijn werk, de haat die hij voor zijn vader voelde, klonk hij heel vastberaden. Maar nu zocht hij naar een manier om te zeggen wat er gezegd moest worden.

'Bijvoorbeeld of je de bankcheques aan je vader geeft. Of je die laptop naar de politie moet brengen.'

Ze sloeg hem objectief gade. Een grote, breedgeschouderde man in hemdsmouwen. Iemand die zo bekend was, dat zelfs Harriet en haar vriendinnen van hem gehoord hadden. Hij zag er moe uit, veel vermoeider dan eerst. De lijnen leken in zijn gezicht gegroefd, alsof ze nooit meer zouden verdwijnen.

'Wat vind jij dat ik moet doen, Derry?' vroeg ze.

'Nee. O, nee. Dat moet jij bepalen, Ella. Ik heb alleen aangegeven waar je over na moet denken.'

'Moet ik dat nu beslissen?' Ze wist dat ze er meelijwekkend uitzag zoals ze het besluit probeerde uit te stellen.

'Hoe eerder hoe beter, lijkt me, als je het wilt weten.' Zijn gezicht stond bezorgd.

'Waarom? Het duurt al maanden. Kunnen we dan niet nog wat langer wachten?' Ze keek hem hoopvol aan.

'Omdat om te beginnen die vent beneden ons begon lastig te vallen. Om je vriendin met al die zwagers van haar. Omdat mensen ervan op de hoogte zijn dat je de laptop hebt, willen weten wat erin staat en die informatie in handen willen krijgen.'

'Ik ben er nog niet aan toe om een besluit te nemen,' zei ze.

'Je moet het zelf bepalen, zoals ik al zei.'

Hij ging naar de telefoon en bestelde koffie. Zij zat te kijken hoe het verkeer rond Stephen's Green draaide.

Toen praatten ze over andere dingen. Ze vertelde hem over haar rijexamen en dat zij de enige persoon ter wereld moest zijn die al na drie minuten tegen een motor was gebotst. De examinator zei dat het de schuld van de motorrijder was en dat Ella heel kalm en koelbloedig was geweest.

Derry zei dat hij niet meer wist hoe hij had leren autorijden. Waarschijnlijk kon hij dat al toen hij een jaar of twaalf was. Misschien had een vriend van zijn vader het hem wel geleerd. Hij had vaak de bestelbus van zijn vader naar huis gereden als de man ladderzat was.

Hij vroeg aan Ella wat er verder was gebeurd op deze rare, onrustige dag. Ze vertelde over haar lunch met Deirdre en over de lunch die Deirdre zondag gaf, zodat ze kennis met hem konden maken, en dat de beruchte tweeling er ook zou zijn.

Hij vroeg of ze hem tips kon geven over hoe je met hen om moest gaan.

'Vertel niets over jezelf,' waarschuwde Ella.

'Daar ben ik goed in,' gaf hij toe.

'Inderdaad.' Ze glimlachte.

'Sorry. Is dat een lastige eigenschap?'

'Nee, helemaal niet. Wij zijn allemaal zulke kletskousen hier, we vertellen van alles. Het is fijn als iemand voor de verandering eens terughoudend is.'

'Vraag maar wat je wilt, Ella, dan geef ik antwoord.'

'Nee, natuurlijk doe ik dat niet.'

'Maar ik wil het graag. Ik wil openhartig zijn en gewoon zeggen wat ik vind. Het is zo lang geleden dat ik dat heb kunnen doen.'

'Mag het dan over mij gaan in plaats van over jou?'

'Wat je wilt.'

'Goed, Derry, als je dit tenminste niet oneerlijk van me vindt... Wat zou jij nu doen in mijn plaats?' Ze gebaarde naar de laptop.

Hij aarzelde, maar ze drong niet aan. Ze wist dat hij zou antwoorden. Ten slotte zei hij: 'Ik ben jou niet, Ella, maar ik heb beloofd dat ik zou antwoorden, en dat zal ik dus doen. Ik zou die bankcheques voor je vader halen, maar ik weet dat je dat niet zult doen. En ik weet ook, zonder dat je het zegt, dat hij ze niet zou willen aannemen.'

Ze knipperde met haar ogen van verbazing over zijn inzicht.

'En wat dat andere betreft, dat zou ik aan de politie geven. Dat zou ik, Derry King, doen. Maar ik weet niet wat jij, Ella Brady, móét doen. Als ik in mijn eigen land was, zou ik het wel moeten. Ik zou het strafbaar vinden om zulke informatie in mijn bezit te hebben en die voor me te houden. Maar misschien is het hier anders. En ik weet hoeveel je van die man hebt gehouden; je wilt niet dat anderen in zijn zaken gaan lopen rommelen. Daarom is het voor jou waarschijnlijk geen optie. En dat zal het misschien nooit zijn. Zo, Ella, en heb ik nu gepraat, of niet?'

Ze was zo dankbaar dat ze bijna niets kon uitbrengen. 'Dank je, Derry,' zei ze ten slotte.

'Nee, het kan geen kwaad om eens een keer uit mijn schulp te kruipen.'

'Je bent een heel goede vriend voor me,' zei Ella. 'Ik zou graag hetzelfde voor jou willen doen.'

'Misschien krijg je die kans nog wel eens.'

'Je hebt in één ding gelijk. Ik ga die cheques niet halen. Andere mensen hebben veel meer onder de hele toestand geleden dan wij. En je hebt ook gelijk dat mijn vader ze niet zou willen aannemen.'

Hij knikte.

'Maar ik weet echt niet wat ik moet doen aan al die rotzooi hier in de computer. Je hebt gelijk, hoe eerder ik een beslissing neem, hoe beter. Maar eerst moet ik iets anders doen.'

Hij hield zijn hoofd vragend schuin.

'Mag ik daar morgen met je over praten?' vroeg ze.

'Wanneer je maar wilt, Ella.'

'Dank je, Derry.'

En ze zaten daar zoals oude vrienden bij elkaar kunnen zitten als ze moe zijn, als er niets gezegd hoeft te worden omdat alles duidelijk is.

Ze maakten plannen voor zaterdag. Derry ging op excursie door Dublin. Ella zou naar Quentins gaan en alles in gang zetten. Ze zouden elkaar pas weer zien als ze zondag om twaalf uur naar de lunch bij Deirdre gingen.

'Wat kan ik meebrengen?' vroeg hij.

'Wijn,' zei Ella.

'Hoeveel wijn?'

'Rustig maar. Ik weet dat we in Ierland zijn, maar één fles is genoeg. Wit of rood.'

'Bedankt voor al je adviezen.'

'Jij bedankt dat ik hier mag slapen,' zei ze terwijl ze haar schoenen uittrok.

'Luister. Ik ben een heer, diep in mijn hart in elk geval. Ga jij alsjeblieft in de slaapkamer liggen.'

'Geen sprake van, Derry. Ik slaap wel op deze heerlijke bank. Wil je die plaid over me leggen? Ik ben weg voordat jij wakker wordt.' Ze glimlachte opgewekt naar hem.

'Je bent een fantastische meid, Ella, en het is een genoegen om met je samen te werken,' zei hij terwijl hij haar voeten onder de plaid stopte.

'Je bent een soort held,' mompelde ze.

'Wat?' vroeg hij.

Maar ze sliep al.

Om negen uur werd Derry gewekt door de telefoon. Het was Kimberly. 'O, slief je nog! Sorry,' zei ze. 'Ik kon niet slapen, dus ik dacht, laat ik jou eens bellen.'

'Nee, het is niet erg. Ik moest er toch uit.'

'Ik wilde alleen maar weten of het wel goed is met je,' zei ze.

'Dat denk ik wel. Ik heb nog niet veel gezien.'

'Maar geen drama's, geen spijt?' wilde ze weten.

'Nee, niets van dat alles, Kim,' antwoordde hij.

Hij keek naar de deur van de zitkamer, die hij open had laten staan. Was Ella wakker? Lag ze te luisteren? Hij kon beter even gaan kijken. 'Momentje, Kim,' zei hij, en hij liep naar de andere kamer. Op de bank lag de opgevouwen plaid met ernaast de computer. Met een briefje erop.

Je bent een grootmoedig mens, Derry. Ik zal nooit vergeten hoe aardig je gisteravond voor me was. Wil jij alsjeblieft dit apparaat voor me bewaren? Zondagavond zal ik een besluit hebben genomen over de inhoud. Hartelijk dank voor je hulp.

Liefs, Ella

Hij ging terug naar de telefoon. 'Sorry, Kim. Ik dacht dat het roomservice was. Nee, alles is prima hier, zoals je al jaren geleden tegen me hebt gezegd. Heel normaal, en ik zit nergens mee, wat ik eigenlijk wel had verwacht.' Hij hoorde dat ze een zucht van opluchting slaakte.

'Goddank, Derry. Daar heb ik zo op gehoopt voor je. Je verdient het,' zei ze.

Hij dacht een poos na over hun gesprek. Nog nooit had hij zo tegen haar gelogen. Alles was helemaal niet in orde. Hij had niet gekeken of roomservice aan de deur was. En hij zat met een heleboel dingen. Die niets met hem te maken hadden, maar alles met Ella Brady.

13

'Sorry dat ik de hele nacht weg ben gebleven,' zei Ella. 'Jullie waren toch niet ongerust of zo?'

'Nee, natuurlijk niet. Je hebt toch gebeld?' zei haar vader.

'Ik bedoelde ongerust dat ik weer een ongeschikte verhouding was begonnen.' Ze slaagde erin te glimlachen.

'Mijn hemel, nee,' protesteerde hij.

'Derry lijkt in de verste verte niet op hem, hij is heel anders. Hij denkt alleen maar aan werken en hij heeft geen tijd voor verhoudingen. Trouwens, jullie zullen hem morgen wel ontmoeten bij Dee.'

'En vindt hij het leuk in Dublin?' vroeg Ella's moeder.

'Dat is moeilijk te zeggen. Hij laat er weinig over los.' Ella keek peinzend. Ze leek mijlenver weg met haar gedachten.

'Blijf je vandaag thuis?'

'Nee, mam, ik moet een heleboel dingen regelen.' Weer leek ze heel afwezig. 'Ik wil dat jullie heel goed nadenken over iets,' zei ze ten slotte. 'Al dat geld dat jullie kwijt zijn geraakt door Don, zit in een kluis. Cheques, contanten, ik weet niet wat nog meer. Jullie hebben de brief gelezen. Jullie weten waar het is. Ik heb niet gekeken, maar ik weet dat het er ligt. Als jullie het willen aannemen, dan haal ik het voor jullie.'

'Zie je wel, Tim,' zei Barbara triomfantelijk. 'Ik wist wel dat ze er zo over zou denken. Je vader zei dat ik het er niet met je over mocht hebben, maar ik zei dat je heus wel verstandig zou zijn. Tenslotte was het zijn laatste wens dat alles goed zou gaan met je en dat je niet hoefde te sloven voor wat geld.'

'O, maar ik neem er geen euro van, mam. Voor jou en pap is het anders; jullie moeten zelf beslissen.'

'En als we het niet aannemen blijft het daar natuurlijk liggen.' Barbara Brady klonk bijna smekend.

'Of we kunnen het aan anderen geven van wie geld ontfutseld is,' zei Ella.

'Wij willen het niet,' besliste haar vader.

'Tim!'

'Praat er vandaag over. Zeg morgen maar wat jullie besluit is. O, en nog iets, pap. Wie denk jij, na wat je van de mensen hebt gehoord, dat het brein achter alles was? Don of Ricky?'

'Ze zeiden Ricky Rice, maar dat Don iedereen met zijn charme om de tuin heeft kunnen leiden,' zei Tim Brady.

'Verbaast het je als ik zeg dat Ricky Rice geen enkel aandeel had, dat de zaak helemaal op Dons naam stond? Ricky kan hier zo terugkomen als hij daar zin in heeft, en misschien doet hij dat wel, nu Don dood is.'

'Dat lef heeft hij niet. Hij kan de mensen niet onder ogen komen die hun geld hebben verloren,' zei Ella's vader.

'Als hij er niet bij betrokken was, waarom is hij dan gevlucht?' informeerde Ella's moeder praktisch.

'Dat weet ik niet. Daar heb ik de hele nacht over gepiekerd,' gaf Ella toe.

'Ze waren altijd samen, hij en Don, en hij was gek op zijn kleinkinderen. Misschien wilde hij bij hen blijven.' Tim Brady probeerde een verklaring te bedenken.

'Maar waarom stond zijn naam dan nergens op?' vroeg Ella zich af.

'Daar zal wel een goede reden voor zijn geweest,' zei Tim Brady.

Ella reed naar de Liffey en parkeerde haar auto. Ze liep om de appartementengebouwen heen waar Don Richardson zijn flat had gehad, waar hij zogenaamd woonde terwijl hij bij haar was. Ze waren klein en handig ingedeeld. Er was weinig leven te bespeuren op deze zaterdagochtend. Misschien kwamen de bewoners straks naar buiten om kranten en melk voor hun koffie te kopen. Ze moest eens informeren wat er met zijn flat was gebeurd. Wie hem had gekocht, wie er nu tussen die vier muren leefde.

Toen reed ze terug naar haar eigen flat, waar ze zo gelukkig was geweest met Don. Die werd nu gehuurd door twee meisjes die bij een televisiestation verderop werkten. Ella had hen binnen vierentwintig uur gevonden toen ze eenmaal had besloten om er weg te gaan. Ze had gezwoegd om alles zo schoon en netjes mogelijk te maken, en zelfs wat persoonlijke spullen achtergelaten. Zoals het dekbed; daar zou ze nooit meer onder kunnen slapen.

Ze parkeerde de auto aan de overkant en keek een poos peinzend naar de flat. Als ze Don Richardson niet had ontmoet, zou ze er nu waarschijnlijk nog gewoond hebben. Haar tuin zag er slordig uit. Was haar dat ooit eerder opgevallen? Ze had zin om hem wat op te ruimen, de afgevallen bladeren en dode bloemen weg te halen. Maar wat zouden die vrouwen van het televisiestation zeggen als ze haar zagen? Ze vonden haar al excentriek genoeg. Tenslotte hadden ze haar ontmoet toen ze bekend was, toen haar foto elke dag in de krant stond, meestal naast het woord 'liefdesnestje'. Als ze haar maanden later geknield in hun tuintje zagen, zouden ze echt aan haar verstand twijfelen.

Ze reed langs de school waar ze les had gegeven. Ook daar was ze gelukkig geweest, tot Don in haar leven was gekomen. De kinderen waren over het algemeen aardig geweest. Ze vroeg zich af hoe de nieuwe leerkracht het deed. Kon zij kinderen aan zoals die brutale Jacinta, die altijd een weerwoord had en steeds tot het uiterste probeerde te gaan? Nou ja, het had geen zin om daarover te piekeren. Kinderen leerden omgaan met iedereen die voor hun klas verscheen. Ze waren heel vindingrijk.

Dat deed haar denken aan Maud en Simon, die morgen ook naar de lunch zouden komen. Ze moest zien uit te vissen wat hun familierelatie met Tom of Cathy was. Ze zeiden steeds dat Cathy's ouders niet officieel hun grootouders waren, maar ze haalden steeds van alles door de war. Dee zei dat ze het een keer had gehoord, maar dat het zo ingewikkeld en vergezocht was dat je de draad al kwijt was voordat het helemaal was uitgelegd.

Ze reed Dublin uit, door de voorsteden en langs de zee naar Killiney, waar het mooie huis van Don en Margery stond; waar zijn zoons hadden getennist, en waar zijn schoonvader zo vaak kwam dat het wel zijn tweede huis leek. Ella kende het adres, maar ze had het nog nooit gezien. Vandaag moest ze ernaar kijken.

Er stond dat het een privé-weg was, maar er was geen hek. Alleen al de woorden en de grootte van de huizen hielden je tegen, tenzij je hier iets te zoeken had. Ze reed langzaam verder. Hier zag ze een tuinman, daar een glazenwasser – de activiteiten die plaatsvonden op een zaterdagochtend in de herfst in een rijke woonbuurt. Ze zag de grote auto's op de opritten, de vrouwen die gekleed waren om naar supermarkten en winkelcentra te gaan, de dure beveiligingssystemen. Hier had Margery Rice jaren gewoond met haar vader, man en zoons. Toch moest ze een groot deel van de tijd alleen zijn geweest. Haar zoons zaten op school, haar vader was op zijn werk en haar man lag in de armen van Ella Brady. En nu noemde Margery zichzelf mevrouw Brady en woonde ze in Playa de los Angeles, in Spanje. Wilde ze terug naar dit prachtige huis met het onberispelijke, groene gazon? Was het verkocht, of verhuurd? Zouden Margery en haar vader, als ze toch zo onschuldig waren, terugkomen en doorgaan waar ze waren gebleven?

Ze stapte uit de auto en leunde tegen het hek. Ze moest rondkijken en zien of iets haar een idee zou geven van wat er allemaal kon zijn gebeurd.

Een vrouw van een jaar of vijfentwintig, in een spijkerbroek en met slordig haar, kwam naar buiten met een kind van een jaar of twee aan de hand. 'Kan ik u helpen?'

'Nee, ik kijk alleen even naar die mooie huizen. Ik heb mensen gekend die hier woonden, de Richardsons.'

'O, ja.'

'Kent u ze?'

'Ik heb van ze gehoord. Ik pas op het huis, om zo te zeggen. Mijn oom heeft het gehuurd toen ze vertrokken waren. Hij was een goede vriend van hen.'

'Dan zal hij het wel heel erg vinden dat Don dood is.'

'Ja, dat denk ik wel,' zei het meisje, terwijl ze achter het kind aan holde, dat was weggelopen.

'Wat een leuk jongetje,' zei Ella toen ze met het kind terugkwam.

'Dit is Max. Ik heb mijn handen vol aan hem. Daarom was het moeilijk om te gaan werken, dus ik was dolblij toen ik opeens hier terecht kon. Ik heet Sasha, trouwens.'

'Ik ben Ella.'

'Heb je zin in een kop koffie?'

Ella dacht even na. De naam Ella zei het meisje blijkbaar niets. Dus waarom niet? Ze volgde Sasha het huis van Don en Margery in.

Het was volledig gemeubileerd. Aan de wanden hingen schilderijen van kunstenaars die Don bewonderde. De boeken waren Dons smaak. Alles moest bij het oude zijn gebleven. Er was niets veranderd sinds de dag dat ze verdwenen.

'Ik had gedacht dat het... je weet wel, kaler zou zijn.'

'Ik ook, toen mijn oom vroeg of ik hier wilde oppassen. Max' vader is niet in beeld, als je begrijpt wat ik bedoel, en de familie heeft dus een beetje moeite met me!' Ze glimlachte ontwapenend. Ze was aardig. Ze liet Ella zien dat ze de mooiste spullen met lakens had bedekt, zodat Max er niet met kleverige vingers aan kon zitten. Aan de ene kant van het huis had je uitzicht op zee, en aan de andere kant over het land tot de Wicklow Mountains. Het was een droomhuis. Geen wonder dat Sasha haar geluk niet opkon dat ze hier mocht wonen.

'En woont je oom hier ook?'

'Hij komt wanneer hij zin heeft, maar hij is veel op reis. Je weet nooit precies waar Mike uithangt.'

'Mike?'

'Zo heet mijn oom. Mike Martin. Die ken je zeker ook wel?'

'Ja, ik heb hem op televisie gezien.' Ella keek nerveus om zich heen. 'Verwacht je hem vandaag?'

'O, dat zegt hij nooit van tevoren. Hij komt gewoon.'

Ella zette haar koffiekopje neer en zei dat ze weg moest.

Sasha was teleurgesteld. 'Ik hoopte juist dat je nog even zou blijven. Ze zijn allemaal zo oud, hier, en vreselijk rijk. Jij bent tenminste normaal.'

Maar Ella had haast. Mike Martin was de man die op zoek was naar haar en de laptop.

'Je hebt nog niet verteld waar je de familie van kent,' zei Sasha, terwijl ze met haar naar de deur liep.

Ella dacht even na. Sasha zou het toch wel tegen Mike zeggen. Het had geen zin om iets te verbergen. 'Eigenlijk heeft mijn familie ook moeite met mij, Sasha. Ik ken de Richardsons doordat ik verliefd was op Don. Ik was gek op hem, en ik ben er helemaal kapot van dat hij dood is. Ik wilde zien waar hij woonde toen hij nog leefde.'

'Mijn god,' zei Sasha.

'Dus misschien kun je maar beter niets tegen je oom Mike zeggen. Voor ieders bestwil.'

Sasha knikte heftig, en Max bood een wangetje vol kleverige ijs-vlekken aan voor een afscheidskus.

Er zou niets gezegd worden over haar bezoek.

Voorlopig.

Ella had een broodje en een pak melk gekocht. Ze reed naar Wicklow Gap, waar je een uitzicht had op alleen maar heuvels, schapen en rotsachtige paden naar een rivier in een dal. Ze kwam hier altijd graag, en op de een of andere manier leek alles er dui-delijker.

. Ze pakte de plaid uit haar auto en bleef een hele poos naar het stille landschap kijken. Af en toe kwamen er auto's voorbij, en een paar keer stopten ze om het uitzicht te bewonderen. Maar ze lie-ten haar met rust, en ze was zich nauwelijks bewust van hun aan-wezigheid. Uiteindelijk begon de betovering, zoals altijd, te wer-ken. Toen stapte ze weer in haar auto en reed terug naar huis.

Haar ouders wilden het graag over het geld hebben, maar Ella zei dat het niet hoefde. 'Luister nou,' smeekte Barbara Brady. 'Je vader wil het niet aannemen, en ik ben het met hem eens.'

'Maar in je hart niet, moeder.'

'Mijn hart doet er wat dit betreft niet toe; hij heeft gelijk. An-dere mensen zijn slechter af dan wij. Het zou niet eerlijk zijn.'

'Ik hoef er niets aan te doen tot morgenavond, dus jullie kun-nen er nog even over nadenken,' zei Ella.

'En wat ga je morgenavond dan doen?' vroeg haar moeder angstig.

'Dat weet ik nog niet precies, mam. Echt niet. Ik denk dat ik het wel weet, maar ik ben er nog niet helemaal zeker van.'

Deirdre zei dat alles om twaalf uur klaar zou staan, en dat Ella Derry bij zijn hotel moest afhalen en vroeger moest komen, dan hoefde hij geen kamer vol vreemden binnen te stappen.

Hij was geschokt toen hij zag dat Ella reed. 'Het is eigenlijk nooit bij me opgekomen om mijn leven, of wat ervan over is, aan jou toe te vertrouwen.'

'Dat is een grote belediging. Jij hebt mij door New York gere-den en dat vond ik ook goed,' zei ze terwijl ze behendig een bus ontweek.

'Hebben ze hier geen verkeerspolitie?' vroeg hij met zijn vingers voor zijn ogen.

'Doe niet zo raar, Derry. Het is rustig vandaag. Je moet eens zien hoe het op een drukke, doordeweekse dag tijdens het spitsuur is. Je moet alleen onthouden dat niemand richting aangeeft.'

'Jij ook niet?' vroeg hij.

Ze schaterde het uit. 'Ik wil ze niet in de war brengen!'

'Ik ga van een levenslange gewoonte afstappen en een stevige borrel nemen,' zei hij toen ze bij Deirdre waren.

'Goddank,' zei Deirdre. 'Ella zei dat je drie uur over één glaasje witte wijn deed, en ik zat al te piekeren wat we met je moesten, vooral nu je met iedereen kennis gaat maken. Maud en Simon zijn een uur eerder gekomen om hun poppenkast op te zetten.'

'Het is nu allemaal heel anders,' zei Derry King. Hij ging zitten en voelde langzaam de paniek om Ella's rijkunst wegebben.

14

'Ella zegt dat u en uw vrouw heel aardig voor haar zijn geweest toen ze in New York was,' zei Barbara Brady.

'Mijn ex-vrouw Kimberly heeft veel waardering voor Ella, en ik ook. Je hebt een heel intelligente dochter, Barbara.'

'Dat vinden we fijn om te horen, zoals alle ouders. Hebt u kinderen, meneer King?'

'O, zeg alsjeblieft Derry. Nee, geen kinderen. Helaas. We zijn een ongewoon stel, in die zin dat we ondanks de scheiding nog heel goede vrienden zijn. We zouden heel goede ouders zijn gebleven als we kinderen hadden gehad. Ik wens Kim het allerbeste, en zij mij. Ik heb om persoonlijke redenen uit het verleden nooit eerder naar Ierland willen komen. Kim is dolblij dat ik het eindelijk heb gedaan.'

'En ben jij er ook blij om?' Ella's vader had scherpe ogen.

'Dat weet ik nog niet, Tim. Het is nog te vroeg om dat te zeggen.'

'Misschien komen jullie wel weer bij elkaar,' opperde Barbara.

'O nee, daar is geen sprake van. Kimberly is hertrouwd, en zij en haar man zijn heel gelukkig samen.' Hij zei het heel nuchter, alsof hij een feit constateerde.

Op dat moment kwam Brenda Brennan binnen. Hij herkende haar meteen van de foto's in het dossier over Quentins, dat hij zo zorgvuldig had bestudeerd in New York. Ze hoefden niet aan elkaar voorgesteld te worden, en ze raakten snel in gesprek. Ze was, zoals hij al wist, heel elegant en beheerst. Maar ook hartelijk. Ze leek oprecht geïnteresseerd in de onderwerpen die ze bespraken, en ze hoopte echt dat hij zou genieten van zijn verblijf in Ierland.

'We zouden je het liefst hier in Dublin houden, maar je wilt natuurlijk wat meer van het land zien. Ik kan je het westen aanbevelen. Dat is niet ver voor Amerikaanse begrippen.'

'Maar wel gevaarlijk op de wegen hier, vrees ik.'

'Helemaal niet. Er zijn tegenwoordig brede autobanen. Je had het vroeger eens moeten zien,' zei ze trots. 'Waar komt je familie eigenlijk vandaan?'

'Ik heb hier geen familie.'

'Sorry, dan heb ik het verkeerd begrepen. Ik dacht dat Ella zei dat je van Ierse afkomst was. Dat zijn de meeste Amerikanen die hier komen.'

'Dat klopt ook wel, maar ik heb hier geen familie.'

'Dus je bent niet op zoek naar je afstamming?'

'Absoluut niet.' Derry besefte dat hij kortaf klonk. Hij kon beter iets zeggen om minder abrupt te lijken. 'Maar de familie van mijn vader is wel afkomstig uit Dublin.'

'Mooi. Ik hoor altijd graag dat Dubliners goed terecht zijn gekomen. Mijn man komt namelijk van het platteland, en hij beweert altijd dat de boeren het gemaakt hebben in het buitenland.'

'Mijn vader is niet bepaald goed terechtgekomen.' Er kwam een kille blik in Derry's ogen.

Brenda Brennan had veel ervaring in het lezen van gezichtsuitdrukkingen. 'Nee? Nou, zijn zoon heeft het er zo te zien heel goed van afgebracht,' zei ze met een opgewekte glimlach.

Ze werd beloond. Hij glimlachte terug.

'Kom, dan zal ik je aan een paar mensen voorstellen,' vervolgde ze. 'Dit zijn Ria en Colm. Ze hebben een uitstekend restaurant op Tara Road. Daar moet je een keer naartoe, dan kun je op alle tafeltjes kaartjes van Quentins leggen!'

'Alsof ze dat nodig heeft!' Ria was klein en donker. Ze had krullend haar en een brede glimlach. Haar man was knap om te zien, met een peinzend gezicht.

Derry zag dat Ella naar hem keek om te zien of alles in orde was. Hij hief zijn glas naar haar op. Heel even had hij het gevoel dat hij hier thuishoorde, bij deze mensen die zo makkelijk in de omgang waren en geen eisen aan hem stelden. Hij moest uitkijken voor dat gevoel. Dat was waarschijnlijk opgekomen door dat vreemde, sterke drankje dat hij had genomen om te herstellen van Ella's rijkunst. Hij zou het niet meer nemen. Hij ging zelfs om een glas sinaasappelsap vragen.

Naast hem doemde het ernstige gezichtje op van een blond

meisje van een jaar of tien, elf. 'Zal ik u nog eens inschenken?' vroeg ze.

'Dat is heel aardig van je, eh... hoe heet je?'

'Misschien hebt u wel eens van ons gehoord. Ik ben Maud Mitchell. Mijn broer Simon en ik gaan optreden vanmiddag.'

'O, wat leuk. Ik heet Derry. Derry King.'

'En hoe moeten we u noemen? Simon en ik zeggen steeds de verkeerde namen tegen mensen.'

'Derry,' zei hij.

'Echt waar? U bent veel ouder dan wij.'

'Ja, maar ik wil me graag jonger voelen dan ik ben.'

Maud leek dat heel normaal te vinden, en ze stelde voor dat hij grapefruitsap met tonic zou nemen. Dat moest heel fris zijn. Eigenlijk waren het natuurlijk twee drankjes, maar dat zou wel mogen, omdat hij de eregast was.

'Ben ik dan de eregast?' vroeg hij.

'Ja, want we moesten rekening houden met jou. We kunnen niet dansen omdat de vloer niet geschikt is, met alleen een oud kleed erop. We hebben onze poppenkast meegebracht, maar Tom en Cathy denken dat een voorstelling misschien te lang duurt. We wilden zingen, en omdat je Amerikaans bent, zouden we vreselijke liedjes zingen zoals "When Irish eyes are smiling" en "Come back to Erin", want dat vonden ze prachtig toen we in Chicago waren.'

'Zijn die zo vreselijk?'

'Nou, hier zouden ze die nooit zingen, als je begrijpt wat ik bedoel. Maar toen zeiden ze dat je dat soort dingen niet wilde horen omdat je geen normale Amerikaan was.'

'Nee, dat is zo.' Derry vond het een enig kind. 'En wat zingen ze hier dan wel volgens jou?'

'Nou, "Raglan Road", of "Carrickfergus". Ik zal het wel aan Simon vragen. Hij kan het beter beoordelen, maar we mogen je in elk geval niet vervelen door te lang te zingen. Want we doen dingen wel eens te lang. De poppenkastvoorstelling duurt zeven minuten, dus als we daarna twee liedjes zingen, is dat dan goed?'

'Dat lijkt me heel leuk,' zei hij. 'Beginnen jullie nu?'

'Jullie hebben vast rare feestjes in Amerika,' zei Maud. 'Natuurlijk kunnen we niet nu beginnen. We moeten wachten tot iedereen klaar is met eten en aan het dessert en de koffie zit.'

'Ella, het spijt me vreselijk dat de tweeling Derry King zo in beslag neemt,' zei Cathy. 'Ik heb al zo vaak geprobeerd om ze mee te nemen, maar hij zegt dat hij dol op ze is. Hij wil met niemand anders praten.'

'Maak je geen zorgen, hij amuseert zich kostelijk. Ik heb hem nog nooit zo opgewekt gezien.'

'Het is allemaal fantastisch, Dee,' zei Ella.

'Nick en Sandy zijn een beetje teleurgesteld dat ze niet wat meer met hem kunnen praten. Hij is alleen maar bezig met die kinderen.'

'Hij jaagt iedereen weg die hem wil bevrijden,' zei Ella. 'Ik wou dat ik wist waar ze het over hadden.'

'Brenda Brennan kan liplezen,' zei Deirdre. 'Ik zal het haar straks wel vragen.'

De tweeling was aan het uitleggen wie ze waren. 'Zie je Cathy daar, met die dikke buik? Dat is trouwens een baby, maar daar gaat het niet om.'

'Nee,' beaamde Derry.

'Nou, zij is de dochter van Muttie en zijn vrouw Lizzie. En wij zijn een keer gaan wonen bij Cathy en de man die ze toen had, Neil Mitchell, en dat is onze neef. Neils vader en onze vader zijn broers. Zo zit het dus!' zei Maud triomfantelijk.

'Maar jullie wonen bij Muttie?'

'Ja, en bij zijn vrouw Lizzie.'

'Mooi. Maar waarom eigenlijk?'

'We kunnen niet bij vader en moeder wonen. Ze zouden het wel willen, maar het kan niet, dus gaan we in het weekend gedag zeggen. Muttie brengt ons in zijn bestelbus.'

'En waarom kunnen jullie niet bij je ouders wonen?'

'Moeder heeft last van haar zenuwen en dan gaat vader steeds op reis. Dus kunnen we beter bij Muttie en zijn vrouw Lizzie wonen.'

'Zenuwen?'

'Ja, ze maakt zich druk om dingen en dan drinkt ze een heleboel wodka en dan weet ze niet meer waar ze is.'

'En waarom doet ze dat? Wodka drinken?' vroeg Derry.

'Dat kalmeert haar zenuwen. Het is net een toverdrank. Ze vergeet waar ze zich zo druk over heeft gemaakt. Alleen weet ze dan niet meer wat ze zegt en dan valt ze steeds en dan wordt iedereen boos op haar,' legde Maud uit.

'Maar als ze geen wodka meer drinkt kunnen jullie toch weer bij haar gaan wonen?' Derry kon niet geloven dat een moeder zulke schatten van kinderen bij vreemden achterliet.

Ze legden uit dat ze een broer hadden, maar dat die een of andere misdaad had begaan. Er werd nooit over hem gesproken en hij kwam nooit thuis. Vroeger werkte hij in het kantoor van Neils vader, oom Jock, maar nu niet meer, en hij was weggegaan. 'Praten we te veel over onszelf?' vroeg Maud. 'We hebben jou niets gevraagd, dus eigenlijk mag jij nu wel praten.'

'Over mij valt weinig te vertellen. Mijn vader had ook last van zijn zenuwen. Hij gebruikte whisky als toverdrank om zich beter te voelen. Een heleboel whisky.'

'En hielp het?' informeerde Maud.

'Nee, helemaal niet. Het werd alleen maar erger.'

'En ging je moeder dan ook op reis, zoals onze vader?' Simon was zo argeloos dat Derry er intens verdrietig van werd dat kinderen deze onduldbare toestand zo makkelijk accepteerden.

'Nee, dat kon ze niet. Ze moest haar kinderen grootbrengen, zonder geld of enige hulp.' Er kwam een harde uitdrukking op zijn gezicht.

De kinderen zagen het. Maud vroeg vriendelijk: 'Maar als hij last van zijn zenuwen had kon niemand er toch iets aan doen?'

'Hij had kunnen proberen om niet meer te drinken. Hij had geen lelijke dingen tegen mijn moeder hoeven te zeggen.'

'Maar dat meende hij allemaal niet,' legde Simon uit alsof hij het tegen een dom kind had. 'Als moeder drinkt, zegt ze vreselijke dingen tegen vader, dat hij andere vrouwen heeft en dat wij monsters zijn die geld uit haar portemonnee stelen. Maar daar letten we gewoon niet op.'

'Wat?' Derry was verbijsterd.

'Nou, daar kun je ook beter niet op letten, want ze menen het niet. Ze zouden toch ook liever een leuk, gezellig leven hebben, zoals andere mensen?'

'En haten jullie je ouders dan niet?'

Simon en Maud keken hem aan alsof hij een buitenaards wezen

was. 'Haten? Je eigen vader en moeder? Dat kan toch niet?' Ze spraken de zinnen om beurten uit.

Hij bleef een poos stil. De tweeling keek elkaar aan. Hij zag eruit alsof hij elk moment in tranen kon uitbarsten.

'Gaat het, Derry?' vroeg Maud.

'Hebben we te veel gepraat?' vroeg Simon zich af.

Derry King schudde zijn hoofd.

'Denk je dat we nu maar moeten optreden?' vroeg Simon aan Maud.

'Misschien is dit niet het goede moment, Simon, je weet wel, soms is het niet het goede moment en dan verwacht iedereen dat wij dat weten.'

'Ik zal het aan Cathy vragen,' besliste Simon.

'Maar we kunnen hem niet achterlaten als hij zo van streek is,' vond Maud.

Derry zei nog steeds niets. De spieren van zijn gezicht trokken terwijl hij zijn emoties probeerde te verbergen.

'Misschien kun je achter de bank gaan liggen om eens lekker uit te huilen om je vaders zenuwen, dan voel je je vast een stuk beter. Wij gaan vaak als we bij moeder zijn geweest, ook flink uithuilen om alles wat ze heeft gemist. Wil je dat ook?'

'Nee, maar misschien doe ik dat straks wel,' bracht hij uit.

'Ja, dat denk ik ook.' Ze klopte geruststellend op zijn hand. Ze waren tenslotte alle drie kinderen van mensen die last hadden van hun zenuwen.

Brenda Brennan, die aan het liplezen was, bracht verslag van het gesprek uit aan Ella. 'Maud raadt hem aan om achter de bank te gaan liggen om eens lekker uit te huilen.'

'Jezus! En gaat hij dat doen?'

'Hij zegt dat hij het straks zal doen.'

'En wat zegt de jongen?'

'Hij vraagt zich af of ze nog wel door kunnen gaan met hun optreden,' meldde Brenda.

'Volgens mij kunnen ze daar beter maar meteen mee beginnen, vind je ook niet?' zei Ella.

Cathy kondigde aan dat de poppenkastvoorstelling, die ongeveer zeven minuten duurde, 'De zalm der wetenschap' heette, maar dat de zalmpop beschadigd was tijdens het vervoer en wat schubben had verloren, dus die moest iedereen er maar bij denken. Na afloop werd enthousiast geapplaudisseerd, en Maud en Simon maakten enkele buigingen. Toen zeiden ze dat ze twee liedjes zouden zingen, en vroegen of er verzoeknummers waren. Ze keken gretig rond, overtuigd van een enthousiast onthaal.

Derry King wilde hen niet langer laten wachten. Hij hoorde zichzelf 'Carrickfergus' roepen. Hij kende het hele lied niet, maar herinnerde zich dat iedereen het volgens de tweeling leuk vond.

Ze hadden mooie stemmen, en ze stonden heel stil naast elkaar het lied over verloren liefde en dromen te zingen.

> *The seas are deep, love, and I can't swim over*
> *And neither more have I wings to fly*
> *I wish I met with a handy boatman*
> *Who'd ferry over my love and I...*

Derry voelde een vreemde prikkeling in zijn neus en ogen. Hij had een hekel aan dit soort muziek, dat verlies verheerlijkte en een sentimenteel beeld schiep van het Oude Land. Hij was niet van plan om van gedachten te veranderen door twee eenvoudige kinderen die nooit geweld hadden meegemaakt in hun ouderlijk huis. Jim Kennedy was een gewelddadig man geweest die het leven voor iedereen om hem heen tot een hel had gemaakt. Derry peinsde er niet over om nu weekhartig te worden. Alleen een heel klein stemmetje in hem fluisterde dat hij misschien kon begrijpen waarom zijn moeder het haar man zo vaak had vergeven. Ze moest hebben geloofd, zoals die kinderen hadden gezegd, dat Jim Kennedy net als alle andere dronkaards liever een ander leven had gehad, maar dat het tussen zijn vingers door was geglipt. Had zijn moeder dat in gedachten gehad toen ze in het huis wilde blijven terwijl Derry aandrong dat ze zou verhuizen?

Ze waren nu bezig met het laatste couplet, en lieten hun gehoor meezingen. Ze moedigden hen zelfs aan door hun armen op te heffen.

I'm never drunk but I am seldom sober
A handsome rover from town to town
Ah, but I'm sick now and my days are over
Come all you young men and lay me down.

Ze applaudisseerden allemaal en juichten Maud en Simon toe. De tweeling probeerde te besluiten wat hun laatste liedje zou worden.

'Dat was echt prachtig. Is het eigenlijk niet beter om op te houden na zo'n groot succes?' opperde Cathy.

Dat was iets wat de tweeling maar moeilijk kon begrijpen. Maar Maud wierp een blik op Derry King. Hij was de eregast, de man voor wie zij waren opgetreden. Ze zag wat de anderen al was opgevallen: de tranen rolden over zijn wangen.

'Je hebt gelijk, Cathy. Zo is het genoeg. Niet altijd, maar deze keer wel.'

'Jullie zijn schatten, Maud en Simon,' zei Cathy.

'De mensen hier gaan steeds gekker doen,' mopperde Simon, nijdig dat ze nu niet 'Low lie the fields of Athenry' hadden kunnen zingen.

'Je hoeft echt niet zo stil te zijn omdat ik heb gehuild, en je hoeft ook geen tien kilometer per uur te rijden omdat ik op de heenweg kritiek durfde te hebben op die waanzinnige snelheid van je,' mopperde Derry.

'Ik kan vandaag echt geen goed meer bij je doen,' zuchtte Ella.

Hij kreeg spijt. 'Toch wel. Ik heb genoten van die lunch. Iedereen was zo hartelijk. Dank je, Ella.'

Ze glimlachte naar hem. 'Toe nou, ze waren weg van je. Allemaal.'

'Echt waar?' Hij was kinderlijk verheugd.

'O ja, en Brenda zei dat ze niet meer zo ongerust is over het project nu ze je heeft ontmoet. Mijn ouders denken niet langer dat je een slechte, gevaarlijke yank bent. Mijn wiskundeleerlingen zijn dol op je. Je hebt een heleboel goodwill gekweekt.'

'Ik heb een heerlijke dag gehad.'

'Ik ook. En dat is maar goed ook, want er staat me nog het een en ander te wachten,' zei Ella.

'Ja?'

'Ja, Derry. Ik wil dat hele gedoe over Dons computer afronden. Er voorgoed een einde aan maken. En ik wilde vragen of ik dat in jouw hotelsuite mag doen.'

'Natuurlijk.'

'Je bent zo rustig, weet je dat? Je zegt geen lange zinnen als één woord voldoende is.'

'Mooi,' zei hij met een glimlach.

'Ik zou dit niet zonder jou kunnen, Derry,' zei ze.

Ze was dankbaar dat hij niet had gevraagd wat ze ging doen, maar Derry was nu eenmaal een praktische zakenman. Hij wist dat hij het vanzelf wel zou merken als ze in zijn suite waren.

'Als jullie eens wat broodjes gaan smeren voor Muttie en Lizzie?' zei Cathy terwijl ze de tweeling afzette bij haar ouderlijk huis op St.-Jarlath's Crescent. 'Ik geef ook een stuk schuimtaart voor ze mee. Dee is blijkbaar op dieet en ze wil niet dat de taart in haar huis blijft, omdat ze bang is dat ze ervan gaat eten.'

'Heb jij Muttie en zijn vrouw Lizzie wel eens gehaat?' vroeg Maud aan Cathy op haar normale conversatietoon.

'Nee, Maud. Nooit. Jij wel?'

'Natuurlijk niet.'

'Waarom vraag je het dan?'

'Omdat Derry zoiets zei. Dat hij zijn vader haatte.'

'Heeft hij dat gezegd?' Cathy was geschokt.

'Niet precies, maar wel ongeveer. Hij heeft een paar neven hier, maar hij wil ze niet opzoeken,' bevestigde Simon.

'Ze heten Kennedy en ze zijn huisschilders hier in Dublin,' zei Maud, trots dat ze dat wist te vertellen.

'Die ken ik wel,' zei Cathy. 'Ze werken voor Toms vader.'

'Zullen we een surprisefeest geven om ze allemaal bij elkaar te brengen?' stelde Maud voor.

'Nee. Ik weet dat ik saai ben, maar dat is geen goed idee, geloof me,' zei Cathy, die besloot dat ze meteen Dee moest bellen om het haar te vertellen.

Ella en Derry zetten thee van de spulletjes op het dienblad in de suite. 'Ik bel eerst mijn ouders om te vragen of ze zeker weten dat ze het geld niet willen.'

Ze wilden niet op deze manier afgekocht worden, zeiden ze.

Als er een compensatie kwam, als handel met voorkennis kon worden aangetoond, dan wilden ze natuurlijk graag een deel ervan, maar niet op deze manier.

'We vonden Derry King heel aardig,' eindigde haar moeder.

'En hij jullie ook, mam.'

Na het gesprek bleef ze een poos heel stil zitten.

Derry zat kalm zijn thee te drinken.

'Goed,' zei ze ten slotte.

'Vertel wat je van plan bent.'

'Ik ga zijn vrouw bellen. Haar vragen wat ze van plan is. Wil ze terug naar Ierland, is dat huis in Playa de los Angeles van haar? Dat is het enige waarvan niet vaststaat dat het alleen van Don is. Misschien wilde hij het als een thuis voor haar en de kinderen. Misschien heeft hij voor haar ook wel een briefje achtergelaten.' Ze klonk heel kalm.

'En dan?' vroeg Derry King.

'Dan – het hangt af van wat ze zegt – laat ik waarschijnlijk de afdeling Fraudebestrijding komen om de laptop op te halen.'

'En wat kan ze zeggen dat jou misschien op andere gedachten brengt?'

'Als ze zegt dat ze nergens naartoe kan en dat ze de schande niet kan verdragen, zal ik je vragen om me te helpen de gegevens over haar huis te wissen.'

'Wat edelmoedig van je.'

'Dat ben ik hem verschuldigd.'

'Je bent hem niets verschuldigd. Daar hebben we het al over gehad.'

'Dan moet je ook nog weten dat ik alles foutloos wil doen.'

'Hij is dood, Ella. Hij weet niet hoe goed en foutloos je alles zult doen.'

'Derry, help me alsjeblieft.'

'Hoe dan?'

'Kom naast me zitten terwijl ik bel.'

'Heb je er goed over nagedacht?'

'Gisteren, de hele dag. Ik heb een rondgang door het verleden gemaakt, alles tot een geheel gemaakt. Dit is wat ik wil doen.'

'Goed, dan kom ik naast je zitten,' zei hij.

De telefoon ging zes keer over, maar het leek wel een eeuwigheid. Een man nam op.

'Ik wil graag mevrouw Margery Brady even spreken.' Ella voelde dat haar stem het begon te begeven. Derry kneep bemoedigend in haar hand.

Het bleef even stil. 'Wie?' vroeg de man.

'Mevrouw Brady. Margery.'

'Hoe komt u aan dit nummer?'

'Dit is toch Playa de los Angeles 23?'

'Ja, maar... Niet iedereen kent dit nummer...'

De stem klonk bekend. Vreselijk bekend.

'Don?' hijgde Ella.

'Engel? Ella, ben jij dat? Engel?'

Ze kon geen woord uitbrengen.

Derry sloeg een arm om haar schouders en bood haar een slokje water aan. Ze duwde het glas weg, maar pakte zijn hand stevig beet.

'Don, ben je het echt? Je bent niet dood?'

'Waar ben je, engel van me?' Zijn stem klonk heel dringend, verontrust.

'Je schreef dat je doodging, dat je zelfmoord zou plegen.' Ze schudde ongelovig haar hoofd.

'Dat was ik ook van plan, maar uiteindelijk... Ik kan dingen blijkbaar nooit tot een goed einde brengen.' Hij liet een hol lachje horen. Zo klonk hij altijd als de situatie ernstig was.

'Ik dacht dat je dood was, Don. Dood, op de bodem van de zee. Ik heb steeds om je gehuild, omdat je nooit deze mooie herfst zou zien met de kleurige bladeren, en de zon die door de bomen scheen. Ik heb gehuild om je zoons, omdat zij je niet zouden kennen... En je bent niet dood, je bent helemaal niet dood.'

'Maar dat is toch goed, Ella, engel van me? We kunnen weer samen zijn zodra ik deze toestand heb opgelost.'

'Je hebt nooit van me gehouden, Don.'

'Natuurlijk heb ik van je gehouden. Nog steeds.'

'Wat was je van plan, Don?'

'Wachten tot ik de laptop terug had, zodat we alles konden oplossen. Weer bij elkaar konden komen.'

Ze zweeg.

Derry kneep in haar hand. Ze hield de hoorn zo, dat hij alles kon horen wat er werd gezegd.

'Ella. Mijn engel, ben je er nog?'

'Je hebt nooit van me gehouden. Ging het alleen om de seks? Omdat ik jong was? Was dat het?'

'We maken een afspraak. Breng me de laptop. Dan vertel ik je alles.'

'Dat kan ik niet, Don.'

'Waarom niet?' Hij klonk zwakjes.

'Omdat ik hem aan de politie heb gegeven. De afdeling Fraude-bestrijding.'

'En het geld voor je ouders dan? Ik kan bewijzen dat je dat hebt genomen.'

'Nee, dat heb ik ook aan de politie gegeven.'

'Ik geloof je niet.'

'Waarom niet?'

'Dan hadden ze nu wel achter me aan gezeten.'

'Dat komt nog wel, Don. Dat komt wel.'

'Wanneer heb je het aan ze gegeven?'

'Een uur geleden,' zei ze, en ze hing op.

15

Het nam allemaal minder tijd in beslag dan ze hadden gedacht.

De rechercheurs kwamen naar het hotel. Twee rustige, bescheiden mannen. De een, een lange, donkere man, had ze al ontmoet toen ze over de computer had gelogen.

'Dus die is uiteindelijk boven water gekomen?' zei hij terwijl hij haar aankeek.

'Ja,' zei ze alleen.

Hij wendde zich tot Derry. 'En u bent...?'

Derry gaf hem een visitekaartje. 'Derry King, vriend en zakenpartner van mevrouw Brady.'

'En dit is...?'

'Een bewijs en sleutel van een kluis. Don Richardson beweert dat hij er cheques of iets dergelijks voor me in heeft gelegd.'

'En u hebt de kluis niet geopend?'

'Nee.'

'Als ze toch voor u bestemd waren...?'

'Hij heeft mijn vader geld ontfutseld. Het geld was bedoeld als een soort spijtbetuiging, of dat dacht ik tenminste.'

'Een reden temeer om het aan te nemen...' De rechercheur maakte nooit een zin af, en leek te wachten tot iemand anders het voor hem zou doen.

Deze keer deed Derry het. 'Mevrouw Brady en haar ouders vonden dat ze niet zomaar geld konden aannemen en dat geheim konden houden. Daarom dragen ze het over aan u.'

'Juist. Heel bewonderenswaardig.'

'En het wachtwoord van de computer is "Playa de los Angeles", net als de stad Los Angeles.'

'Ach, en dat hebt u geraden...?'

'Niet helemaal.'

'Dus heeft meneer Richardson het u verteld...?'

'Dat ook niet helemaal. Hij heeft heel lang geleden tegen me gezegd dat het "Engel" was, en toen ik het onlangs probeerde bleek dat wachtwoord niet te kloppen. Dus probeerde ik woorden die erop leken, en zo kwam ik erachter.'

'Goed gedaan, mevrouw Brady.'

'Maar dat is niet het belangrijkste,' flapte ze eruit.

'Nee?'

'Nee, het belangrijkste is dat hij niet dood is. Hij leeft. Ik heb hem vanavond gesproken. Hij heeft nooit zelfmoord gepleegd.'

Ze keek van de een naar de ander, wachtend tot ze de verbijstering op hun gezicht zou zien. Maar tot haar verbazing bleven ze onaangedaan.

'We hebben eigenlijk nooit gedacht dat hij dood was,' zei de rechercheur. 'Dat paste niet in het patroon. Het was nergens voor nodig om zelfmoord te plegen.'

'Ík dacht dat hij dood was, en ik heb hem heel goed gekend,' zei Ella.

'Ja, dat geloof ik.'

'Waarom hebben jullie me dan niets gezegd?' zei ze met tranen in haar ogen. 'Dan hadden jullie me al dat verdriet kunnen besparen.'

'We hebben u niet gezien sinds het is gebeurd. We hebben u gevraagd om contact te houden voor het geval dat er eigendommen van hem boven water zouden komen, en dat hebt u niet gedaan... Dus hoe konden we het aan u vertellen?'

Derry kwam tussenbeide. 'Maar nu is de computer boven water en Ella heeft contact opgenomen, dus dit is alles, neem ik aan?' Hij klonk vriendelijk maar vastberaden.

De twee mannen stonden op en gaven hun een hand. Ze bedankten voor de medewerking en vroegen of Ella, en Derry als hij dat wilde, mee wilden gaan naar de kluis, opdat de overdracht van wat er ook in mocht zitten, rechtsgeldig zou zijn.

'Zijn naam, adres en telefoonnummers staan allemaal in de computer,' zei Ella. 'Hij noemt zich tegenwoordig Brady, nota bene. Is dat geen giller?'

Op de gezichten van de rechercheurs was nu echt medeleven te zien. Alles was binnen een uur achter de rug.

Ella belde haar moeder. 'Het is voorbij. Alles is teruggegeven – aan de politie natuurlijk,' zei ze mat.

'Nou, dat is het beste. Dank je, Ella.'

'Nee, ik moet jou bedanken, moeder. En vader. Omdat jullie zo aardig en onbevooroordeeld zijn geweest en in iemand hebben geloofd die ik aan jullie heb voorgesteld. Ik zal mijn uiterste best doen om het goed te maken.'

'Hou op, Ella.' Haar moeder hoorde dat Ella's stem beefde.

'En nog iets, mam.'

'Je komt vanavond niet naar huis?' raadde haar moeder.

'Precies. Je bent vast helderziend,' zei ze.

'Maak je niet zo druk, Ella, dat is het enige wat ik vraag. De man is dood, laat hem rusten. We weten niet of hij uiteindelijk geen spijt heeft gehad. Tenslotte moet hij op het laatst erg in de war zijn geweest. We mogen niet oordelen over de doden.'

'Don is niet dood, mam. Hij is springlevend en hij woont met zijn gezin in Spanje.'

'Nee, Ella. Hij is omgekomen met die boot...'

'Dat heeft hij in scène gezet. Hij leidt een heerlijk leventje van jullie geld, en zal ik je eens wat zeggen? Hij noemt zichzelf Brady, mam.' Ze klonk inmiddels hysterisch.

'Is Derry daar?' vroeg haar moeder.

Ze gaf de hoorn aan hem. Ella kon alleen horen wat hij zei.

'Natuurlijk, maak je geen zorgen. Natuurlijk. Nee, ze is veel kalmer dan ze net klonk. Ik denk dat het voor haar het moeilijkste was om het voor het eerst tegen iemand te zeggen. Nee, ze loopt geen gevaar, Barbara, geloof me. Ja, ik ook. Dag.'

Ze zat daar zonder iets te zien. Ze hadden het over haar alsof ze een voorwerp was. Een ding vol zenuwen en reacties. Niet een persoon.

'Weet je, Derry, het enige wat mij nu op de been houdt is hard werken,' zei ze.

'Mooi. Ik hoopte al dat je dat zou zeggen.'

Ze was verbaasd. 'Ik dacht dat je zou zeggen: denk goed na; probeer het te analyseren.'

'Nee, dat heeft geen zin. We bereiken er niets mee door te analyseren wat de man heeft bewogen. Je hebt alles gedaan wat je zei dat je zou doen. Nu moet je doorgaan met je leven.'

'En mag ik hier blijven?'

'Natuurlijk. Laten we meteen maar aan de slag gaan.' Hij trok nog een stoel naar het bureau. 'Laten we eens naar een paar van die verhalen kijken, zien hoe we die kunnen vertellen... Moet het per tafel? Zullen we Mon en meneer Harris naast elkaar zetten en elk laten vertellen hoe het allemaal is begonnen, en vervolgens naar een andere tafel gaan voor een nieuw verhaal? We kunnen het ook per uur doen. Bijvoorbeeld vanaf het moment dat het restaurant om vijf uur 's morgens aan de slag gaat.'

Ella begon te lachen. Een echte lach. 'Ik denk dat er helemaal niets in Dublin om vijf uur 's morgens aan de slag gaat.'

'Wat krijgen we nu? Jij zei toch hoe modern het allemaal is geworden hier?'

'Maak er zeven uur van, dat klinkt realistischer.'

'Onzin, Ella. Denk eens aan het huisvuil dat wordt opgehaald, de ingrediënten die op de markt worden ingekocht. Dat móét eerder zijn dan zeven uur.'

'Ik ben benieuwd. We zullen het morgenavond aan Brenda en Patrick vragen,' zei ze. 'Laten we dan nu een keus maken uit de beste verhalen.'

'Die jongen uit Schotland, Drew, die zal toch niet zijn eigen verhaal willen vertellen? Dan komt toch uit dat hij bijna een dief was?'

'Hij wil het blijkbaar wel. Sinds die avond zit alles hem mee, en zijn verloofde was vol bewondering dat hij weerstand heeft kunnen bieden aan de verleiding. Brenda zegt dat hij popelt om zijn verhaal te vertellen.'

Derry schudde verbijsterd zijn hoofd. 'Wat een bijzondere mensen wonen hier,' zei hij.

'Helemaal niet. Die mensen kom je niet alleen in Ierland tegen, maar overal. In Engeland, in Amerika. Ze willen allemaal hun verhaal vertellen en een kwartiertje beroemd zijn.'

'Het gevaar bestaat dat mensen misbruik van hen zullen maken,' zei hij.

'Natuurlijk, maar zo'n bedrijf zijn wij niet, Derry. Je verandert toch niet van gedachten?'

'Nee, natuurlijk niet. Maar wat veranderen van gedachten betreft...'

'Ja?'

'Ik wil alleen maar zeggen dat je, als je over je kwaadheid heen bent, waarschijnlijk opgelucht zult zijn dat hij leeft. Don, bedoel ik. Dat is niet meer dan normaal. Jij hebt van hem gehouden en hij van jou. Dan is het beter dat hij leeft en niet dood op de bodem van de zee ligt. Dus mocht je van gedachten veranderen en blij zijn dat hij nog leeft, dan is dat heel normaal. Dat wilde ik even zeggen.' Hij leek niet op zijn gemak, alsof hij het eigenlijk zelf niet geloofde, maar vond dat hij het moest zeggen om onbevooroordeeld te blijven.

'Nee, ik zal nooit blij zijn om iets wat met hem te maken heeft. Het maakt me eigenlijk weinig uit of hij leeft of dood is. Ik denk dat ik liever had gewild dat hij dood was. Ik hou in elk geval niet van hem, van niets aan hem. Dus ik zal niet van gedachten veranderen. Maar ik ben ook niet van plan om vol haat te blijven. Dan zou ik pas echt de verliezer zijn.'

Ze dacht dat hij vergenoegd keek, maar dat kwam misschien door zijn vriendelijke glimlach.

Toen ze op de bank wakker werd, lag er een briefje.

Ik ben Dublin in de vroege ochtend gaan verkennen. Tot vanavond bij Quentins, 19.30. Bel naar mijn mobiele telefoon als je me nodig hebt.

Liefs, Derry

Ella bracht de dag door in Colms restaurant op Tara Road.

'Ik snap niet hoe je op het idee komt dat ik zou helpen om een concurrerend restaurant aan te prijzen,' mopperde Colm.

'Omdat ik je buurmeisje ben, omdat ik totaal niet met je kan concurreren, en omdat je het leuk vindt om over je grote trots te vertellen. Ik ben alleen benieuwd wat een typische dag is.'

'Die is er niet. Kom een kop koffie drinken, dan breng ik je op de hoogte.'

Tegen lunchtijd meende ze een beeld te hebben van de gang van zaken. Het zou heel visueel worden; dat zou Derry aanspreken. Patrick en Brenda zouden geen bezwaar hebben. Hun restaurant zag er onberispelijk uit, en het was alleen maar iets om trots op te zijn dat er zoveel achter de schermen werd geregeld.

'Je ziet er moe uit, Ella. Blijf eten. Je hebt gezien hoe het is klaargemaakt. Geniet ervan.'

'Nee, ik heb nog een hoop dingen te doen. Ik moet een aantal mensen iets vertellen, maar ik wil eerst op jou oefenen, Colm. Om er zeker van te zijn dat ik het kan zonder te huilen.'

'Ga je gang.'

'Don Richardson is niet dood. Ik heb hem gisteren gesproken. Hij is ondergedoken in Spanje.'

'Is dat een geheim?' vroeg Colm.

'Nee, nu niet meer.'

'Mooi. Dan zal ik tegen Ria's ex-man Danny zeggen dat hij hem namens ons allemaal om zeep kan helpen. Lijkt dat je wat?'

Ella lachte nerveus. 'Nee, maar ik moest er wel om lachen. Ik denk niet dat iedereen zo praktisch zal reageren als jij, Colm.'

Ze vertelde het aan Deirdre. Deirdre hoorde het met een strak gezicht aan. 'Jezus! Had hij het niet grondiger kunnen doen? Is hij ergens aangespoeld?'

'Nee, ik denk dat hij het helemaal niet heeft geprobeerd,' zei Ella.

'En nu neem je hem natuurlijk terug,' zei Deirdre ontzet.

'Néé, Dee, ik vertel het je alleen voor je het in de krant leest.'

'Nee. Je neemt hem terug of je gaat naar hem toe, dat weet ik gewoon.'

'O, hou toch op, Deirdre. Je hoort me op te vrolijken, en te zeggen dat mannen nu eenmaal niet deugen. Maar je moet niet beweren dat ik toch wel naar hem terugga.'

'Ik vraag me af of Nuala het weet,' zei Dee.

'Nou, dan vertellen we het haar toch!' Ella's ogen begonnen te schitteren. En heel even dacht Deirdre dat het misschien toch wel goed zou komen. Dat Ella's grote liefde haar niet meer zou kunnen verleiden.

'Nuala! Met Dee.'

'Nee, Dee, ik praat niet meer met jou. De vorige keer heb je me de stuipen op het lijf gejaagd. Ik heb ze allemaal moeten chanteren door te dreigen dat ik Carmel zou vertellen wat jij met Eric hebt uitgehaald. Nou, fijne vriendinnen zijn jullie.'

'Hou je mond, Nuala. Als we meer wisten, zouden we het je vertellen, dat heb ik gezegd.'

'O ja?' Nuala klonk verbaasd.

'Ja, en nu is het dan zover. Ella is hier, en we hebben nieuws voor Frank en zijn broers.'

'Echt waar?'

'Zal ik Ella even geven?'

'Nee, niet als ze kwaad op me wordt,' zei Nuala.

'Welnee. Ze wordt helemaal niet kwaad. Hier is Ella.'

'Hallo, Nuala.'

'O Ella, het spijt me zo. Ik denk dat Dee het allemaal niet goed heeft overgebracht, destijds.'

'Nee, dat zal wel, Nuala. Heb je pen en papier bij de hand?'

'Ja.' Nuala klonk heel nerveus.

'Schrijf dan maar op... Het is Dons telefoonnummer in Spanje. O, en hij is trouwens niet dood. Kleine vergissing. Hij leeft, maar hij noemt zichzelf tegenwoordig meneer Brady. Ja, ik weet het. Wat een giller, hè? Nee, ik ben niet dronken, Nuala. Je hebt het telefoonnummer. O ja, en de afdeling Fraudebestrijding van de politie heeft zijn computer, met alle gegevens. En nog even dit: Dee zou alles tot in details aan Carmel hebben verteld. Een betere vriendin kun je je niet wensen.'

'Ella..' Nuala's stem klonk hees van angst. 'Ze komen diep in de problemen als dit bekend wordt. Ze zijn niet alleen geld en onroerend goed kwijt, maar de belasting is er ook nog...' Ze maakte de zin bijna fluisterend af.

'O, dat is vaak het geval, Nuala. Nou ja, in elk geval ben je nu helemaal op de hoogte. Daar had je toch om gevraagd?'

Ella hing op en ze kwamen niet meer bij van het lachen, net als vroeger.

'Wat ik heb gezegd wordt met het uur makkelijker om te zeggen,' kondigde Ella aan toen ze bij Firefly Films kwam.

'Ik haat dat soort geheimzinnige opmerkingen,' zei Nick.

'Don Richardson leeft, en hij komt waarschijnlijk in de boeien geslagen terug,' zei Ella.

'Dat meen je toch niet? Sandy en ik hebben ons wel eens afgevraagd of hij het in scène zou hebben gezet,' zei Nick.

351

'Nou, jullie hadden gelijk,' merkte ze spits op.

'Hoe ben je dat te weten gekomen?' vroeg Sandy.

'Ik kreeg hem aan de telefoon,' antwoordde Ella, en er kwamen niet eens meer tranen bij haar op. 'Hij hoorde mijn stem, en hij noemde me engel, net als vroeger, en hij was helemaal niet dood. Moet je nagaan.'

'Gaat het?'

'Ja, best, maar ik wil wel bezig blijven. Kan ik hier vanmiddag werken tot we allemaal naar Quentins gaan? Ik ben een beetje gespannen, en ik wil onder de mensen zijn.'

'Waarom heeft hij je gebeld?' wilde Nick weten.

'Dat heeft hij niet gedaan. Ik heb hem gebeld, of liever gezegd zijn vrouw. Ik wist niet dat hij nog leefde.'

'En ben je blij?' vroeg Sandy.

'Het laat me koud. Echt waar. Er is te veel gebeurd. Ik kan me wat hem betreft niet meer druk maken.'

Ze geloofden haar. Ze haalden een broodje voor haar en zeiden dat ze een lijstje moest opstellen van de punten die ze die avond moesten bespreken tijdens de bijeenkomst in het restaurant.

Ze keken door de glazen deur naar haar, terwijl ze een globaal overzicht maakte van de volgorde van filmen.

'Denk je dat ze naar hem teruggaat?' vroeg Sandy zich af.

'Met een beetje geluk is hij niet meer in de positie om het haar te vragen.'

Cathy en Tom hoorden bij Scarlet Feather van Ria en Colm dat Don Richardson nog in leven was. Nora O'Donoghue hoorde het van hen omdat ze een trouwfeestje wilde bespreken. Nora wilde berekenen of ze een glaasje wijn en wat hapjes konden regelen in de achterruimte van een boekhandel, waar ze gratis gebruik van konden maken. Er waren niet veel mensen uitgenodigd, want ze hadden weinig geld. Maar je moest toch een leuk alternatief bieden voor een groots huwelijksfeest.

Cathy wist dat de bespreking geen zin had, omdat Brenda en Patrick als huwelijkscadeau een receptie in Quentins wilden geven. Maar dat was nog geheim. Nora had aan Cathy gevraagd hoeveel hapjes ze konden opdienen voor een bepaald bedrag aan euro's.

En toen kwam opeens dit nieuws.

'Ik wist al dat hij niet dood was,' merkte Nora kalm op.

'Hoe wist jij dat dan, Nora?' informeerde Tom sceptisch.

'Omdat ik hem vanmorgen heb gezien,' antwoordde ze. 'Hij stapte uit een taxi op Stephen's Green.'

Tom en Cathy belden naar Deirdre om haar te waarschuwen.

'Weet ze het zeker? Ze kan een beetje vreemd doen, Nora O'Donoghue.'

'Nee, ze heeft hem echt gezien. Ze wilde er niets over zeggen omdat Aidan, de man met wie ze gaat trouwen, hem kende. Hij had de kinderen van Don Richardson lesgegeven en Don heeft hem geld afhandig gemaakt, dus ze wilde hem zo vlak voor het huwelijk niet van streek maken.'

'Gelukkig heeft ze het wel tegen jullie gezegd,' zei Deirdre. 'Nu kunnen we Ella waarschuwen.'

'En misschien ook de politie,' vulde Cathy aan.

Ella's mobiele telefoon was in gesprek. Dus belde Deirdre naar Nick bij Firefly Films.

'Geen paniek, ze is hier. Ik kan haar in de andere kamer zien. Ze is aan de telefoon.'

'Toch niet met hem?'

'Dat nummer heeft hij niet. Het is een nieuwe telefoon.'

'Wat moeten we doen, Nick?'

'Probeer Derry te bereiken. Ik zal haar ouders waarschuwen. Hij zal heus niets op klaarlichte dag proberen.'

'Het gaat er maar om dat hij niemand overrompelt. Zeg jij het tegen haar, Nick? Een beetje tactisch, je weet wel?'

'Natuurlijk, Dee,' zei hij. 'Zodra ze klaar is met bellen.'

Ella was in gesprek met Sasha, het meisje dat op het huis van de Richardsons in Killiney paste, het meisje met dat leuke zoontje Max, het meisje wier oom Mike Martin dik bevriend was met Don.

'Ken je me nog? Ik ben Ella Brady. Ik ben zaterdag bij je langs geweest,' begon ze.

'Nou, ik ben blij dat je belt.'

'O ja?'

'Ik heb van alles geprobeerd om je te bereiken.'

'Waarom dan? Waarom, Sasha? Ik wilde je juist vertellen dat...'

Sasha viel haar in de rede. 'Hij is niet dood. Hij heeft maar gedaan alsof hij zelfmoord ging plegen. Hij leeft, en hij komt terug om jou te zoeken.'

'Nee, dat kan niet. De politie weet alles. Hij zou hier niet durven komen.'

'Nou, hij is in elk geval gisteren uit zijn huis in Spanje vertrokken. Vandaag is hij hier. Hij zegt dat je hem niet zult verraden als hij jou eerst te pakken kan krijgen.'

'Maar dat heb ik al gedaan. Ik heb alles aan de politie gegeven.'

'Dat gelooft hij niet.'

'Wie heeft je dit allemaal verteld, Sasha? Wie zegt dat hij het niet wil geloven?'

'Mike Martin, mijn oom. Hij zei dat ik mijn spullen moest pakken en dat alles er weer piekfijn uit moest zien voor het geval dat meneer Richardson hier weer in wil trekken.'

'In zijn eigen huis? Maar hij wordt gezocht voor een grote zwendel. Daar zal hij zich nooit laten zien.'

'Dat weet ik. Daarom probeerde ik je ook te vinden. Natuurlijk komt hij niet hier. Hij gaat achter jou aan.'

Derry King was de dag om halfzes begonnen, toen hij naar Quentins liep om te zien of er enig teken van leven was, en hij bleek gelijk te hebben.

Acht grote vuilniszakken stonden in containers. Elke zak was dichtgebonden en van een label voorzien. De lege containers stonden in een steegje aan de achterkant, sommige lagen op hun kant.

Derry knikte voldaan. Op dit punt had hij gewonnen van Ella. Ze had gezegd dat er om deze tijd nog niemand wakker was.

Wat was ze toch moedig. Ze had alles zo dapper onder ogen gezien. En dat was heel veel. Het enige voordeel was dat die Richardson nu niet terug naar Ierland kon komen; dat zou veel te riskant voor hem zijn, dus hoefde Derry niet bang te zijn dat Ella gevaar liep. Hij ging kijken of hij ergens een kop thee kon drinken. In een kleine cafetaria even verderop kon hij terecht. Op zulke ogenblikken verlangde Derry naar een eetgelegenheid in New York, waar je altijd terecht kon voor een ontbijt. Maar het viel mee.

Hij knikte naar de mannen die er zaten. 'Ook vroeg op pad?' zei Derry vriendelijk.

'Een spoedklus in dat kantoorgebouw daar. We krijgen de uren die we voor zeven uur 's morgens werken, driedubbel uitbetaald,' zei een van hen.

'Dat is niet gek. Moesten jullie er lang over onderhandelen?'

'Nee. De Kennedy's zijn streng maar redelijk. Als je netjes werkt en je tijd goed besteedt, ga je eind van de week met een goed loon naar huis.'

'De Kennedy's?' vroeg hij.

'Dat zijn wij, nou ja, de bazen.'

'Heten ze Sean en Michael?' informeerde Derry.

'Inderdaad.'

'Wat is de wereld toch klein.'

'Kent u ze?'

'Nee, mijn ex-vrouw heeft hen een paar jaar geleden ontmoet, en ze zei dat het prima kerels waren.'

'Ze zijn zo kwaad nog niet.'

'Komen ze vandaag ook nog?'

'Dat zal wel. Ze komen meestal rond een uur of zeven, als wij weggaan. Zal ik zeggen dat u naar hen heeft gevraagd? Wat is uw naam?'

'Nee, laat maar. Ik kom straks zelf wel terug.' Dat was hij absoluut niet van plan. Wat toevallig dat hij zomaar op de familie van zijn vader was gestuit. Waarom noemden ze dit eigenlijk een stad? Ze waren gek. Het was gewoon een dorp.

Sandy belde naar Tim en Barbara Brady om te zeggen dat Don Richardson in Dublin was gesignaleerd.

'Dank je, Sandy. Meneer Richardson is toevallig hier bij me op dit moment. Ik heb hem gezegd dat we geen idee hebben waar Ella is, en jullie ook niet.'

'Ze is hier, mevrouw Brady, maak u geen zorgen. We zullen de politie waarschuwen,' fluisterde Sandy.

De verbinding werd verbroken.

'Bel ze weer op, Nick, vlug, zeg dat hij op Tara Road is.'

'Ze vinden het blijkbaar niet zo dringend als ik had gedacht,' zei Nick. 'Ze vinden het blijkbaar een zaak voor Fraudebestrijding en ze denken niet dat Ella gevaar loopt.'

'Laten we dan naar Fraudebestrijding bellen,' zei Sandy. 'Die denken er misschien anders over.'

'Ze hebben mijn boodschap doorgegeven,' rapporteerde Nick. 'Maar ik zal terugbellen om te zeggen waar hij nu is.'

'We hadden niet verwacht je weer te zien, Don,' zei Barbara Brady toen ze hersteld was van de schok omdat hij opeens voor haar deur stond.

'Ik weet het, ik weet het. Maar je wist toch dat ik nog leefde? Dat heeft Ella jullie toch wel verteld?'

'Ja, gisteravond. Ze was helemaal van slag.'

'Is je man thuis, Barbara? Ik wil jullie allebei even spreken. Het duurt niet lang.'

'Tim is er niet. Hij is naar de dokter. Hij slaapt heel slecht de laatste tijd, en waarschijnlijk moet hij in therapie.'

'Ik vind het allemaal zo erg.' Don zag er zongebruind uit, maar magerder dan voorheen. Hij was zijn ongedwongenheid en zelfvertrouwen kwijt, en hij keek steeds om zich heen.

'Ja,' zei Barbara alleen.

'Ik heb zoveel spijt van de hele toestand. Ik heb echt genoten van onze gesprekken. Hij was zo integer en, ja, zo vol vertrouwen.'

'Nu niet meer,' zei de vrouw van Tim Brady, terwijl ze rondkeek in het kleine huisje waar ze nu in woonden. Aan haar gezicht was duidelijk te zien hoe de integere man vol vertrouwen tegenwoordig van streek was.

'Ik heb alles gedaan wat ik kon om het goed te maken. Ik heb geld gestuurd. Dat heeft Ella toch wel verteld?'

'Dat konden we niet aannemen,' zei Barbara, alsof dat niet meer dan logisch was.

'Mag ik alsjeblieft even zitten?' Don Richardson zag er opeens moe en een beetje angstig uit.

'Liever niet, Don. Ik zou hypocriet zijn als ik deed of je hier welkom bent.'

'Ella?' vroeg hij.

'Ik weet het echt niet. Ze is gisteravond niet thuisgekomen.'

'Alsjeblieft.'

'Ik kan je niet iets zeggen wat ik niet weet.'

'Ik wil alleen tien minuutjes met haar praten, waar jij en Tim bij zijn als je dat wilt, of hier in huis. Toe, ik moet haar iets vragen.'

'Ik denk dat je de afgelopen jaren genoeg van haar hebt gevraagd.'

'Nee, ik zal je zeggen waar het over gaat. Ik ken haar. Ik kén haar, verdikkeme. Toen ik haar gisteravond sprak, zei ze dat ze de laptop had ingeleverd. Maar dat was niet de waarheid. Ik hoef haar alleen maar te zien en haar te vertellen hoeveel ellende ze iedereen kan besparen als ze hem niet inlevert. Ik kan alles goedmaken, dat ben ik aan het proberen. Ik kan de investeringen van mensen redden, ook die van Tim.'

'Ik denk dat de computer haar niets kan schelen,' zei Barbara.

'Dat ben ik met je eens, en ik geloof niet dat ze hem heeft ingeleverd.'

'Ze zei dat ze hem had teruggegeven.'

'Teruggegeven?'

'Dat waren haar woorden. En toen zei ze: "Aan de politie, in elk geval."'

Hij dacht vlug na. 'Ik geloof nog steeds niet dat ze het heeft gedaan. Ik ken haar stem namelijk.'

De telefoon ging. 'Wil je opnemen? Misschien is zij het wel,' smeekte hij.

Maar het was Sandy van Firefly Films.

Hij stond te luisteren.

'Wie was dat?'

'Gewoon vrienden die zich zorgen om haar maken.'

'Dus ze weten dat ik terug ben. Je begrijpt wel dat ik niet veel tijd heb.'

'Weet je dat het me geen barst kan schelen hoeveel tijd je wel of niet hebt, Don Richardson? Onze enige dochter had de pech om verliefd op je te worden, met als gevolg dat ze diep gekwetst is. Ze voelt zich schuldig en ze schaamt zich, door jou, voor het feit dat haar vader door de schande een schim is van wat hij vroeger was, en dat ik in een hutje woon in plaats van in dat huis daar. Ze heeft eindeloos gehuild, omdat jij haar in de steek hebt gelaten en verder leefde in een huwelijk dat voorbij was, dacht ze. Ze huilde nog meer toen ze dacht dat je dood was. Begrijp je nú hoe weinig het me interesseert hoeveel tijd jij wel of niet hebt? Ik weet niet waar Ella is, en als ik het wist, bij God, dan zou ik het je niet vertellen.'

'Ik ga nu, Barbara, en ik zal niets meer zeggen. Ik wil je dringend verzoeken om dat ook niet te doen. Vergeet niet dat de mogelijkheid nog steeds bestaat dat Ella me kan vergeven en met me meegaat. Ik wil niet dat ze het idee krijgt dat de deur van haar ouders voor haar gesloten is.'

Hij was weg. Barbara Brady stond te beven van de moed die ze had getoond, en de angst dat Don Richardson misschien gelijk had. Was het mogelijk dat Ella ondanks alles naar hem terug zou gaan?

Derry liep weer langs Quentins. Deze keer was er binnen beweging te zien. Hij klopte op de achterdeur. 'Ik ben Derry King, ik zou je vanavond ontmoeten.'

De lange, donkere man veegde het meel en de suiker van zijn handen en gaf Derry hartelijk een hand. 'Brenda heeft me alles verteld over de lunch gisteren. Ik kon niet komen. Iemand moest de zaak hier draaiende houden.'

'En een heel mooie zaak, hoor ik van iedereen.'

'Nou, dankzij jou krijgt hij meer bekendheid. Kom binnen.'

Als Patrick Brennan verbaasd was dat hij om halfzeven 's morgens bezoek kreeg, liet hij dat niet blijken. Hij was altijd op dit uur bezig om taarten te bakken. Hij kon slecht delegeren, gaf hij toe, en hij wilde het gewoon niet aan een ander overlaten. Hier was hij het beste in en dit vond hij het leukste werk. Vandaag moest hij twee citroentaarten maken, een chocoladeroulade, een chocolademousse, een schaal gepocheerde peren, een grote kom chocoladekrullen, twee liter praline-ijs en een frambozencoulis.

'Maar moet je zo vroeg beginnen?'

'Ja, want je hebt een constante temperatuur nodig voor desserts. Later op de dag gaan de ovens steeds open en dicht.'

En voor de stad goed en wel was ontwaakt, was het al een en al bedrijvigheid in Quentins. Een jongen die Buzzo heette, kwam de vuilnisemmers in het steegje schoonspuiten en deed er stevige vuilniszakken in. Hij schrobde de keuken en maakte een lijstje van voorraden die moesten worden aangevuld.

'In het begin deed mijn broer dit,' legde Patrick uit. 'Maar hij heeft nu een gezin en kweekt de groenten voor ons, dus hebben we Buzzo in dienst genomen. Dat is de enige manier voor die arme knul om een fatsoenlijk ontbijt te eten, wat euro's te verdienen en toch op tijd op school te komen om negen uur. Ik betaal hem zwart. Daar ben ik eigenlijk tegen, maar met die familie van Buzzo...'

'Drank, zeker?' informeerde Derry.

'O nee. Dat zouden ze wel aankunnen, denk ik. Nee, het gaat helaas om drugs. Hij woont in een slechte buurt. Al zijn broers zijn verslaafd, en zijn vader is een dealer.'

'En zijn moeder?'

'Die is al jaren niet meer van deze wereld, als gevolg van de drugs. Ze zit in een inrichting.'

'Dus er is weinig hoop voor de jongen?'

'Tot nu toe heeft hij het gered. Hij is heel intelligent. Een paar van ons proberen het hem makkelijker te maken, zodat hij niet in de verleiding komt om met drugs aan geld te komen. Binnenkort is hij oud genoeg om op zichzelf te kunnen wonen. Hij is nu thee gaan maken en een beetje aan het opruimen voor de schilders van de Kennedy's, die verderop aan een klus bezig zijn.'

'Is dat een goed bedrijf?'

'Een van de beste. Zij hebben de laatste keer hier de boel opgeschilderd, en ik ben heel tevreden.'

Buiten klonk een claxon.

'Dat is het linnen, meneer Brennan. Ik breng de zak weg!' riep Buzzo.

De vuile tafellakens en servetten van de vorige dag werden door het steegje weggebracht en Buzzo kwam terug met een grote doos opgevouwen schoon linnengoed. Dit was nog maar net opgeborgen in wat 'Brenda's Kast' werd genoemd, toen het vlees werd geleverd.

Inmiddels was de leerling-kok gearriveerd, dus nam hij het over en Buzzo, met zijn opgevouwen bankbiljet in zijn zak, ging naar zijn tweede baantje van die dag. Derry moest denken aan zijn eigen jonge jaren, toen hij elk baantje aangreep dat hij kon krijgen. Hij had Buzzo graag willen zeggen hoe goed het allemaal met hem was gegaan, maar jongelui hadden een hekel aan gepreek, dus kon hij beter niets zeggen.

De leerling, die Jimmy heette en iets te langzaam was naar Patricks zin, kreeg te horen dat hij snel zijn koffie moest opdrinken. Hij moest nu het vlees snijden, opdat het klaarlag als de chef het wilde bereiden. Tegelijkertijd moest hij bouillon trekken van de botten, kippenkarkassen en groenten die in de koelruimte in plastic zakken gereedlagen.

Toen kwam Blouse Brennan om de lijst met benodigdheden na te lopen. 'Ik zal courgettes moeten kopen. Die van mij zien er niet uit,' zei hij verontschuldigend.

'Dat geeft niet, Blouse, anderen moeten al hun groenten kopen,' stelde Patrick hem gerust.

Toen kwam de kist met vis van de visboer, en vervolgens kisten wijn en kaas van de leveranciers.

De assistent-kok, Katie, zei dat er vandaag drie nieuwe kazen bij waren. Ze legde ze op een wagentje met marmeren blad in de koelruimte. 'Weer drie soorten die de obers moeten leren uitspreken en uitleggen. Ik zal de man van de kaas eerst even bellen om het zelf te vragen. We mogen niet dom overkomen.'

Derry glimlachte. Als ze dat voor de camera zou zeggen, zou dat heel ontwapenend zijn. Ella had gelijk. Een dag meelopen in het restaurant was een goede manier om het verhaal zich te laten ontvouwen.

Ella! Het ging goed met haar. Ze had beloofd dat ze zou bellen als het niet zo was.

Ella wilde alleen zijn. Ze moest nadenken. Ze had geen behoefte aan eindeloze geruststellingen van vrienden dat alles in orde was en dat alles goed zou komen. Dat was allemaal niet waar.

Don Richardson zat achter haar aan. Of niet?

Kon ze Sasha serieus nemen? Ze moest met iemand praten. Het was niet eerlijk om Derry er weer mee lastig te vallen. Misschien zou Don wel naar haar ouders gaan.

Ze belde haar moeder op, en hoorde dat hij daar net weg was.

'Hoe was hij, mam?'

De vraag leek Barbara Brady van streek te maken. 'Hij... nou ja, gewoon.'

'Nee, mam, ik meen het.'

'Wat wil je weten? Hij zag er niet bleek en ongerust uit...'

'Ik bedoel, deed hij normaal of zag hij eruit alsof hij met een hakmes achter me aan zou gaan?'

'Hij denkt dat hij je een aanbieding gaat doen die je niet kunt weigeren. Hij denkt dat je bij hem terugkomt.'

'Dan heb je mijn vraag beantwoord, moeder. Hij is compleet doorgedraaid, dus zullen we de hulptroepen erbij moeten halen.'

Ze belde naar Fraudebestrijding. Don zou nog voor de avond in hechtenis worden genomen.

Dee was op dit moment niet bereikbaar, deelde haar antwoordapparaat mee. Ella zag dat Nick en Sandy haar heimelijk in de gaten hielden door de glazen deur. Ze kon niet in deze val blijven wachten tot hij kwam. Ze moest eruit. Maar ze wist dat ze haar niet zouden laten gaan.

Ze stak haar telefoon en portemonnee bij zich en liet haar jas achter over de rugleuning van de stoel en haar handtas op het bureau. Ze ging naar het toilet en glipte door de zijdeur de steeg in. Ze zouden kwaad zijn, maar ze moest gewoon alleen zijn. Ze hield een taxi aan en gaf Stephen's Green op. Achterin belde ze Inlichtingen en vroeg het nummer van Michael Martin. Hij nam meteen op.

'Ja?' zei hij kort.

'Zeg dat hij moet ophouden met zoeken. Ik ben onderweg naar Stephen's Green. Ik zal bij de eendenvijver wachten.'

'Ja, jij en het halve politieapparaat van Ierland zeker.'

'Als die er zijn, heb ik ze niet meegebracht,' zei ze, en verbrak de verbinding.

'Gaat het?' vroeg de chauffeur, terwijl hij in het spiegeltje naar haar keek.

'Dat weet ik niet,' zei Ella. 'Waarom vraagt u dat?'

'Omdat u zit te rillen. U hebt geen jas aan. U ziet er ongerust uit.'

'Dat is allemaal waar,' gaf Ella toe.

'En?'

'En ik moet iets doen wat ik niet wil doen, en ik ben een beetje bang,' zei ze.

'Neem iemand mee,' adviseerde de chauffeur.

'Dat kan niet.'

'U hebt een telefoon. Zeg tegen iemand waar u naartoe gaat.'

'Maar ik wil niet dat iemand komt storen.'

'Dan ziet het er niet best uit,' zei de chauffeur meelevend.

'Inderdaad,' antwoordde ze.

Derry King liep terug naar het gebouw waar de schilderklus werd gedaan. Hij zag het bord van het schildersbedrijf. Zijn vader had partner in het bedrijf kunnen zijn en in deze stad kunnen wonen. Dan was Derry hier opgegroeid. Maar dan was hij misschien net zo'n jongen geworden als die Buzzo, en had hij vuilnisemmers schoongespoten en thee gebracht aan schilders en bouwvakkers voor hij naar school ging. Zoals hij in New York had gedaan.

Hij zag twee mannen naar een bestelbus lopen met de naam Kennedy erop. Ze bleven staan om een aantal papieren door te nemen, waarvan sommige aan een klembord waren bevestigd. Hij sloeg hen een poos gade met een brok in zijn keel. Ze waren breed gebouwd, net als hij, en ze hadden hetzelfde borstelige haar. Ze waren iets langer, maar ze hadden dezelfde rimpels om hun ogen. Je hoefde niet te zijn afgestudeerd in genetica om te weten dat ze familie van hem waren.

Hij hoorde hun vriend te zijn. Tenslotte waren ze de zoons van twee broers. Maar er viel zoveel te betreuren. Te vergeten. Hij zou weggaan.

Op dat moment keken ze in zijn richting. Nu kon hij niet meer vluchten.

'Sean? Michael?' zei hij.

'Zo, Derry, eindelijk om je ons dan eens opzoeken,' zei een van hen.

'Herkennen jullie me zomaar?' Hij wist niet of hij blij of kwaad moest zijn.

'Natuurlijk.'

'Door Kim, neem ik aan?' zei hij.

'Nou, ze heeft wel een foto van je laten zien toen ze hier was, maar dat is lang geleden. Je bent gewoon ons evenbeeld.'

'Dat is zo.'

Derry leek nog steeds niet op zijn gemak.

De grootste van de twee mannen zei: 'Voor ons is het niet moeilijk om te weten wie je bent, want je bent maar in je eentje. Jij hebt natuurlijk geen idee wie van ons wie is. Ik ben Sean en dit is Michael, het brein achter onze zaak. Kom, dan trakteren we je op een ontbijt.'

'Ik ben al uren aan het ontbijten,' zei hij met een glimlachje.

'Dat is de enige maaltijd waar je nooit te veel van kunt eten, zeggen ze.' Sean was aandoenlijk enthousiast. Hij wilde niets liever dan de neef die hen tientallen jaren had genegeerd, trakteren.

Derry keek van de een naar de ander. 'Jullie lijken helemaal niet verbaasd dat je me ziet,' merkte hij op.

'Kimberly stuurde bericht dat je misschien hier zou komen en dat we naar je moesten uitkijken,' zei Michael.

'En een van de schilders zei dat een yank die sprekend op ons leek, in de cafetaria naar ons had gevraagd,' voegde Sean eraan toe.

En ze lachten alsof ze van oudsher vrienden waren toen ze Derry op zijn derde ontbijt van die dag gingen onthalen.

Misschien waren eenden niet zo tevreden als ze eruitzagen. Misschien zaten ze tot aan hun gevederde oksels in de zorgen, maar ze zagen er redelijk evenwichtig uit. Alsof ze alles op orde hadden.

Ze keek om zich heen. Hij was nog nergens te bekennen.

Ze ging op een bank zitten en zag een papieren zak met de restanten van iemands ontbijt. Normaal gesproken zou ze zich vreselijk gestoord hebben aan alle troep die gewoon op de grond werd gegooid, nu had ze iets om aan de kwakende eenden te geven als ze dat wilde. Misschien was het wel een onbedoeld goede daad om de zak hier achter te laten.

Ze zag mensen lopen, gehaast of op hun gemak. Don was er niet bij. Maar ze wist dat hij zou komen. Hij was zo spoorslags uit Spanje vertrokken, dat hij haar blijkbaar wanhopig graag wilde vinden. Misschien had hij geweten dat ze loog toen ze gisteravond tegen hem zei dat ze de laptop al had overgedragen. Hij moest meteen uit Spanje zijn vertrokken, waarschijnlijk via Londen. Wat voor paspoort zou hij hebben gebruikt?

Opeens werd ze bang. Waarom had ze hier met hem afgesproken?

Ze toetste het nummer in van Derry Kings mobiele telefoon. Het stond op het scherm en ze wilde net de groene knop indrukken om hem over te laten gaan, toen ze Don zag. Hij kwam met uitgestrekte armen op haar af.

'Engel!' riep hij. 'O engel van me, nu doet niets er meer toe. Ik ben zo blij dat ik je weer zie.'

Derry wist niet hoe hij het die dag had, zoveel gebeurde er en zoveel viel er te zien en te onthouden. Zelfs tijdens zijn drukste

dagen, toen hij zijn eigen bedrijf oprichtte in Amerika, had hij op
één dag niet zoveel mensen ontmoet.

Zijn neven namen hem mee naar hun bedrijf en legden uit hoe
ze het vanaf de grond hadden opgebouwd. Dat het zo'n goed idee
had geleken om zichzelf aan aannemers te verhuren als meester-
schilders, om als het ware een stempel op hun werk te leggen.
Maar het ging niet zonder problemen.

Ze vertelden hem zonder sentimenteel te worden over hun eigen
vader, die nu overleden was, en over hun moeder, die in een bejaardenhuis woonde en hem graag zou willen zien, maar misschien
tijdens een ander bezoek, niet deze keer. Ze drongen nergens op
aan en hij had het gevoel dat hij hen zijn hele leven al kende.

Hij ging terug naar Quentins om te zien hoe de dag daar verliep. Hij maakte kennis met het personeel, zag hoe ze zich de
namen en eigenschappen van de nieuwe kaassoorten eigen maakten, en keek hoe tafels handig werden verschoven als reserveringen
vlak voor lunchtijd werden veranderd. En hij merkte hoe precies
er op de klok werd gewerkt in de keuken, waar alles een eigen
tempo had.

Derry zag dat Brenda aan de telefoon was, en ze vertelde hem
dat ze net had gehoord dat Don Richardson in Dublin was.

'Weet Ella het?' vroeg hij meteen.

'Blijkbaar niet, maar ze zit veilig bij Firefly Films. Met Nick en
Sandy.'

'Hij heeft er niet veel gras over laten groeien,' merkte Derry op.

'Nee, hij zal wel gedacht hebben dat hij beter snel te werk kon
gaan voor de politie klaar zou zijn met hun papierwerk,' zei Brenda.

'Als hij haar ziet...' begon Derry.

'Dat gebeurt niet.'

'Nee, maar als het wel gebeurt, denk je dan dat ze naar hem
terug zal gaan?'

Brenda vond dat er meer dan professionele belangstelling door-
klonk in de vraag. Hij keek heel bezorgd. Ze had het graag zelf
willen geloven toen ze Derry verzekerde dat Ella de man van haar
leven nooit meer zou willen zien.

'Hallo, Don.' Ella's stem klonk vlak.

'O, mijn liefste Ella.'

'Nee, Don, laat dat maar achterwege.'

'Maar er is niets veranderd. Het is een hel geweest, en ik weet dat ik je door die hel heb laten gaan, maar ik moest wel. Omdat we uiteindelijk samen...'

'Nee, Don, je moest niets.'

'Alles komt nu in orde, engel. Jij en ik kunnen nu samen weg. We halen het geld dat je vader en moeder niet wilden aannemen, daarmee kunnen we overal naartoe, en met de laptop kunnen we alles in orde maken.'

Ze keek hem vol ongeloof aan. Hij meende het echt. Hij dacht dat ze alles in de steek zou laten om met hem te vluchten.

Hoe dacht hij dat haar leven al die maanden was geweest? Had hij nog wel besef van de realiteit?

Ze keek naar zijn gezicht, en vroeg zich af hoe hij zo zelfverzekerd en liefdevol kon doen.

'Ik kan gewoon niet geloven dat je hier bent, Don, dat je je gewoon in het hol van de leeuw hebt gewaagd.'

'Je hebt hem niet aan de politie gegeven, Ella, ik ken je. Ik weet alles van je, echt. Ik weet precies hoe je bent, of je nu slaapt of wakker bent. Ik denk de hele tijd aan je. Ik ken je als mijn broekzak. Ik weet wanneer je liegt, wanneer je bang bent. Ik heb nog nooit iemand zo goed gekend als jou.' Hij beefde nu en er parelde zweet op zijn voorhoofd.

Opeens werd ze bang. Ze drukte op het groene knopje van haar telefoon, die ze achter zich hield. Als Derry er maar is. Als hij me maar hoort.

'Don, geloof me, ik ga niet met je mee,' begon ze.

'Natuurlijk wel, engel van me. We zullen weer samen zijn, we zijn immers voor elkaar bestemd.'

Ze hoorde een klik in de telefoon achter haar. Als Derry maar had opgenomen.

'Ik ben niet naar Stephen's Green gekomen om daar met je over te praten, Don,' zei ze.

'Waarom ben je dan wel gekomen, als je niet van me houdt en niet met me mee wilt om voortaan met me samen te zijn? Waarom?'

'Om afscheid te nemen en te zeggen dat het me spijt, denk ik.'

'Spijt? Je hebt nergens spijt van, engel. Je hebt niets weggegeven. Alles ligt klaar voor ons, we hoeven het alleen maar op te halen.'

'Nee. Ik heb het aan de politie gegeven.'

'Voordat je me aan de lijn had, of erna?'

'Erna,' zei ze, en ze sloeg even haar ogen neer.

Er kwam een bijna dromerige glimlach op zijn gezicht. 'Ik wist het. Ik had gelijk. Ik wist dat je loog.'

'Weet je nu dan ook dat dit waar is, dat ik meteen erna de afdeling Fraudebestrijding heb gebeld en dat ze zijn gekomen om de laptop mee te nemen? En we hebben alles uit de kluis gehaald. Dat hebben ze ook meegenomen.'

Ze keek naar zijn gezicht. Nu geloofde hij het inderdaad.

'Waarom heb je me dat aangedaan?'

'Om de moed te hebben je recht in de ogen te kijken en te zeggen dat het voorbij is en dat je je beter kunt aangeven. Zeggen dat het je spijt. Er valt toch nog wel íéts te redden? Zit je straf uit, laat de jongens zien dat je nog iets van waardigheid bezit. En je vrouw.'

Zijn gezicht was helemaal vertrokken. 'Hou je mond. Hoor je me? Hou op met dat schijnheilige gedoe! Kom je me vijfentwintig jaar lang opzoeken in de gevangenis, wil je wachten tot je een oud wijf bent?'

Ze was nu heel bang voor hem, bang dat hij haar zou slaan. 'Ik ben vlak bij jou!' schreeuwde ze over haar schouder, in de hoop dat haar stem de telefoon zou bereiken.

'Waar heb je het over?' riep hij.

'Ik zeg waar ik ben om niet bang voor je te zijn, Don, en voor die vreselijke blik in je ogen. Ik ben in Stephen's Green bij de eenden. Daar ben ik, en ik ben niet bang. Ik ben midden in het centrum van Dublin. Jij gaat niet alles wat je hebt gedaan nog erger maken door mij kwaad te doen.'

'Jou kwaad doen, engel? Ben je gek geworden? Ik hou van je!' riep hij.

'Nee, je hebt nooit van me gehouden. Dat weet ik nu.'

'Ik ben teruggekomen voor jou...'

'Je bent teruggekomen voor je laptop,' zei ze.

Er lag waanzin in zijn ogen. Had hij vroeger ook zo gekeken?

'Ga weg, Don,' zei ze vermoeid. 'Ga alsjeblieft weg.'

'Niet zonder jou.'

'Je hebt niets meer aan me. Ik heb weggegeven wat je dacht dat ik had. Je had nooit terug moeten komen.'

'Hoe kon je zo ontzettend stom zijn, engel!'

'O ja, Don, ik was ontzettend stom, dat weet ik nu.'

Hij was heel dicht bij haar en hij leek zijn zelfbeheersing totaal kwijt te zijn. 'Je had alles kunnen hebben, engel, alles wat je hartje begeert.'

'Ik wil dat je weggaat. Misschien kun je nog ontsnappen. Ga weg voor ze je te pakken krijgen. Je hebt vrienden genoeg bij wie je kunt onderduiken.'

'Tegenwoordig niet meer, engel. Niet zonder de laptop.'

Toen zag ze mensen in hun richting komen. Uit de schaduwen, vanachter de bomen en struiken. De moedereend had de jonge eendjes meegenomen, alsof ze wist dat ze hier beter niet konden blijven. Niet op een plek waar een volwassen man als een kind stond te snikken bij de politie, en luidkeels jammerde: 'Ik heb het voor jou gedaan, engel. Ik heb het allemaal voor jou gedaan.'

Ella Brady stond te beven en te rillen in de armen van Derry King, die haar vasthield alsof hij haar nooit meer los wilde laten.

16

De bijeenkomst bij Quentins die avond werd uitgesteld: er was te
veel gebeurd. Niemand kon zich op een toekomstige documentaire concentreren terwijl de werkelijkheid zo vol drama en angst was
geweest. Iedereen vertelde elkaar wat er gebeurd was. Nick en
Sandy vertelden aan Deirdre dat ze in allerijl met een taxi naar
Stephen's Green waren gegaan toen ze van Derry hoorden wat er
gebeurd was. Brenda en Patrick vertelden aan Tom en Cathy dat
Blouse op de terugweg naar het restaurant over Stephen's Green
was gekomen en alles had gezien. Dat Richardson als een kind had
staan huilen en schreeuwen.

Barbara Brady vertelde aan iedereen die het wilde horen dat ze
eindelijk de moed had opgebracht, toen het eigenlijk al te laat was.
Maar dat ze nooit zou vergeten dat ze Don had getrotseerd en
tegen hem had gezegd dat het haar niet kon schelen wat er met
hem zou gebeuren.

Sasha hoorde van haar oom Mike Martin dat ze al haar spullen
meteen weer moest uitpakken en in het huis in Killiney moest blijven; Mike Martin ging zelf naar het buitenland. Richardson zou
niet terugkomen, en ze kon beter meteen haar rechten als kraker
vastleggen.

Nuala belde naar Deirdre om te zeggen dat twee broers van
Frank ook in Stephen's Green waren geweest, voor het geval dat
de laptop zou worden overgedragen. Mike Martin had hun in een
laatste wanhoopspoging gebeld. Ze hadden versteld gestaan van
Dons gedrag, en ze zeiden dat Ella een Amerikaanse advocaat had
ingehuurd om haar belangen te beschermen.

Een breedgeschouderde vent die King heette.

In de ochtendkranten stonden foto's van Don Richardson toen
hij gearresteerd was, plus enkele ooggetuigenverslagen. Er was één

foto bij van Ella, als 'een vrouw die getroost werd op de plek des onheils'. Alleen degenen die haar kenden, wisten wie ze was. In de media en door de lezers werd ze niet geassocieerd met de Ella van het liefdesnestje van maanden geleden. Maar wel door Harriet, die Ella in de taxi van het vliegveld naar New York had ontmoet. Ze had een paar honderd euro kunnen opstrijken als ze een tip gaf aan een van de kranten. Maar Ella was een aardige meid. Ze kon wel wat rust gebruiken.

En er waren zoveel andere manieren om aan geld te komen. De getuigen die alles hadden gehoord, zeiden dat Don Richardson steeds had geroepen: 'Ik heb het allemaal voor jou gedaan.' Hoe moest je dat opvatten?

Enkele journalisten zeiden dat hij het misschien tegen zijn geliefde vrouw had gehad die nog in Spanje was, maar binnenkort terug in Ierland werd verwacht – volgens sommigen om haar man bij te staan, volgens anderen om verantwoording af te leggen voor bepaalde feiten waarvan ze werd beschuldigd.

Omdat het lang van tevoren geplande diner bij Quentins was uitgesteld tot iedereen weer tot kalmte was gekomen, gingen ze er blijkbaar van uit dat Ella met Derry terug zou gaan naar zijn hotel.

'Ik kan je zeker niet overhalen om vannacht in bed te gaan liggen?' zei hij.

'Jezus, nee, Derry. Ik heb vandaag al te veel meegemaakt om ook nog aan dat soort dingen te moeten denken.'

'Ik bedoelde niet in bed met mij, ik bedoelde dat jij in bed zou liggen en ik op de bank.'

'O,' zei ze. 'Sorry.'

En om de een of andere reden vonden ze het allebei heel grappig, en ze moesten zo lachen, dat ze nog niet waren bedaard toen de bestelde roereieren met gerookte zalm werden gebracht.

Ze gingen weer een potje schaken. Ze hadden het niet over Don Richardson, waar hij vanavond zou zijn en wat er met hem zou gebeuren. Ze hadden het ook niet over Quentins. Eigenlijk zeiden ze helemaal niet veel.

En tegen de tijd dat Ella op de bank ging liggen, waar ze inmiddels aan gehecht was (beweerde ze), keek ze niet meer angstig en haar stem klonk lang niet meer zo beverig.

'Ik wil je niet ophouden in Dublin, Derry. We zullen morgen echt aan de slag gaan.'

'Ik heb geen haast om weg te gaan. Er moet hier nog een heleboel gebeuren,' zei hij, en hij gaf een vluchtige kus op haar voorhoofd en legde een plaid over haar heen.

'En Amerika dan?' vroeg ze slaperig.

'Dat kan nog wel even zonder mij,' antwoordde Derry King.

Wat kon er in die week zijn gebeurd dat iedereen van gedachten veranderde over de documentaire? En wanneer was dat begonnen?

Mogelijk in de keuken van Quentins.

Blouse Brennan was de dozen fruit aan het sorteren. Hij verdeelde ze vaardig over de plaatsen waar ze moesten komen: limoenen en citroenen bij de bar, verse bessen bij het gebak, om ze op het laatste moment te bestrooien met poedersuiker of toe te voegen aan desserts.

'Ze zullen je vast filmen als je daarmee bezig bent, Blouse,' zei Brenda bewonderend.

Blouse werd rood. 'Ze willen mij echt niet op de film hebben,' antwoordde hij.

'Natuurlijk wel, Blouse, en in de groentetuin en bij de kippen, dat is juist interessant,' verzekerde Patrick zijn broer.

Maar Blouse moest niets hebben van de vleiende woorden. 'Ik vind het niet leuk om in de film te komen, want ik wil niet dat de mensen naar me kijken.'

'Maar het zijn aardige mensen, en je kent ze toch? Nick en Sandy, en Ella,' zei Brenda overredend.

'Nee, die bedoel ik niet.'

'Meneer King is hier geweest, en die was toch aardig?'

'Nee, ik heb het over mensen van buiten. Mensen als Horse en Shay. De broeders bij wie ik op school heb gezeten, de mensen van de volkstuintjes. Ik wil niet dat ze me zien en te weten komen wat ik doe,' zei Blouse geagiteerd.

Ze wisten dat ze hem niet verder van streek moesten maken.

'Nou, natuurlijk word je niet gefilmd als je het niet wilt, Blouse,' zei Patrick.

'Het zou heel jammer zijn, maar het is natuurlijk je eigen keus,' stemde Brenda in.

'Bedankt, Brenda, Patrick... Ik wil jullie niet teleurstellen of zo.'
'Natuurlijk niet, Blouse,' zei Patrick met opeengeklemde kaken.

Of het was bij Firefly Films begonnen. Ze kregen het aanbod waarvan ze hadden gedroomd sinds ze waren begonnen: een film over een van Ierlands bekendste rockbands, waarin de leden werden gevolgd vanaf het componeren en het oefenen van de nummers tot en met een groot rockconcert. Als ze het deden, zouden ze voorgoed hun naam hebben gevestigd, maar dan moesten ze er wel bijna onmiddellijk mee beginnen.

Nick wilde weigeren. Ze hadden al afgesproken om de documentaire over Quentins te doen.

Sandy zei dat ze hen een week aan het lijntje moesten houden. Er kon veel gebeuren in een paar dagen, en misschien veranderde Derry King wel van gedachten.

Of het lag aan Buzzo. Hij zei dat hij niet in de film gezien mocht worden, omdat niemand op school wist dat hij hier werkte, en dat zijn broers zijn geld zouden afpakken als ze wisten dat hij het had.

En Monica zei dat haar man, Clive, weliswaar de liefste schat ter wereld was, maar dat hij er toch weinig voor voelde om hun liefdesverhaal in de openbaarheid te brengen. De mensen op de bank hadden geen gevoel voor humor. Misschien zouden ze minder respect hebben voor meneer Clive Harris als ze wisten dat hij in bruin kaftpapier gewikkelde boeken las over hoe je aantrekkelijk moest zijn voor de andere sekse. Jammer, maar helaas konden ze niet meewerken aan de documentaire.

Iemand had Yan verteld dat deze film, als hij succes had, overal vertoond zou worden, ook in zijn vaderland. Dan zou zijn vader hem ten overstaan van de hele wereld horen zeggen dat ze niet goed overweg konden als vader en zoon. Het was een hechte gemeenschap bij hem thuis; in dat deel van Bretagne maakten mensen hun problemen niet openbaar. Duizendmaal sorry, maar hij kon echt niet meewerken aan de documentaire.

En toen kreeg Patrick Brennan zijn jaarlijkse medische keuring. Hij deed alle oefeningen op de loopband en de hometrainer. Toen moest hij, nog steeds licht transpirerend, als laatste onderdeel van de keuring op gesprek bij een psycholoog.

'Het is natuurlijk veeleisend werk, een restaurant runnen, maar als die documentaire eenmaal klaar is, komt het allemaal in orde. We hebben afgesproken om daarna tijd vrij te maken voor ons samen, en meer te delegeren.'

'Wanneer is dat?'

'O, over een paar weken, denk ik. Het zal zwaar zijn om tot die tijd alles goed draaiende te houden, maar dat moet nu eenmaal.'

'Waarom eigenlijk?' vroeg de psycholoog.

Brenda's vriendin Nora O'Donoghue was in de keuken groenten aan het snijden. Brenda keek vol genegenheid naar haar. Ze was zo'n knappe vrouw, met haar weelderige haren en lange, golvende jurken. Ze had geen idee dat ze zo'n opvallende, aantrekkelijke verschijning was. Zelfs terwijl ze de groenten in de gootsteen waste en op keukendoeken legde om ze te snijden en in stukjes te hakken, leek ze net een bevallige godin uit een klassiek schilderij.

'Hou daar nu eens even mee op en kom gezellig praten, Nora.'

'Ik werk misschien niet drie uur voor jou, maar wel voor je man. Kom hier maar praten, terwijl ik bezig ben.'

Brenda trok een stoel bij. 'Vind je het erg om gefilmd te worden terwijl je dit doet?' vroeg ze.

'Dat doen ze niet. Wat moeten ze met zo'n raar oud mens als ik?'

'O, jawel, Nora. Je ziet er prachtig uit. Ik zat er net aan te denken. Zou je het erg vinden?'

'Helemaal niet, als ik jou en Patrick ermee kan helpen. Ik vind het een eer.'

Brenda keek naar haar met een brok in haar keel. Wat een schat van een mens was ze toch. Het kon haar niet schelen dat haar moeder en haar krengen van zusters, haar leerlingen van de Italiaanse les en Aidans collega's zouden zien dat ze groenten stond schoon te maken in een restaurantkeuken. Wat heerlijk als je zo kon zijn.

'Je bent moe, Brenda.'

'Dat wil zeggen: je bent lelijk, Brenda.'

'Nee, het betekent: je maakt je zorgen, Brenda.'

'Goed, ik maak me zorgen. Ik maak me vreselijk druk om die documentaire – of we het allemaal wel goed zullen doen.'

'Je hoeft het toch niet te doen?' zei Nora.

'Als we ooit iets willen bereiken, moeten we toch een soort erfenis nalaten.'

Nora legde voorzichtig haar korte, brede, maar vlijmscherpe mes neer en legde een hand op die van Brenda. 'Jullie? Iets bereiken? Ze noemen jullie nu al legendarisch! Wat wil je nog meer bereiken? Je brengt al genoeg moois in het leven van anderen, en dat zul je blijven doen.'

'Het is heel aardig van je om te zeggen dat we al veel bereikt hebben, Nora, maar zo zie ik het niet. Ik dacht dat de film ons wat meer zou karakteriseren.'

'Brenda, jullie hebben elkaar en dit fantastische restaurant. Mijn god, mens, heb je dan nog niet genoeg?'

Ella kwam mevrouw Ennis, het hoofd van de school, tegen in het restaurant van Haywards.

'Wat ben ik blij je te zien,' zei mevrouw Ennis.

Ella was verbaasd. Ze had mevrouw Ennis eigenlijk wel in de steek gelaten door zo gauw ontslag te nemen. En misschien had mevrouw Ennis ook spijt dat ze zoveel had losgelaten over haar privé-leven om Ella op te beuren.

'Ik wilde je vragen of je misschien parttime werk wilt. Ik heb geprobeerd je te bellen, maar ik kreeg steeds geen gehoor.'

'O, ik ben een poosje ondergedoken,' gaf Ella toe.

'Maar ik neem aan, uit wat ik in de kranten heb gelezen, dat je nu weer uit je schuilplaats bent.' Mevrouw Ennis klonk heel zakelijk.

'Ja, dat is zo.'

'Heb je nog belangstelling voor lesgeven? Je was goed. De meisjes waren op je gesteld.'

'Ik vond het heel leuk. Het bood op een bepaalde manier meer zekerheid dan wat ook.'

'Maar misschien is zekerheid niet voldoende.'

'Nu wel, denk ik. Maar ik moet eerst een filmdocumentaire maken.'

'Hoe lang duurt dat?'

'Een paar weken, mevrouw Ennis. Ik hoef hem niet te bewerken.'

'Waar gaat het over?'

'Over een dag in een restaurant.'

'Waarom?' vroeg mevrouw Ennis op de man af.

Ella keek haar even aan. 'Eerlijk gezegd weet ik het eigenlijk niet. Er waren een heleboel redenen, in het begin om me een soort therapie te bieden. Vervolgens raakten er steeds meer mensen bij betrokken.' Ze raakte in de war, nu ze nadacht over wat eigenlijk de reden was dat ze het deden.

Mevrouw Ennis was zakelijk. 'Je weet ons te vinden, Ella. Bel ons binnen een week als je wilt terugkomen. We hebben je nodig.'

'Dat is heel aardig van u.'

'En dat andere? Is dat in orde?'

'O, ja. Het lijkt wel of het een ander is overkomen, niet mij.'

'Mooi, dan ben je aan de beterende hand,' zei mevrouw Ennis.

Ella had Derry in geen drie dagen fatsoenlijk gesproken. Hij bracht ochtend, middag en avond door met zijn neven.

'Je hebt toch geen ruzie met hem gehad?' vroeg Barbara Brady.

'Je kunt geen ruzie hebben met Derry,' zei Ella. Ze herinnerde zich dat zijn ex-vrouw Kimberly ook iets dergelijks had gezegd.

Toen hij later op de dag belde, wilde hij een afspraak maken. 'We moeten praten, Ella. Zullen we bij Quentins gaan eten?'

'Zal ik vragen of Nick en Sandy ook komen?'

'Nee, alleen jij.'

Het bleek dat hij er elke avond met zijn neven had gegeten. Sean en Michael kenden het restaurant al, en kwamen er als ze iets te vieren hadden.

'Jammer dat je dit alles in een soort circus gaat veranderen,' had Sean ronduit gezegd terwijl hij om zich heen keek.

'Wat bedoel je?' vroeg Derry verbaasd.

'Nou, als al die mensen op televisie komen, raken ze bekend en dan komt iedereen hier naar hen zitten staren. Dan kunnen ze hun werk niet meer doen als daarvoor. Voordat ze acteurs werden, bedoel ik.'

'Kom, Sean, nu moet je Derry niet ontmoedigen. Het is zíjn werk. Jij zou het ook niet leuk vinden als hij jou ging vertellen hoe je een huis moet schilderen,' zei Michael.

'Ik zou het niet erg vinden als hij iets zou zeggen waar ik wat aan had.' Sean meende het.

En die avond vertelde Derry dit allemaal aan Ella, dat de broers hem de ogen hadden geopend voor een heleboel dingen. Filmen was zijn werk niet, had hij hun verzekerd, maar verkopen, behoeften creëren voor anderen en daar vervolgens aan voldoen, daar was hij goed in. Hij was bij hen op de zaak geweest en had verteld hoe ze konden uitbreiden. Ze konden niet alleen het schilderwerk doen, maar ook verf verkopen. Interieuradviezen geven na werktijd en op zaterdagochtend. Jonge mensen trekken, hun kleurkaarten met verschillende combinaties meegeven en lijstjes met wat wel of niet kon. Hen tot vrienden maken. Er was geen sprake van dat ze hun eigen markt zouden ondergraven. Het waren twee heel verschillende doelgroepen: degenen die zelf schilderden en degenen die het lieten doen.

En toen, zei hij tegen Ella, had hij ook goed naar hen geluisterd. En begrepen wat ze bedoelden. Hij voelde zich prettig en op zijn gemak in Quentins, en de mogelijkheid bestond dat de zogeheten vlieg op de muur het zou verpesten voor die sfeer en de mensen die er zo hard werkten. Voor hem was het heel duidelijk, nu moest hij het alleen aan Ella en alle anderen zien uit te leggen. Tot zijn grote verbazing bleek dat helemaal niet mocilijk te zijn.

De enige die er niets van begreep en kwaad werd, was Deirdre. 'Ik heb weken achtereen over niets anders gepraat dan over die documentaire, ik ben er om zo te zeggen mee opgestaan en mee naar bed gegaan. Iedereen was het er helemaal mee eens. En nu moet ik opeens dolblij zijn dat het niet doorgaat. Nee, Ella, je moet me toch nageven dat ik iets meer ben dan een sukkel die alles best vindt.'

'Jij, een sukkel? Dee! Doe me een lol!'

'Nee, ik meen het. Het is gewoon belachelijk. Wat gebeurt er als jij weer les gaat geven, die ene vent teruggaat naar Amerika, die andere vent in de gevangenis verdwijnt, Firefly Films een groupie van rocksterren wordt, en Quentins de kans misloopt om onsterfelijk te worden? Wat is daar zo leuk aan?' Deirdre was op haar best als ze de pest in had. Maar het duurde nooit lang.

'Kop op. Je bent uitgenodigd op een groot feest om alles te vieren.'

'God, wat een stel idioten zijn jullie. Vieren! Ieder ander zou het diep betreuren.'

'Nee, Dee, er valt juist een heleboel te vieren! Het nieuwe bedrijf, Kennedy en King, want Derry gaat samenwerken met zijn neven. Het huwelijk van Aidan en Nora. Het nieuwe contract van Nick en Sandy. Dat ik de baan heb gekregen die ik het liefste wil, parttime lesgeven, en verder kan studeren voor mijn doctoraal. En dat mijn vader financieel adviseur wordt bij Kennedy en King. En zoveel andere redenen... Als je dat allemaal niet wilt vieren, dan ben je een chagrijnige zuurpruim.'

Deirdre sloeg haar armen om Ella heen. 'Ik heb je nog nooit zo gelukkig gezien. Dus misschien is dat wel een reden om een nieuwe feestjurk te kopen. Komt er ook iets waar ik me eens op kan storten, denk je?'

'Nou, wie weet,' zei Ella. 'Het belooft een heel ongewoon feest te worden.'

'Ja, mevrouw Mitchell. Ik weet dat het vervelend is voor u. Misschien kunt u een andere avond kiezen.'

'Maar mijn schoondochter... nou ja, vroegere schoondochter, zei dat ze zaterdagavond, morgen dus, naar Quentins ging.'

'Maar dan heeft ze ook wel verteld dat het een besloten avond is, mevrouw Mitchell.'

'Ik dacht dat u misschien wel een uitzondering zou maken voor vaste gasten.'

'Nee, de aankondiging heeft al drie weken op alle tafeltjes gestaan, mevrouw Mitchell, en in de krant.'

Brenda hing op en sloeg haar ogen ten hemel. 'Dat Cathy dat mens niet uit de weg heeft geruimd! Erger dan zij kun je niet hebben.'

Het volgende telefoontje was van Nora's moeder. 'Hoe komt u erbij om te denken dat mijn familie en ik naar een verrassingsfeestje voor Nora gaan? Wat een onzin, en dat op haar leeftijd. En dan hebben we het ook nog op zo'n korte termijn te horen gekregen.'

'We konden het niet eerder laten weten, omdat ze er anders misschien achter zou komen.' Brenda sloeg weer haar ogen ten hemel.

'Maar ik dacht dat die ceremonie in een boekhandel werd gehouden. Dat zei Nora. Daar zouden we trouwens toch niet heen zijn gegaan.' Mevrouw O'Donoghue snoof minachtend.

'We hopen van harte dat u morgen hier kunt zijn. Het wordt

een groot feest, en iedere vrouw zou graag willen dat haar moeder op haar huwelijksfeest komt.'

'Hm, alsof het een echte trouwerij is.'

'Het wordt een fantastische trouwerij. Ik ben een van de getuigen. Dus ik hoop dat u allemaal kunt komen. Of zegt u nu definitief nee?'

Nora's moeder wilde zichzelf niet uitsluiten van iets wat blijkbaar een groot feest zou worden. 'Ik kan nog geen ja of nee zeggen.'

'Dan hopen we dat het ja wordt. Maar geen woord hierover tegen Nora en Aidan.'

Brenda wist dat het misselijke mens zou proberen om hen te bellen en de boel te bederven, maar dat zou haar niet lukken. Nora bleef die nacht in Quentins en Aidan was in het huis van zijn schoonzoon. Mevrouw O'Donoghue zou hen niet kunnen vinden, hoe ze ook haar best deed.

Maud en Simon kregen te horen dat Hooves, hun hond, níét op het feest mocht komen, hoe zielig hij zich ook zou voelen. Hij had dezelfde halsband als Derry Kings hond in Amerika, maar zelfs daarmee kwam hij er niet in. Cathy waarschuwde dat twee liedjes het maximum was, en dan graag liefdesliedjes.

Simon dacht aan 'Please, release me, let me go'. maar dat was blijkbaar niet geschikt voor een trouwdag.

En ook niet 'Young love, first love, is filled with deep emotion'. maar dat begrepen ze wel, want het aanstaande echtpaar was niet echt jong.

'Liefde,' zei Cathy overbiddelijk. 'Jullie kennen toch wel een liedje over liefde?'

Ze zeiden dat ze zouden kijken.

'Er wordt niets gezongen zonder eerst met mij te overleggen,' zei Cathy. 'Dat is een bevel.'

Sean en Michael Kennedy behoorden tot de eersten. Ze proefden van de toastjes en keken naar de feestoorkonden aan de muren. Voor Aidan en Nora was er een met het menu in sierletters erop geschreven en versierd met trouwklokken, zoals het hoorde. Maar er hing ook een oorkonde voor Kennedy en King, en een voor Firefly Films, en een vanwege Ella's nieuwe studie.

Iemand had het er heel druk mee gehad.

Bij de piano zaten twee ernstig kijkende, blonde kinderen naast een oude man, die de tonen van een liedje aansloeg en het hun probeerde te leren.

'We kunnen het beter opschrijven, Muttie,' zei de jongen.

'Iedereen kent de tekst,' wierp de oude man tegen. 'En je kunt ze niet opschrijven, want ze zijn niet in het Engels.'

'Waarom zingen we het dan?' vroeg het meisje.

'Omdat Cathy zegt dat ze het prachtig zullen vinden. Ze vond het jammer dat jullie het niet kenden, maar als je goed luistert, lukt het wel.'

Ze deden hun uiterste best om zich te concentreren.

Derry kwam de familie Brady ophalen met een auto.

'We zijn niet zulke feestgangers,' had Tim geprotesteerd, maar Ella zag dat hij zijn beste pak had aangetrokken.

'Ik kan niet naar een feest zonder dat mijn financieel adviseur erbij is. Anders ga ik me misschien net als mijn vader bezatten en gek doen,' zei Derry.

Ella glimlachte naar hem. Eindelijk kon hij er een grapje over maken.

'We zouden het voor geen goud willen missen, Derry,' zei Ella's moeder.

Ella keek naar de straten toen ze naar Quentins reden. Dit was haar wereld. Een andere was er niet en die zou er ook nooit meer komen.

Patrick maakte zijn entree in volledig cheftenue. 'Brenda is bij hen. Ze neemt Nora en Aidan, zijn dochters en schoonzoon, mee naar Holly's Hotel voor de thee, en ze denken dat ze daarna naar de boekhandel gaan.'

'Zijn ze niet bang dat Nora een hartaanval krijgt als ze ziet dat de winkel dicht is?'

'Nee, maak je geen zorgen.'

De ambtenaar van de burgerlijke stand was een aardige man. Hij wist dat hij voor een waardige ceremonie moest zorgen toen hij een gezelschap van slechts zes mensen voor zich zag. De bruid en bruidegom waren al bijna van middelbare leeftijd. Hij keek van de een naar de ander en benadrukte hoe belangrijk deze dag was, net als het besluit dat ze zouden nemen in het bijzijn van de aanwezigen.

Ze bedankten hem uitbundig, en vroegen of hij mee thee ging drinken in Holly's Hotel. Hij werd vaak uitgenodigd voor de festiviteiten, maar hij bedankte altijd. Vandaag kwam hij voor het eerst in de verleiding; ze waren zo aandoenlijk gelukkig dat hij vaak zijn neus moest snuiten. Ze hadden waarschijnlijk een lange weg achter de rug.

Ze reden naar Holly's Hotel en werden daar hartelijk verwelkomd. Er werden foto's gemaakt in de tuin onder de hoge bomen. Kleine sandwiches en taartjes werden geserveerd. Iedereen was heel ontspannen, maar de bruid hield haar horloge in de gaten.

'We moeten op tijd in de boekhandel zijn,' zei Nora.

Brenda probeerde hen zo lang mogelijk op te houden. 'O, maak je geen zorgen. Ze beginnen wel zonder ons. Ze weten dat we onderweg zijn.'

'Met hoeveel zijn we in totaal?' vroeg Aidans dochter Brigid. Ze zat in het complot en ze vond het prachtig.

'Met veertien. Ik had graag meer mensen willen uitnodigen, maar je weet wel...' zei Nora.

'Die veertien zijn het belangrijkste en de anderen zullen het heus wel begrijpen. Maak je niet druk, mevrouw Dunne.' Aidan keek haar vol tederheid aan.

'Mijn god, denk toch aan mijn hart, Aidan. Ik dacht even dat je eerste vrouw opeens in Wicklow was komen opdagen.'

Nick, Sandy en Deirdre kwamen samen. Ze hadden opdracht gekregen van Brenda om zich tussen de gasten te begeven en mensen aan elkaar voor te stellen. Het was een heel gemengd gezelschap die avond, en iemand moest hen bij elkaar houden. Brenda zou dat zonder enige moeite hebben gedaan, maar ze was elders nodig.

Nick, Sandy en Deirdre namen een drankje en deden vervolgens hun plicht. Ze mengden zich onder de gasten, maakten een praatje, stelden mensen aan elkaar voor en brachten groepjes bij elkaar.

'Ik wil even zeggen dat ik je heel leuk vind. Ben je actrice, of een filmster?' vroeg een man aan Deirdre.

'Nee. Ik werk in een laboratorium en ik heb ontzettend de pest in,' antwoordde Deirdre.

'Waarom heeft een meisje als jij nu de pest in?'

De man was goed gekleed, en hij had net zulk borstelig haar als Derry King. Natuurlijk, dit was een van die schilderneven.

'Ben jij Sean of Michael?' informeerde ze.

'Sean. Dat jij van ons gehoord hebt! Hoe is het mogelijk.'

'Iedereen heeft van jullie gehoord. Ik ben Deirdre.'

'En waarom heb je zo de pest in, Deirdre?'

'Ik heb vierhonderd euro betaald voor deze jurk, en hij staat me totaal niet.'

'Ik vind dat je er prachtig uitziet.'

Deirdre bekeek zich even in een van de spiegels. Ze trok een heel teleurgesteld gezicht.

Een vrouw met verbazingwekkend rood haar kwam naar haar toe. 'Er hoort eigenlijk een sjaal bij, iets wat de kleur benadrukt,' zei ze.

'Daar heb ik nu niet veel aan. In de winkel stond hij zo leuk.'

'Hebben ze er toen een sjaal overheen gedrapeerd?'

'Ja, dat wel. Ik ben trouwens Dee, Ella's vriendin.'

'Ik ben Harriet, Nora's vriendin, en ook die van Ella. We hebben elkaar ontmoet toen ze naar Amerika ging.'

'O ja, dat heeft ze verteld. Je hebt een hondenhalsband aan haar verkocht.'

'Ik kan nu een sjaal aan je verkopen. Wacht even, dan pak ik er een paar. Ik heb mijn tas in de garderobe afgegeven.'

Binnen enkele minuten had de metamorfose plaatsgevonden.

'Ik laat je nu alleen. Hij is een van de beste partijen van Dublin,' fluisterde Harriet.

'Wie?' Deirdre begreep er niets van.

'Sean Kennedy. Hij zwemt in het geld en hij is helemaal weg van je.'

'Maar ik moet de gasten bezighouden,' zei Deirdre.

'Volgens mij heb je dat al genoeg gedaan,' was Harriets advies.

Toen ze het briefje op de deur zagen, voelde Nora de tranen over haar wangen stromen. 'O Aidan, wat verschrikkelijk! Wat bedoelen ze met "onvoorziene omstandigheden"?'

'Ze hadden het allemaal bevestigd.' Aidan keek helemaal ontmoedigd. 'En wat hebben ze met de wijn en de toastjes gedaan?'

'Staat er nog iets?' vroeg Nora huilend.

Toen zagen ze een tweede briefje.

'Er staat dat de receptie voor Dunne is verplaatst naar acht deuren verder.'

'In welke richting?' snikte ze.

'Bij Quentins, staat er,' zei Aidan.

Ze keken naar de anderen, die stonden te stralen van plezier.

'Maar we kunnen niet naar Quentins, niet op een zaterdagavond. Nee, *Carissima*, zelfs niet voor een huwelijk. Dat kunnen we jullie niet aandoen.'

Nu kreeg Brenda tranen in haar ogen.

'Ik heb zo'n idee dat het allemaal wel in orde is,' zei ze, en ze nam de pasgehuwden acht deuren verder mee naar Quentins.

Brigid Dunne was vooruitgerend, en toen ze binnenkwamen zette een pianist 'Daar komt de bruid' in. Daarna kwam iedereen die ze graag op hun trouwdag hadden willen zien, naar voren om hen te omhelzen.

Nora's haar zat prachtig, en de lilakleurige jurk met de mouwloze mantel van donkerpaars chiffon stond haar werkelijk schitterend. Harriet had een onvoorstelbaar koopje voor haar op de kop getikt. Niemand zou ooit weten hoe onvoorstelbaar, zelfs niet de man van wiens vrachtwagen het zogenaamd was gevallen.

De tweeling kwam naar voren. 'We mogen maar twee liedjes zingen. Zullen we dat nu doen?'

'Natuurlijk, graag.' Nora's stem klonk verstikt.

Simon en Maud waren dol op aankondigingen.

'De bruid en bruidegom hebben iets met Italië, want de bruid heeft er heel lang gewoond en ze geeft hier Italiaanse les, dus dachten we dat ze "Volare" wel leuk zouden vinden.' Iedereen leek het lied te kennen en zong het refrein mee.

Toen kondigde Maud het tweede lied aan. 'Het maakt niet uit hoe oud je bent als je trouwt. De trouwdag hoort de mooiste dag van je leven te zijn, dus zullen we voor dit echtpaar "True love" zingen.'

De tweeling kende de hele tekst, zelfs het stukje over 'the guardian angel on high with nothing to do'. Ze keken trots rond. Dit was een succes, beter dan 'Volare', dat niet eens een Engels liedje was en waarbij iedereen hen overstemd had. Dus als ze het zo goed deden, waarom stond iedereen dan openlijk te huilen? Simon en Maud vonden het leven met de dag onbegrijpelijker worden.

'Wat een stel, die twee. Ze brengen iedereen aan het huilen,' zei Cathy tegen Tom in de keuken.

Ze kwam even zitten. In de afgelopen twee weken was ze drie keer naar het ziekenhuis gegaan, ervan overtuigd dat de baby kwam. Drie keer hadden ze haar naar huis gestuurd met de verzekering dat er nog niets aan de hand was. Dus had ze niet veel acht geslagen op de krampen die ze vandaag had gevoeld. Ze wilde zo graag bij de receptie aanwezig zijn. En ze wist dat het ziekenhuis haar toch weer naar huis zou sturen, maar nu voelde ze zo'n vreemde pijn. Nou ja, het was eigenlijk geen pijn, meer een drukkend gevoel in haar onderbuik. Het was opeens komen opzetten.

'Cathy, gaat het?' vroeg Tom.

'Dat denk ik wel, dat moet wel, maar...'

'Maar wat?' Hij trok wit weg.

'Ik denk dat de baby komt, Tom,' zei ze.

Blouse en Mary zagen het eerst wat er aan de hand was. En ze wisten dat er geen tijd meer was om een ambulance te bellen of hen naar boven te brengen.

Ze brachten haar naar de voorraadkamer en zetten haar in een grote leunstoel. Mary holde naar haar eigen appartement om lakens en handdoeken te halen. Blouse haastte zich naar de eetzaal om Brenda en Patrick te waarschuwen.

Op dat moment kwam Ella de keuken in en overzag het geheel. 'Mooi zo, Cathy,' zei ze. 'Alles is prima in orde.' Haar stem kalmeerde de twee, die elkaars hand zo stevig vasthielden, dat het leek of ze die nooit meer los zouden laten.

'Je kunt geen betere omgeving hebben, met zoveel kokend water bij de hand,' zei ze opgewekt. 'Tom, vraag aan Derry of hij je Brian Kennedy wil aanwijzen. Die is namelijk arts. Je kunt je geen betere wensen. Vlug, maar laat de rest niets merken.'

Cathy zag er doodsbang uit. Mary en Ella stelden haar gerust. 'Alles is goed, Cathy.'

Brenda kwam binnen, en toen begonnen ze te geloven dat het echt zou gebeuren. Ze bogen zich over haar heen.

'Persen, Cathy,' zeiden ze in koor. Het hoofdje van de baby was al te zien.

Brian Kennedy zei dat alles al voorbij was toen hij binnenkwam. De baby was geboren, Tom en Cathy hadden een zoon.

Toen kwam Derry de keuken in, op zoek naar Ella. En dat moment zou voor altijd in ieders geheugen gegrift staan.

Ze hadden lawaai moeten horen van de keuken, de ovens, het zoemen van de apparatuur. Ze hadden de geluiden van het feest in de zaal moeten horen. Dat kon niet anders.

Maar ze herinnerden zich allemaal dat er een moment van totale stilte viel voor het jongetje, dat James Muttance Feather zou heten, met een kreet aankondigde dat hij veilig in de keuken van Quentins ter wereld was gekomen.

'Ik hou van je,' zei Cathy tegen Tom.

En dat zei Mary tegen Blouse.

En Patrick Brennan zei het tegen Brenda.

En Derry en Ella zeiden het precies tegelijkertijd tegen elkaar.